Irish Revision for Junior Certificate Higher Level

Third edition

Mícheál Ó Brádaigh
Additional material: Éamonn Maguire

Gill & Macmillan

Gill & Macmillan Ltd
Hume Avenue
Park West
Dublin 12
with associated companies throughout the world

978 07171 4127 2

Design and print origination in Ireland by
Peanntrónaic Teo and Carole Lynch

CONTENTS

Réamhrá

This book follows the order in which the various components occur in the Junior Certificate examination:

(1) Páipéar I
(2) Cluastuiscint
(3) Páipéar II

It is recommended that pupils use the book in such a way that any given revision session would include an appropriate amount of material from each section.

In all cases, material is provided to enable pupils to work on their own.

By using the suggested strategies and the sample material you will reinforce what you already know and be able to perform more effectively on examination day.

In each section the general format, including the allocation of marks, is given first, and then each part within that section is dealt with in turn.

Admhálacha

Ba mhaith leis na foilsitheoirí a mbuíochas a ghabháil leis na heagraíochtaí agus leis na daoine seo a leanas as cead a thabhairt dóibh ábhar atá faoi chóipcheart a atáirgeadh:

An Gúm maidir le 'An Bhainirseach is a hÉan' le Micheál Ó Siochrú agus an sliocht as *Mná as an nGnáth* le Áine Ní Ghlinn; An Clóchomhar maidir le 'Don Lon Dubh' le Seán Ó Leocháin; Sairséal Ó Marcaigh maidir le 'Subh Milis' le Séamus Ó Néill; Áine Ní Ghlinn maidir leis an sliocht as a húrscéal *Fuadach* agus a dán 'Ardán a hAon'; Pól Ó Muirí maidir leis an sliocht as a ghearrscéal 'Teifeach'; Catherine Foley agus Comhar maidir leis an sliocht as a húrscéal *Sorcha sa Ghailearaí*; Cló Iar-Chonnachta maidir le na sliochtanna *An Solas sa Chaisleán* as an úrscéal le Muireann Ní Bhrolcháin, *Ríocht na hAbhann* as an úrscéal le Séamus Céitinn agus an dán 'An Bhean Siúil' le Micheál Ó Conghaile; Fionnuala Uí Fhlannagáin maidir leis an dán 'Mac Eile ag Imeacht'; Máire Áine Nic Gearailt maidir le na dánta 'An Blascaod Mór Anois' agus 'An Gadaí'; Pádraig de Bhál maidir leis an dán 'Curtha Síos'; Gabriel Rosenstock maidir leis an dán 'Belshade'; Seán Mac Mathúna maidir leis an sliocht as an ngearrscéal 'Ceo Spáis' ón leabhar *Ráfla*; Oifig an tSoláthair maidir leis an ngearrscéal 'Díoltas an Mhada Rua' le Séan Ó Dálaigh; agus Colm Breathnach maidir leis an dán 'An Grá'.

As cead grianghraif a atáirgeadh tá na foilsitheoirí buíoch de 6, 10 © Alamy; 8, 34, 115 © Imagefile Ireland; 23 © Inpho; 136 © *The Irish Times*; 21 © Photocall Ireland; 18 © Paul Box/reportdigital.co.uk.

Tá gach iarracht déanta ag an údar agus ag na foilsitheoirí na sealbhóirí cóipchirt a aimsiú ach má fágadh amach aon duine bheimis sásta na socruithe cuí a dhéanamh a luaithe is a bheas deis againn.

PÁIPÉAR I LEAGAN AMACH

Roinn I:
Scríobh na teanga (100 marks)

Ceist 1 (A *or* B *or* C *or* D):

A	Aiste	50 marks
B	Scéal nó eachtra	
C	Díospóireacht nó óráid	
D	Alt	

Ceist 2 (A *or* B):

A	Comhrá	20 marks
B	Agallamh	

Roinn II:
Léamhthuiscint

Reading comprehension passage & questions 50 marks

PÁIPÉAR I AISTE

Treoracha

1 Fad na haiste: timpeall 350–400 focal.

2 *Teideal:*
- Bí cinnte go dtuigeann tú an teideal.
- Bí cinnte go bhfuil an stór focal (*vocabulary*) agat chun an aiste a chríochnú.

3 *Plean:*
- Breac síos go garbh na smaointe (*ideas*) atá agat ar an ábhar agus focal ar bith a ritheann leat (*any words that occur to you*).
- Cabhróidh na ceisteanna seo leat chun smaointe a bhogadh: Cé? Cá? Cad? Conas? Cathain? Cén fáth?

4 *Ord agus eagar:*
- Cuir na smaointe in ord agus in eagar (*organise your ideas in logical order*); mar shampla:

  Tús: Réamhrá ginearálta (*general introduction*)

  Croí: A trí nó a ceathair d'ailt ar ghnéithe éagsúla (*different aspects*) den ábhar.

  Críoch: Alt ag ceangal na bpointí le chéile agus ag tabhairt tuairim phearsanta (*a paragraph summing up the main points and giving a personal opinion*).

5 *An Ghaeilge:*
- Ná cuir rud ar bith síos mura bhfuil Gaeilge agat air: fág ar lár é, agus abair rud éigin eile. Tá formhór na marcanna ag dul don Ghaeilge. (*It's preferable to leave something out entirely if you haven't got the vocabulary to express it in Irish.*)

  Tabhair aire do

  —aimsirí na mbriathra (*tenses of the verbs*);

  —litriú.

  Agus bíodh na habairtí simplí gairid.

6 Súil siar:
- Léigh an aiste arís ó thús agus ceartaigh í.
- Léigh arís na haistí a scríobh tú i rith na bliana.

Note

In the following pages you will find

—a general vocabulary for essays;

—four sample essays with specific vocabulary;

—a list of essay titles from examination papers.

Each sample essay will have a task related to the essay titles from the examination papers.

Abairtí úsáideacha (Useful vocabulary)
Is féidir an stór focal seo a úsáid in aiste ar bith:

is í mo thuairim/is é mo mheas/is í mo bharúil (*it's my opinion*)
i mo thuairim (*in my opinion*)
measaim/sílim (*I think*)
creidim (*I believe*)
braithim (*I feel*)
tuigim (*I understand, I realise that*)

le déanaí (*lately*)
sa lá atá inniu ann (*nowadays*)
na laethanta seo (*these days*)
amach anseo (*in the future*)
fadó (*a long time ago*)
blianta ó shin (*years ago*)
le blianta beaga anuas (*in recent years*)
tamall ó shin (*a while ago*)

ar thaobh amháin den scéal (*on one side of the story, on the one hand*)
ar an taobh eile (*on the other side, on the other hand*)
ar an gcéad dul síos/i dtús báire (*in the first instance*)

sin scéal eile (*that's another story*)
a mhalairt de scéal (*a different matter*)
thairis sin (*besides that*)
ní bhaineann sin leis an scéal (*that has nothing to do with the matter*)

an cheist a phlé/an cheist a chíoradh (*to discuss the matter*)
réiteach na ceiste/réiteach na faidhbe (*the solution to the problem*)
práinneach (*urgent*)

is maith liom (*I like*)
is fearr liom (*I prefer*)
ba mhaith liom (*I would like*)
b'fhearr liom (*I would prefer*)
is breá liom (*I like very much*)
is gráin liom/is fuath liom (*I hate*)
cuireann sé déistin orm (*it disgusts me*)
is cuimhin liom go maith (*I remember well*)
ní foláir dom/ní mór dom (*I must*)

is mithid dom (*it's time for me*)
is ionadh liom (*it amazes me*)
is cosúil/is amhlaidh (*it seems*)
is iomaí (*it's many a*)

de réir dealraimh (*it seems, according to appearances*)
ní lia duine ná tuairim (*there are as many opinions as there are people, everyone has their own opinion*)
buntáistí (*advantages*)
míbhuntáistí (*disadvantages*)
riachtanach (*necessary*)
tábhachtach (*important*)
deacair (*difficult*)
deacrachtaí (*difficulties*)
difriúil/éagsúil (*different*)
difríochtaí (*differences*)
tuairimí éagsúla (*different opinions*)

is mór an trua é (*it's a great pity*)
is mór an t-ionadh é (*it's a great wonder*)
is mór an náire é (*it's a great shame*)

is beag é mo mheas air (*I don't think much of it*)
is beag suim atá agam ann (*I haven't much interest in it*)
is beag m'eolas air/níl mórán cur amach agam air (*I don't know much about it*)

dála an scéil (*by the way*)
pé scéal é (*anyway*)
go háirithe (*especially*)
ach go háirithe (*anyway, at any rate*)
duine áirithe (*somebody, a particular person*)
is fiú (*it's worth it, it's worth while*)
ní fiú (*it isn't worth it, it's not worth while*)
is mór is fiú é (*it's well worth it*)
ar chuma ar bith (*anyway*)
ar nós cuma liom (*indifferently*)
ar chuma éigin (*somehow*)
is cuma liom (*I don't care*)

duine éigin (*somebody*)
b'éigean dó (*he had to*)
ar éigean (*hardly, barely*)

faoi lánseol (*in full swing*)
go bhfios dom (*as far as I know*)
is eol do chách/tá a fhios ag an saol (*everybody knows*)
tá an-tóir air (*it's very popular*)
tá an-éileamh air (*it's in great demand*)
tá sé i mbéal an phobail/tá sé faoi iomrá (*everyone is talking about it*)
tar éis an tsaoil (*after all*)
luath nó mall (*sooner or later*)
faoin am sin/um an dtaca sin (*by that time*)

AISTE SHAMPLACH 1

Duine sa saol poiblí a thaitníonn go mór liom

Tá an-mheas go deo agamsa ar Uachtarán na hÉireann, **Máire Mhic Ghiolla Íosa**. Táim ag ceapadh gur duine den chéad scoth í. Tá sí ina hUachtarán anois le naoi mbliana, agus tá sí ag déanamh a díchill ar son na hÉireann. Is í an dara Uachtarán mná í, agus ba chóir dúinn a bheith fíor-bhródúil aisti.

Rugadh Máire Mhic Ghiolla Íosa i dtuaisceart na hÉireann agus is ise an chéad duine as an gcuid sin den tír a toghadh mar Uachtarán ar Éirinn. Rugadh Máire i mBéal Feirste. Ó Loineacháin an sloinne a bhí uirthi. Rinne sí staidéar ar an dlí san ollscoil agus abhcóide a bhí inti. Bhí suim aici i gcónaí i gcúrsaí polaitíochta agus i gcúrsaí sóisialta.

Rugadh í sa bhliain 1951 agus tá sí pósta leis an Dr Máirtín Mac Giolla Íosa ó 1976. Is cuntasóir agus fiaclóir é. Tá triúr páistí acu, Emma, Justin agus Sara-Mai. Bhí clú agus cáil uirthi mar chraoltóir agus d'oibrigh sí mar iriseoir agus mar nuachtóir i gcúrsaí reatha ar theilifís agus raidió. Ceapadh í ina Ollamh Dlí i gColáiste na Tríonóide sa bhliain 1987.

Déanann sí go leor taistil in Éirinn agus buaileann sí le pobail bheaga agus mhóra ar fud na tíre agus tugann sí misneach agus muinín dóibh. Chomh maith leis sin labhraíonn sí le himircigh thar sáile agus pé áit a dtéann sí cuireann sí íomhá sár-mhaith de phobal na hÉireann agus den tír os comhair daoine i dtíortha eile.

Scríobh Ray Mac Mánais beathaisnéis údaraithe Mháire Mhic Ghiolla Íosa. Múinteoir Gaeilge an Uachtaráin é agus tugadh cead dó a dialann phearsanta a léamh. Tugann an leabhar cur síos an-mhaith dúinn ar a saol ó rugadh í gur insealbhaíodh ina hUachtarán í sa bhliain 1997. Tá suim mhór aici i gcultúr agus oidhreacht agus tá sí ábalta an Ghaeilge a labhairt go han-mhaith. Tá ard-mheas ag muintir na hÉireann uirthi agus ar a cuid oibre ar son na tíre seo agus ar son na nÉireannach thar lear.

Gluais

an-mheas: great respect
táim ag ceapadh: I think
den chéad scoth: first class
a dícheall: her best effort
fíor-bhródúil: very proud
abhcóide: barrister
cuntasóir: accountant
craoltóir: broadcaster
iriseoir: journalist
cúrsaí reatha: current affairs
Ceapadh í: she was appointed
Ollamh Dlí: Professor of Law
misneach agus muinín: courage and confidence
beathaisnéis údaraithe: authorised biography
dialann phearsanta: private diary

insealbhaíodh: inaugurated
oidhreacht: heritage

Obair duitse

Scríobh aiste ar cheann amháin de na hábhair seo a leanas.
(i) Daoine speisialta (Teastas Sóisearach, 2003)
(ii) An réalta spóirt *nó* an réalta scannán is rogha liom (2002)
(iii) An duine is tábhachtaí i mo shaol (2000)
(iv) Duine (nó daoine) a chuireann déistin orm. (1997)
Bain úsáid as an aiste shamplach agus an stór focal a ghabhann léi.

Aiste shamplach 2

Seanduine sa chomharsanacht a bhfuil aithne agam air

Tá Pádraig Ó Rodaigh níos mó ná ceithre scór anois. Tá mise cúig bliana déag, ach táimid an-chairdiúil le chéile.

Tá Pádraig ina chónaí gar don chuan, áit a bhfuil teach beag deas aige. Fear slachtmhar is ea é, agus tá a theach néata agus glan. Tá sé daite go deas, tá cuirtíní bána ar na fuinneoga, agus tá gach rud istigh go sciomartha glan. Tá Pádraig ina chónaí ina aonar. Níor phós sé riamh. Níl aon ghaolta aige, go bhfios dom, ach mar sin féin ní bhíonn sé uaigneach, mar tá a lán cairde aige.

Mairnéalach ba ea é nuair a bhí sé níos óige. Tá an domhan mór siúlta aige agus go leor scéalta aige. Is maith liom go mór bheith ag éisteacht leis. Téim ar cuairt chuige cúpla uair sa tseachtain tar éis na scoile. Má bhíonn an aimsir go maith suíonn sé lasmuigh den doras ar chathaoir chompordach agus suíonn mise ar an talamh in aice leis.

Gach Satharn déanaim siopadóireacht dó. Ceannaím arán agus im agus rudaí eile dó san ollmhargadh. Caitheann sé píopa mór dubh, agus anois agus arís tugann mo mháthair tobac dom le tabhairt dó.

Rinne sé long bheag dom anuraidh agus chuir sé isteach i mbuidéal í. Níl a fhios agam conas a rinne sé é sin. Rún is ea é, a dúirt Pádraig! Tá an long bheag agam i mo sheomra sa bhaile thuas ar sheilf os cionn mo leapa. Is mór agam an bronntanas beag sin ó mo chara. Seanduine lách cneasta is ea Pádraig.

Ní minic a bhíonn uaigneas ormsa ná ortsa. Tá ár gcairde inár dtimpeall, agus buailimid le chéile gach lá. Imrímid cluichí le chéile agus bímid ag seanchas nuair a chastar ar a chéile sinn. Ach ní mar sin do sheandaoine cosúil le Pádraig go minic. Is minic a bhíonn uaigneas ar dhaoine atá aosta, go mór mór má bhíonn siad ina gcónaí ina n-aonar.

Nuair a imíonn an chlann fágtar an t-athair agus an mháthair leo féin sa teach. Má fhaigheann duine acu bás is uaigneach an saol a bhíonn ag an duine atá fágtha. Bíonn na mic agus na hiníonacha gnóthach lena saol féin, ag tógáil a gclanna féin. Má bhíonn siad ina gcónaí tamall fada ó bhaile is annamh a fheiceann siad an t-athair nó an mháthair. Is measa fós an scéal má théann siad thar sáile.

Is iomaí seanduine nach bhfaigheann litir ach go fíorannamh. Bíonn gach lá uaigneach, ach bíonn séasúir mar an Nollaig níos uaigní fós. Bíonn siad ag cuimhneamh ar na blianta atá thart, nuair a bhí an chlann sa bhaile agus gach duine meidhreach sona. Bheadh trua agat do sheanduine sa chás sin.

Is cinnte go bhfuil aithne agat ar sheandaoine sa cheantar atá ina gcónaí leo féin. Téigh isteach chucu ó am go ham. Fan leo tamall ag caint, agus faigh amach an bhfuil aon ghar beag is féidir leat a dhéanamh dóibh. Is breá leo daoine óga a fheiceáil chucu.

Gluais

cairdiúil: friendly
slachtmhar: neat, tidy
gaolta: relatives
siúlta: travelled
is mór agam: I appreciate. *Sampla:* 'Is mór agam an iarracht a rinne tú ar mo shon.'
lách cneasta: gentle and kind
ag seanchas: chatting
ina n-aonar: on their own
gnóthach: busy
fíorannamh: very seldom
gar: a favour. *Sampla:* 'An ndéanfaidh tú gar dom?'—'Déanfaidh, cinnte.'

Obair duitse

Scríobh aiste ar cheann amháin de na hábhair seo a leanas:
(i) 'Ní thagann ciall roimh aois'. An fíor é sin, dar leat? (2001)
(ii) Duine a bhfuil trua agam dó nó di.
(iii) Cairde: an tábhacht a bhaineann leo i saol an duine.
Bain úsáid as an aiste shamplach agus as an stór focal a ghabhann léi.

Note

In aistí faoi dhaoine, cabhróidh an stór focal seo thíos leat:

béasach/múinte (*polite*)
míbhéasach (*rude, bad-mannered*)
fial/flaithiúil (*generous*)
amaideach (*foolish*)
cúthail (*shy*)
cairdiúil (*friendly*)
cneasta/cineálta (*kind*)
greannmhar (*funny*)
glic (*crafty, cute*)
neamhurchóideach/soineanta (*innocent*)
cliste (*clever*)
goilliúnach (*sensitive*)
cabhrach (*helpful*)
macánta (*gentle; honest*)
cancrach/cantalach (*cranky*)

ceanndána (*stubborn*)
gealgháireach (*cheerful*)
stuama/staidéarach (*steady*)
éirimiúil (*lively; intelligent*)
cróga (*brave*)
tuisceanach (*understanding*)
carthanach (*charitable*)
taitneamhach (*likable*)
séimh (*gentle*)
garbh (*rough*)
fiosrach (*inquisitive*)
amhrasach (*suspicious*)
truamhéalach (*pathetic*)
neirbhíseach (*nervous*)
dáiríre (*serious*)
aerach (*light-hearted*)
bródúil (*proud*)
tragóideach (*tragic*)
spéisiúil/suimiúil (*interesting*)
báúil (*sympathetic*)
díoltasach (*vengeful*)
léannta (*learned*)
rómánsach (*romantic*)
aineolach (*ignorant*)

AISTE SHAMPLACH 3

Tír ba mhaith liom a fheiceáil

Ceapaim gurb í mo thír féin an tír is áille ar domhan. Ní fhágann sin nach bhfuil tíortha eile go hálainn freisin, ach is í Éire an tír is ansa liom, gan dabht. Tá a háilleacht feicthe agam ó Thír Chonaill go Corcaigh, mar tá Éire ar fad siúlta agam, nach mór.

Dá mbeadh rogha agam (agus airgead mo dhóthain!) is í an Eilvéis an tír ab fhearr liom a fheiceáil. Ar chuma éigin, níl fonn ar bith orm an taobh thall den Atlantach a fheiceáil.

Tír bheag is ea an Eilvéis, tír bheag shíochánta. Seans go bhfuil an dá thréith sin ar na fáthanna ar mhaith liom cuairt a thabhairt uirthi. Gan amhras is tír álainn í chomh maith, cé gur mór idir áilleacht na nAlp agus áilleacht bhog chaoin mo thíre féin. Níl againne sléibhte ar bith atá inchurtha leis na hAlpa, iad ag éirí go maorga chun na spéire faoina mbrat bán sneachta. Is niamhrach an radharc iad faoi thaitneamh na gréine. Agus tá lochanna aici atá ar áilleacht an domhain, cé nach bhfuil sárú Chill Airne faoi luí na gréine, dar liom.

Ba mhaith liom triail a bhaint as an sciáil! B'fhéidir go mbrisfinn mo mhuineál—nó cos ar a laghad!—ach mar sin féin ba bhreá liom í a thriail. Ó, tá a fhios agam gurb iad lucht maoine agus gradaim a bhíonn ag gabháil di, ach tá cead ag duine a bheith ag taibhreamh, nach bhfuil?

Níl tír ar domhan níos glaine ná an Eilvéis. Tá rialacha diana inti faoi ghlanachar de gach sórt—agus cuirtear i bhfeidhm na rialacha sin go docht, deirtear liom. Nílimidne in Éirinn rómhaith maidir le glanachar, an bhfuil? Fiú amháin sna baill is áille sa tír! Cuireann sé fearg orm bruscar a fheiceáil caite ar thaobh an bhóthair thuas i measc na sléibhte, agus seanbhuicéid, sean-charranna dóite, seanchuisneóirí, píosaí de leapacha, agus an uile shórt salachair. Is mór an náire é, agus níl meas ar bith agam ar na daoine is ciontach.

Tá feabhas ag teacht orainn, measaim, ach tá bóthar fada le siúl againn sula mbeimid chomh maith leis an Eilvéis. Bíonn náire orm nuair a fheicim cuairteoirí ón iasacht agus a gcuid ceamaraí acu. Cad is dóigh lena muintir sa bhaile nuair a fheiceann siad cuid de na radhairc ghránna atá feicthe agamsa agus agatsa ar fud na tuaithe?

Tír do dhaoine saibhre is ea an Eilvéis den chuid is mó. Sin é a deir mo chairde liom tar éis dóibh filleadh ón tír sin. De réir cosúlachta tá an donas le daoire ar gach aon rud. Is leor sin chun mé a bhac ar dhul ann! Níl pingin rua agam faoi láthair, agus níl seans ar bith go mbeidh mé ag eitilt chuig na fánaí sneachta go ceann i bhfad, is eagal liom! Idir an dá linn tig liom a bheith ag taibhreamh faoi shléibhte maorga bána, faoi lochanna gorma, agus faoi óstáin ghalánta ... Muise, cén dochar aisling nó dhó a bheith ag garsún bocht!

Gluais

ní fhágann sin: that doesn't mean
siúlta: travelled. *Sampla:* 'Tá an domhan siúlta aige.'
fonn: a wish, desire
fonnmhar: eager. *Sampla:* 'Ní go fonnmhar a chuaigh mé ar scoil an lá dár gcionn.' (Bhí rud éigin as an tslí déanta agat!)
is mór idir: there is a great difference between. *Seanfhocal:* Is mór idir inné agus inniu. (Times change.)
inchurtha: comparable
niamhrach: beautiful
maoin: wealth
lucht maoine: rich people
glanachar: cleanliness
ciontach: guilty. *Sampla:* Fuarthas ciontach é. (He was found guilty.)
ón iasacht: from overseas
an donas le daoire: woefully dear
idir an dá linn: in the meantime
cén dochar?: what harm?

Obair duitse

Scríobh aiste ar cheann amháin de na hábhair seo a leanas:
(i) Laethanta saoire – an tábhacht a bhaineann leo i saol an daoine (2003)
(ii) Turais scoile: an taitneamh agus an tairbhe a bhaineann leo
(iii) Tíortha iasachta: an fiú cuairt a thabhairt orthu?
(iv) Mo cheantar dúchais: na buanna agus na lochtanna a ghabhann leis
Bain úsáid as an aiste shamplach agus as an stór focal a ghabhann léi.

Aiste Shamplach 4

Áilleacht an Earraigh

Bhí mé amuigh sa ghairdín ar maidin agus chonaic mé rud a chuir áthas ar mo chroí: plúiríní sneachta ag gobadh aníos faoi scáth an chrainn fuinseoige sa chúinne. Nach beag bídeach a fhéachann siad, ach nach álainn! Chomh luath agus a chonaic mé iad bhí a fhios agam go raibh an t-earrach chugainn agus go raibh an dúluachair beagnach thart.

Is iontach an rud é teacht an earraigh. Is míorúilt bhliantúil é. Dúisíonn an dúlra as suan an gheimhridh. Gobann na bláthanna aníos go cúthail, féachaint an bhfuil deireadh le sneachta agus le fuacht marfach. Tosaíonn an sú ag éirí sna crainn, agus sula i bhfad beidh na bachlóga beaga glasa ar na géaga. Chuala mé na héin ag ceiliúr ar maidin sular éirigh mé, agus cheap mé go raibh siad ag rá: 'Bíodh áthas oraibh go léir! Tá an t-earrach ar fáil arís!'

Is tapa a dhéanaimid dearmad ar chruatan an gheimhridh nuair a mhothaímid an t-earrach ag tosú. Ag féachaint ar aghaidh a bhímid agus ní siar ar an bhfuacht ná ar na stoirmeacha ná ar na slaghdáin. 'Beidh an lá ag dul chun síneadh,' arsa an file Raifteirí, agus tá fad le mothú sna tráthnónta anois. Sula i bhfad beidh ar ár gcumas dul amach ag súgradh tar éis an tae. Tá sos againn ón scoil go ceann seachtaine nó dhó. Nuair a rachaimid ar ais ní bheidh fágtha ach téarma amháin go dtí an samhradh agus na laethanta saoire fada. Cheana féin tá mo mháthair agus m'athair ag caint ar dhul go dtí 'áit éigin i gCiarraí' i mí Iúil.

Sea, is maith liom teacht an earraigh. Tugann sé misneach agus dóchas dúinn, agus bímid ag súil le cineál aiséirí. Aiséiríonn an dúlra agus músclaítear dóchas ionainn go léir.

Gluais

plúiríní sneachta: snowdrops
crann fuinseoige: an ash tree
an dúluachair: the depth of winter
míorúilt bhliantúil: a yearly miracle
suan: sleep
go cúthail: shyly
mothaímid: we feel
cheana féin: already
aiséirí: resurrection
an dúlra: nature

Obair duitse

(i) Saol an duine óig faoin tuath sa lá atá inniu ann – na buntáistí agus na míbhuntáistí a bhaineann leis. (2002)
(ii) Tionchar na haimsire ar shaol an duine. (2001)

(iii) An aimsir agus saol an duine. (1999)
(iv) Áthas agus brón an tsaoil. (1998)
(v) Mo cheantar dúchais – na buanna agus na lochtanna a ghabhann leis. (1996)

Aistí a tugadh ar pháipéir an Teastais Shóisearaigh

A)
(i) Amhránaí nó aisteoir a thaitníonn go mór liom
(ii) Aoibhneas an tsamhraidh
(iii) Ríomhairí: an taitneamh agus an tairbhe a ghabhann leo

B)
(i) Pearsa spóirt a thaitníonn go mór liom
(ii) Turais scoile: an tairbhe agus an taitneamh a ghabhann leo
(iii) Duine a bhfuil trua agam dó nó di

C)
(i) 'Tús maith leath na hoibre.' An fíor é?
(ii) Duine sa saol poiblí a thaitníonn go mór liom
(iii) Cairde: an tábhacht a bhaineann leo i saol an duine

D)
(i) An fhoireann i gcúrsaí spóirt is fearr liom
(ii) An spéir agus a cuid iontas
(iii) Tíortha iasachta: an fiú cuairt a thabhairt orthu?

E)
(i) Réalta scannáin nó teilifíse a thaitníonn go mór liom
(ii) Na Cluichí Oilimpeacha
(iii) Mo cheantar dúchais: na buanna agus na lochtanna a ghabhann leis

Taitneamh agus tairbhe (Pleasure and benefit)
These two words feature frequently in the essay titles. Here is a short relevant vocabulary for these essays.

is iomaí duine a bhaineann taitneamh as … (*many a person enjoys …*)
níl rud is fearr liom ná bheith … (*I enjoy nothing more than to be …*)
tá gach duine beagnach ina acmhainn (*almost everybody can afford it*)
am a chur amú (*to waste time*)
slí bhreá is ea é chun faoiseamh a fháil ó 'chora crua an tsaoil' (*it's a fine way to get a break from the cares of life*)
cé a thógfadh orthu é? (*who would blame them?*)
tá dúil thar cuimse ag daoine áirithe ann (*some people have an excessive liking for it*)
fiú san áit is iargúlta sa tír (*even in the remotest part of the country*)

PÁIPÉAR I SCÉAL NÓ EACHTRA

Treoracha

1 *Fad an scéil:* timpeall 300–400 focal.
2 Má roghnaíonn tú an scéal ina bhfuil an tús tugtha, bí cinnte go bhfuil an scéal bunaithe ar an ngiota sin. (*Keep to the point!*)
3 De ghnáth is fearr an aimsir chaite don scéal.
4 *Plean:*
   - Déan plean cúramach d'ord na n-eachtraí (*the order of events*).
   - Breac síos na focail a bheas á n-úsáid agat ag gach céim (*at each step*).
5 *An tús:* Bí cinnte go bhfuil an oscailt—.i. an chéad alt—beo bríomhar (*lively*).
6 *An críoch:* Bíodh seo breá láidir (*strong*). Go minic cabhraíonn casadh (*twist*) ag an deireadh le héifeacht (*effectiveness*) an scéil.

NB: Read again the hints given for *aistí.*

Note
In the following pages you will find
—a general vocabulary for *scéalta*;
—two samples with specific vocabulary;
—a list of titles from examination papers.
Each sample will have a task related to the titles from the examination papers.

Abairtí úsáideacha (Useful vocabulary)
is maith is cuimhin liom (*I well remember*)
ní dhéanfaidh mé dearmad go deo ar an lá sin (*I'll never forget that day*)
is minic a dhúisím i marbhán na hoíche (*I often wake up in the dead of night*)
báite le hallas (*bathed in sweat*)
is iomaí eachtra a tharla dom (*many exciting things have happened to me*)
go dtí seo (*until now*)
bhí an t-ádh liom (*I was lucky*)
deir daoine gur ámharach an duine mé (*people tell me that I'm a lucky person*)
bhí rith an ráis liom an lá sin (*my luck was in that day*)
baineadh geit asam (*I was startled*)
buaileadh bob orm (*I was tricked*)
ní raibh aon choinne agam lena leithéid (*I wasn't expecting anything like it*)
tháinig an nóiméad faoi dheireadh (*the time came at last*)
anois an t-am (*now's the time*)
anois nó riamh/anois nó choíche (*now or never*)
thosaigh mé ag cur allais go tiubh (*I started sweating profusely*)
d'iompaigh an lí bhán air (*he turned pale*)

póilíní (*police*)
armtha (*armed*)
robáil le foréigean (*robbery with violence*)
staisiún an Gharda (*the Garda station*)
cuireadh ina leith gur (*he was accused of*)
cuireadh dúnmharú ina leith (*he was accused of murder*)
cuireadh ina leith gur ghoid sé an gluaisteán (*he was accused of stealing the car*)
cuireadh i bpríosún é (*he was imprisoned*)
gearradh deich mbliana príosúin air (*he was given ten years' imprisonment*)
sháraigh sé an dlí (*he broke the law*)
fuadach (*kidnapping*)
chuaigh sé trí thine (*it caught fire*)
chuir mé fios ar an mbriogáid dóiteáin (*I called the fire brigade*)
comhraiceoir dóiteáin (*firefighter*); <u>uimhir iolra</u>: lucht múchta dóiteán
lasracha (*flames*)
deatach (*smoke*)
dréimire (*a ladder*)
píobán uisce (*a hose*)
ag stealladh uisce air (*pouring water on it*)
i mbaol a dhóite (*in danger of being burned*)
bhí sé ag bá/bhí sé i mbaol a bháite (*he was in danger of drowning*)
thit sé san abhainn (*he fell into the river*)
thit sé thar bord amach (*he fell overboard*)
tharrtháil sé é (*he rescued him*)
bhí greim an fhir bháite aige air (*he clung tightly to him*)
maor snámha (*a lifeguard*)
seaicéad tarrthála (*a life jacket*)
athmhúscailt anála (*artificial respiration*)
baineadh geit asam (*I got a fright*)
bhí mé ar ballchrith le heagla (*I was shaking with fear*)
bhí mo chroí ag dul amach ar mo bhéal (*my heart was in my mouth, I was terrified*)
scread/scréach (*scream*)
ní raibh a fhios agam cad a dhéanfainn (*I didn't know what to do*)
ní raibh a fhios agam cad ba chóir dom a dhéanamh (*I didn't know what I should do*)
fuadach eitleáin (*hijacking*)
bhí mé i gcruachás/bhí mé i bponc (*I was in a fix*)
d'éalaigh mé as an áit (*I fled, I escaped out of the place*)
thug sé na cosa leis (*he ran off very quickly*)
ní rachaidh mé ar ais ansin arís (*I won't go back there again*)
bhí an t-ádh ceart liom (*I was dead lucky*)
mise á rá leat/deirimse leat (*I'm telling you*)
ní bréag a rá (*it's no lie to say*)
is maith is cuimhin liom (*I well remember*)
ní dhéanfaidh mé dearmad air (*I won't forget it*)

ní ligfeadh an eagla dom (*fear wouldn't let me*)
d'inis mé an scéal do mo mháthair (*I told my mother the story*)
d'iarr mé ar an bhfear (*I asked the man* [*to do something*])
d'fhiafraigh mé den fhear (*I asked the man* [*a question*])

Scéal samplach 1

Eachtra a tharla duit agus tú ag campáil sna sléibhte

Éist liom tamall go n-inseoidh mé duit rud greannmhar a tharla le linn saoire an tsamhraidh. 'Cén samhradh?' arsa tusa. Ceart go leor, le linn na saoire fada mar sin—an bhfuil tú sásta anois? Pé scéal é, bheartaigh mé féin agus mo bhuanchara Páid Ó Laoi go rachaimis ar saoire campála. Dhéanfaimis ár gcuid cócaireachta féin—ag an bpointe sin lig Áine (mo dheirfiúr chliste) scige aisti, ach níor bhacamar léi: tar éis an tsaoil, níl inti ach cailín! Bheimis in ann aire a thabhairt dúinn féin ...

Chuireamar chun bealaigh. (Sea, a Mham, beimid cúramach, ní fhuadófar sinn—ná bíodh ceist ort!) Bhí gach uile ní lódáilte ar ár rothair, gach rud ó thaos fiacla go friochtán, ó ispíní go calóga arbhair. Bhí an aimsir go hálainn. Bheadh an-saol againn.

Ráineamar na Sceirí. Chuireamar suas ár bpuball breá nua i bpáirc. Níor gan dua é, ach rinneamar é! Mise a bhí i mbun cócaireachta an chéad lá—sin é an socrú a bhí againn. Ní raibh an béile go dona in aon chor—na hispíní beagán dubh, b'fhéidir, agus na huibheacha sort scaipthe; ach bhí an tae go deas. Luíomar siar ar ár sáimhín só. Ansin thosaigh sé ag gléaradh báistí, ar nós uisce trí chriathar. Isteach liom i ndiaidh mo chinn sa phuball! Ba gheall le toirneach fuaim na báistí ar an gcanbhás.

Tharraing mé chugam mo ghiotár. Ní leanfadh an bháisteach—ní fhéadfadh, i lár an tsamhraidh, an bhféadfadh? Chualamar fothram lasmuigh. Níor bhacamar leis. Ansin lig Páid béic as, agus dóbair dom féin taom croí a fháil. Sádh ceann mór gránna isteach sa phuball, agus ar seisean 'Mú-ú-ú!' Anois, admhaím gur binn an ceoltóir mé, ach níor cheap mé riamh go meallfainn seanbhó isteach i bpuball! Rinne sí scrios: tharraing sí an rud go léir anuas orainn, bhris na téadáin, strac an canbhás—tar éis di crúb mór liobarnach a chur anuas ar ár bhfriochtán agus siúl ar na calóga arbhair! (Rinneamar dearmad ar gach rud nuair a thosaigh an bháisteach, tá a fhios agat.)

D'fhéach mise ar Pháid, d'fhéach Páid ormsa ... Ráineamar an baile um a naoi, fliuch báite agus maolchluasach go leor. Tá Áine fós ag gáire.

Tabharfaimid faoi champáil arís an samhradh seo chugainn—má bhíonn samhradh againn!

Gluais

greannmhar: amusing, funny
scige: a giggle (ag scige: giggling)
ní fhuadófar sinn: we won't be kidnapped

ná bíodh ceist ort: don't worry
ráineamar: we reached
gan dua: without difficulty (fuaireamar mórán dá dhua: we found it extremely difficult)
ar ár sáimhín só: at our ease
criathar: a sieve
isteach liom i ndiaidh mo chinn: I dived in head first
dóbair dom: I nearly (dóbair dó mé a mharú: he nearly killed me)
maolchluasach: crestfallen, sheepish

Scéal samplach 2

Ceap scéal a mbeadh an giota seo oiriúnach mar thús leis: **'Ní raibh sa bhaile oíche Aoine ach mé féin ...'**

Ní raibh sa bhaile oíche Aoine ach mé féin. Bhí Bríd agus Aoife ag na pictiúir, bhí mo mháthair ag imirt biongó, agus bhí m'athair faoin tuath ar ghnó éigin. Tar éis an tsuipéir rinne mé m'obair bhaile agus shuigh mé fúm go teolaí cois tine agus leabhar á léamh agam. Fuaim ní raibh le cloisteáil ach corrghluaisteán ag gabháil thar bráid ar an mbóthar amuigh. Oíche shíochánta ...

Go tobann gheit mé agus chuir mé cluas orm féin. Bhí duine éigin thuas staighre! B'shin arís an torann, faoi mar a bheadh rud éigin á leagadh ar an urlár. Bhí mé ar tí rith amach chuig Mac Uí Riain, ár gcomharsa bhéal dorais. Ach ansin, mura mbeadh ann ach mo chuid samhlaíochta, bheinn i mo cheap magaidh!

Phreab mé i mo shuí, bhain díom mo bhróga, agus rug greim daingean ar phiocaire na tine. Suas an staighre liom ar mo bharraicíní, agus mo chroí ag dul amach ar mo bhéal. Stad mé agus chuir cluas le héisteacht orm féin. Fothram ó mo sheomra codlata féin! Agus mo bhosca coigiltis istigh ann, gan trácht ar mo bhróga nua peile agus mo chnuasach stampaí iasachta! Fearg a tháinig orm anois in áit na heagla. Suas liom na céimeanna eile de rúid agus isteach sa seomra, mo smíste beartaithe agam chun buailte!

Stad mé, agus dóbair go ligfinn scairteadh gáire asam. Cat mór a bhí i lár mo leapa agus é cuachta go compordach chun codlata! Is amhlaidh a d'fhág mo mháthair an fhuinneog ar leathadh, agus ó tharla an oíche fuar crua, mheas mo chat breá nár mhiste teacht isteach mar a raibh teas agus compord! Nuair a chonaic an cat mé amach an fhuinneog leis mar a bheadh urchar as gunna!

Gan amhras, ní dúirt mé dada le duine ar bith faoin 'ngadaí': rómhaith a bhí a fhios agam cad a déarfaidís. Tá an líon tí seo againne an-ghlic go deo ar uairibh.

Gluais

go teolaí: snugly, comfortably
corrghluaisteán: the occasional car (corrlá: the odd day, now and again; corr-uair: occasionally)
samhlaíocht: imagination (caithfidh samhlaíocht láidir a bheith ag file)
ceap magaidh: a laughing-stock (téarma eile: 'lastram aonaigh')

bosca coigiltis: savings box, 'piggy bank'
cnuasach: a collection (ag cnuasach: ag bailiú). Sampla: Bhí na Gardaí ag cnuasach fianaise (gathering evidence).
de rúid: in a rush, a charge
dóbair go ligfinn: I nearly let (Dóbair dó mé a mharú: he nearly murdered me. Dóbair di titim i laige: she nearly fainted.)
ar leathadh: wide open (Leath mo bhéal agus mo dhá shúil orm: I gaped in amazement.)
an líon tí: the household

Obair duitse

NB Bain úsáid as na scéalta agus as an stór focal thuas.

2005 SCÉAL/EACHTRA

Freagair do rogha *ceann amháin* **díobh seo:**

(i) Ceap scéal a mbeadh an giota thíos oiriúnach mar thús leis:
"Bhíodh dalta i mo scoilse ag magadh fúm i gcónaí. Bhí mé bréan de. Faoi dheireadh shocraigh mé go ndéanfainn rud éigin faoi...."

(ii) Déan cur síos ar eachtra a tharla nuair a bhí tú féin agus do rang amuigh ag siúl sna sléibhte.

2004 SCÉAL/EACHTRA

Freagair do rogha *ceann amháin* **díobh seo:**

(i) Ceap scéal a mbeadh an giota seo thíos oiriúnach mar thús leis:
"Léigh mé an litir ríomhphoist cúpla uair. Stán mé ar scáileán an ríomhaire ar feadh cúpla nóiméad. Ní fhéadfainn an scéal a chreidiúint. Bhí cuireadh faighte agam chun dul ar saoire go Meiriceá...."

(ii) Déan cur síos ar eachtra a tharla duit nuair a bhí tú thar sáile ar thuras scoile.

2003 SCÉAL/EACHTRA

Freagair do rogha *ceann amháin* **díobh seo:**

(i) Ceap scéal a mbeadh an giota seo thíos oiriúnach mar thús leis:
"'Ná bac leis an duine sin as seo amach'. Sin é an rud deireanach a dúirt mo thuismitheoirí liom agus mé ar mo shlí amach chuig an dioscó an oíche sin...."

(ii) Déan cur síos ar eachtra a tharla le linn cóisire i do theach féin fad a bhí do thuismitheoirí as baile.

2002 SCÉAL/EACHTRA

Freagair do rogha *ceann amháin* **díobh seo:**

(i) Ceap scéal a mbeadh an giota seo thíos oiriúnach mar thús leis:
"Bhí an ceolchoirm díreach ag tosú agus radharc an-mhaith againn ar an ardán..."

(ii) Déan cur síos ar thimpiste a tharla i gclós na scoile.

Páipéar I Díospóireacht nó Óráid

Treoracha

1 *Fad:* timpeall 350–400 focal.
2 Déan liosta de na hargóintí ar an dá thaobh den rún.
3 Sa chéad alt abair go soiléir (*state clearly*) an taobh atá á ghlacadh agat.
4 Luaigh samplaí a chruthaíonn an tuairim atá agat.
5 Tóg argóintí atá i gcoinne do thuairime agus taispeáin nach bhfuil siad ró-thábhachtach. Is maith an rud é i gcónaí tuairimí an taoibh eile a bhréagnú (*to disprove the arguments of the other side*).
6 San alt deireanach bí cinnte go ndéanann tú athrá (*repetition*) ar an tuairim a thug tú sa chéad alt.

NB: Read again the hints given for *aistí* and *scéalta.*

Note
In the following pages you will find
—a general vocabulary for *díospóireachtaí*;
—three samples with specific vocabulary;
—a list of titles from examination papers.
Each sample will a have a task related to the titles from the examination papers.

Abairtí úsáideacha (Useful vocabulary)
cathaoirleach (*chairperson*)
moltóirí (*adjudicators*)
an freasúra (*the opposition*)
an rún (*the motion*)
an rún a mholadh (*to propose the motion*)
cur i gcoinne an rúin (*to oppose the motion*)
comhchainteoirí (*fellow-speakers*)
pointe a chruthú (*to prove a point*)
ar aon aigne liom (*in agreement with me*)
tá argóintí agam a chruthóidh (*I have arguments that will prove*)
i mo thuairimse (*in my opinion*)

caithfidh mé a rá go n-aontaím leis an ráiteas sin (*I must say that I agree with that statement*)
ní aontaím leis an ráiteas sin ar chor ar bith (*I don't agree with that statement at all*)
tá fírinne éigin sa ráiteas sin ach ní fhéadfainn glacadh leis go hiomlán (*there's some truth in that statement but I can't accept it fully*)

bhí an fhírinne ag an té a dúirt ... (*the person who said ... spoke the truth*)
ar an gcéad dul síos (*firstly*)
deir na saineolaithe linn (*the experts tell us*)
is féidir a rá (*it can be said*)
tá dul amú ar na daoine a deir ... (*the people who say ... are mistaken*)
má scrúdaíonn tú an scéal go mion (*if you examine the matter carefully*)
nílim ar aon aigne leo (*I don't agree with them*)
admhaím (*I admit*)
is beag rud atá foirfe (*few things are perfect*)
caithfear an scéal a scrúdú ina iomláine (*the matter must be examined as a whole*)
níl rud ar domhan nach bhféadfaí feabhas a chur air (*there's nothing in the world that can't be improved*)
má theastaíonn uainn feabhas a chur ar an scéal níl le déanamh againn ach ... (*if we wish to improve the situation we have only to ...*)
aontóidh an té nach bhfuil aon intinn aige ar an gceist liom (*the person who has an open mind on the question will agree with me*)
ceist chonspóideach (*a controversial question*)

DÍOSPÓIREACHT SHAMPLACH 1

Cailíní agus buachaillí: is beag tuiscint atá acu dá chéile
(I gcoinne an rúin)

A chathaoirligh, a mholtóirí, a lucht an fhreasúra, agus a chairde:

Is é an rún atá le plé againn anocht ná gur beag tuiscint atá ag cailíní agus ag buachaillí dá chéile sa lá atá inniu ann. Ní aontaímse ná m'fhoireannsa leis

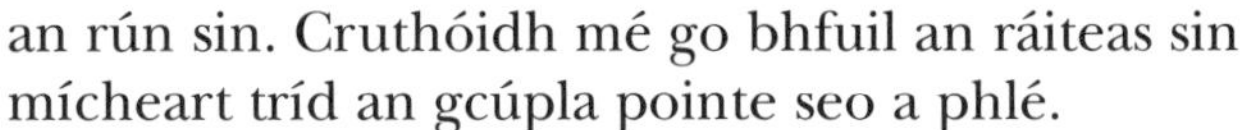

an rún sin. Cruthóidh mé go bhfuil an ráiteas sin mícheart tríd an gcúpla pointe seo a phlé.

Is beag duine óg sa lá atá inniu ann nach bhfuil taithí aige nó aici ar an gcineál eile i gclub éigin nó ar scoil. Bíonn buachaillí agus cailíní i gcomhluadar a chéile ón mbunscoil ar aghaidh. Tá an-chuid scoileanna measctha ann anois. Sna scoileanna sin cuireann buachaillí agus cailíní an-aithne ar a chéile. Nuair a chuireann siad aithne ar a chéile sa chaoi sin ar scoil tuigeann siad a chéile. Tuigeann siad mianta agus smaointe a chéile; tuigeann siad meon a chéile. Tuigeann cailíní go mbíonn dearcadh éagsúil ag na buachaillí go minic ar an saol, agus tuigeann na buachaillí an rud céanna. Bíonn meas acu ansin ar an dearcadh éagsúil sin.

Tá pointe eile agam a chruthaíonn go bhfuil an-tuiscint ag buachaillí agus ag cailíní dá chéile. Seo ré an 'fhir nua'. Tá níos mó cearta agus níos mó saoirse ag mná agus ag cailíní anois ná mar a bhí riamh. Tuigeann fir agus buachaillí, is dóigh liomsa, go bhfuil an dá chineál ar comhchéim le chéile. Tuigeann buachaillí go gcaithfidh cead labhartha a bheith ag gach bean agus ag gach cailín. Ba chóir na cearta céanna a bheith acu i gcúrsaí oibre, i gcúrsaí sóisialta, agus i gcúrsaí polaitíochta.

Chabhraigh gluaiseacht fhuascailt na mban go mór leis an tuiscint idir fir agus mná, idir buachaillí agus cailíní, a chothú. Is cinnte go bhfuil buachaillí agus fir ann fós a cheapann go mba cheart do mhná agus do chailíní fanacht sa bhaile ag tabhairt aire don teach agus do na páistí; ach tríd is tríd creidim go bhfuil an-tuiscint sa lá atá inniu ann idir buachaillí agus cailíní. Tá súil agam go n-aontaíonn sibh go léir liom nuair a chuirim i gcoinne an rúin seo.

Go raibh maith agaibh, a lucht éisteachta.

Gluais

is beag duine óg: very few young people
taithí: experience
an cineál eile: the opposite sex
scoileanna measctha: mixed schools
dearcadh éagsúil: a different outlook
ar comhchéim: equal
gluaiseacht fhuascailt na mban: the women's liberation movement
a chothú: to foster
tríd is tríd: in the main

Díospóireacht Shamplach 2

Is í an bhochtaineacht an fhadhb is mó atá againn in Éirinn sa lá atá inniu ann (Ar son an rúin)

A chathaoirligh, a mholtóirí, a lucht an fhreasúra, agus a chairde:

Molaim féin agus mo chomhchainteoirí an rún seo. Aontaímid gurb í an bhochtaineacht an fhadhb is mó atá againn in Éirinn sa lá atá inniu ann. Admhaím go bhfuil fadhbanna eile againn. Is cinnte go bhfuil tuaisceart na hÉireann fós ag déanamh imní dúinn. Ach nach bhfuil feabhas iontach tar éis teacht ar an scéal? Tá sos lámhaigh ann, agus níl daoine á marú. Tá an fhadhb á réiteach. Ach níl fadhb na bochtaineachta á réiteach.

An dífhostaíocht is cúis leis an mbochtaineacht, ar ndóigh. Níl go leor airgid ag mórán teaghlach. Tá feirmeoirí beaga ag éirí níos boichte, mar níl go leor teacht isteach acu. Tá oibrithe sna cathracha á ligean chun siúil, agus ní leor an sochar dífhostaíochta dóibh. Tá mórán seandaoine ar an bpinsean agus is fíorbhocht atá siad.

Déarfaidh lucht an fhreasúra go bhfuil an dífhostaíocht agus an foréigean níos measa ná an bhochtaineacht; ach ní aontaímid leis an méid sin. Cailleann daoine bochta a dtithe. Go minic ní bhíonn go leor le hithe acu. Bíonn siad drochshláinteach. Bíonn seandaoine ina gcónaí i dtithe nach bhfuil teas ná compord ar bith acu iontu. Cailleann daoine a ndínit nuair a bhíonn siad bocht.

Cothaíonn an bhochtaineacht easpa dóchais, a deirim, agus is é an easpa dóchais sin is cúis le mórán fadhbanna sóisialta eile. Sin é an fáth a gcreidim féin agus mo chairde gurb í an bhochtaineacht an fhadhb is mó atá againn sa lá atá inniu ann. Agus cruthóidh mo chairde go bhfuil an Rialtas freagrach as an mbochtaineacht, toisc nach gcuireann siad poist ar fáil do dhaoine. Tá sé cruthaithe agam go bhfuil an bhochtaineacht ag cur isteach anois ar chuid mhaith de mhuintir na hÉireann. Tá súil agam go bhfuil sibh ar aon aigne liom anois.

Note
Refer to general vocabulary.

Gluais

bochtaineacht: poverty
ag déanamh imní dúinn: worrying us
sos lámhaigh: a ceasefire
dífhostaíocht: unemployment
teaghlach: household, family
sochar dífhostaíochta: unemployment benefit
cúnamh dífhostaíochta: unemployment assistance
foréigean: violence
dínit: dignity
coireanna: crimes
slí éalaithe: a means of escape
easpa dóchais: lack of hope
éadóchas: despair
freagrach: responsible

Obair duitse

Scríobh an chaint a dhéanfá ar son nó in aghaidh an rúin seo: 'Ba cheart náire a bheith ar cheannairí na tíre seo' (Teastas Sóisearach, 1993). Bain úsáid as an díospóireacht shamplach agus as an stór focal thuas.

Díospóireacht shamplach 3

Is cuma le hÉireannaigh Éire (Ar son an rúin)

A chathaoirligh, a mholtóirí, a lucht an fhreasúra, agus a chairde:

Réitím ar fad leis an rún seo atá os ár gcomhair anocht. Níl go leor ama agam lena fhírinne a chruthú, agus dá bhrí sin ní thig liom a roghnú ach cúpla pointe. Cuirfidh mé os bhur gcomhair iad gan a thuilleadh moille.

Duine ar bith a bhfuil radharc na súl aige agus a fhéachann ar an salachar agus ar an truailliú timpeallachta inár dtimpeall caithfidh sé a admháil gur cuma sa riach linn an tír álainn ina bhfuilimid inár gcónaí. Féach baile ar bith, nó sráidbhaile ar bith, nó an phríomhchathair féin, agus admhaigh gur cúis náire dúinn an bruscar agus an salachar atá le feiceáil ar gach sráid dá siúlann duine. Caithimid uainn gan aird páipéir agus málaí plaisteacha agus bruscar de gach sórt.

Dealraíonn sé gur cúis gháire linn na boscaí bruscair atá in aice láimhe. Tá ár sráideanna breac leis an uile shórt dramhaíle. Níl aon mhórtas fanta ionainn, agus táimid dár náiriú féin os comhair an tsaoil.

Tógaimis saol na tionsclaíochta: cúis eile náire é seo. Tá dochar gan áireamh á dhéanamh don tír le truailliú na timpeallachta. Dealraíonn sé nach bhfuil aon dul amach ag lucht tionscail ar an rud is tírghrá praiticiúil ann. Cruthú gléineach eile gur cuma le hÉireannaigh a dtír féin.

Tagaim anois chuig an bpointe deireanach agam, an rud is mó a chuireann fearg ar an mac seo: iompar Éireannach thar lear. Tá go leor daoine a théann ar saoire thar sáile ar na saolta seo, mar is eol do chách. Tá scar mór de na daoine sin agus ní bhíonn sa tsaoire acu ach babhtaí óil. Bíonn siad ag liú agus ag déanamh calláin agus raice in ionaid saoire i dtíortha éagsúla. Tuilleann a leithéidí drochainm don tír go léir. Is cinnte gur cuma leis na hamadáin sin Éire agus a mbaineann léi. Agus seo ceist: cé mhéad díobh a bhfuil a dtír féin feicthe acu? Ar rith sé riamh leo go gcabhraíonn saoire sa bhaile le leas na tíre?

Feicim go bhfuil mo chuid ama caite, a chairde. Measaim go bhfuil cruthaithe agam gan amhras ar domhan gur fíor don rún a deir gur cuma le hÉireannaigh Éire.

Go raibh maith agaibh.

Gluais

réitím: I agree
gan a thuilleadh moille: without further ado, without further delay
is cuma sa riach leo: they couldn't care less
gan aird: without a care
fillteáin: wrappers
dár náiriú féin: disgracing ourselves
níl aon dul amach acu: they have no idea
gléineach: clear, obvious (cruthú gléineach: clear proof)
ionaid saoire: holiday resorts
ar rith sé riamh leo?: did it ever occur to them?

Obair duitse

Díospóireachtaí/Óráidí a tugadh ar pháipéar an Teastais Shóisearaigh.

2005 DÍOSPÓIREACHT/ÓRÁID

Maidir le do rogha *ceann amháin* de na rúin seo thíos scríobh an chaint a dhéanfá i ndíospóireacht scoile ar son nó in aghaidh an rúin sin:

(i) "Tá an córas oideachais sa tír seo as dáta".
(ii) "Is é Manchester United an club sacair is fearr ar domhain".

2004 DÍOSPÓIREACHT/ÓRÁID

Maidir le do rogha *ceann amháin* de na rúin seo thíos scríobh an chaint a dhéanfá i ndíospóireacht scoile ar son nó in aghaidh an rúin sin:

(i) "Tá mí-iompar imreoirí agus lucht leanúna ag déanamh dochair do chúrsaí spóirt".
(ii) "Is cur amú ama é obair bhaile don dalta scoile".

2003 DÍOSPÓIREACHT/ÓRÁID

Maidir le do rogha *ceann amháin* díobh seo thíos scríobh an chaint a dhéanfá i ndíospóireacht scoile ar son nó in aghaidh an rúin sin:

(i) "Tá an tír seo imithe ar strae ar fad".
(ii) "Léiríonn na sobalchláir (galúntraithe) ar an teilifís an saol mar atá sé".

2002 DÍOSPÓIREACHT/ÓRÁID

Maidir le do rogha *ceann amháin* díobh seo thíos scríobh an chaint a dhéanfá ar son nó in aghaidh an rúin sin:

(i) "Is mór an cur amú ama é a bheith ag breathnú ar an teilifís".
(ii) "Is beag an meas atá ag Éireannaigh ar a dtimpeallacht".

PÁIPÉAR I ALT

Treoracha

1 The format here will be exactly the same as for the *aiste* (page 2).
2 Read again the *Treoracha* on page 2 under the heading 'Aiste'.

> *Note*
> In the following pages you will find
> —three samples of the *alt* with specific vocabulary;
> —suggestions and tasks accompanying each example.

ALT SAMPLACH 1

Iarradh ort alt a scríobh d'iris na scoile faoi na háiseanna spóirt i do cheantar. Scríobh an t-alt a chuirfeá chuig eagarthóir na hirise.

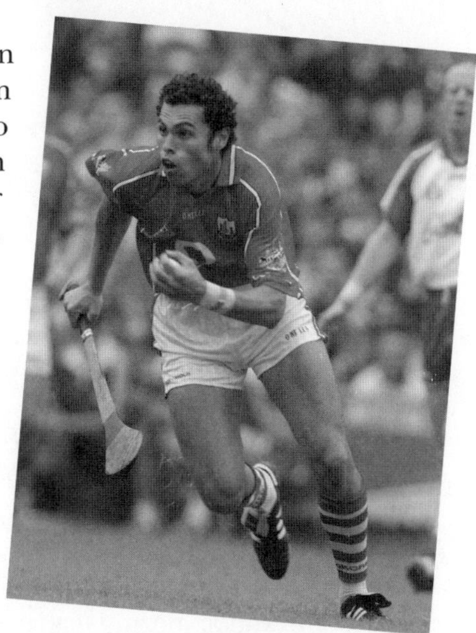

Tá cónaí orm sa Bhaile Nua. Is sráidbhaile é an Baile Nua, tuairim is seacht míle ón gCaisleán Nua, Contae Luimnigh. Níl sa sráidbhaile seo ach séipéal, scoil náisiúnta, siopa, agus teach tábhairne. Is ceantar tuaithe é, agus dá bharr sin níl na háiseanna céanna againn anseo is atá ag daoine sa bhaile mór nó i gcathair Luimnigh, mar shampla. Tá an t-ádh linn go bhfuil áiseanna spóirt againn san iar-bhunscoil sa Chaisleán Nua nach bhfuil anseo sa sráidbhaile againn.

Tá an-trua agam do chailíní an cheantair. Ní imrítear camógaíocht sa pharóiste. Tá club ag Cumann Lúthchleas Gael anseo, agus tá páirc bhreá imeartha aige. Déanann cluichí eile an CLG freastal ar na buachaillí, ar ndóigh, agus is beag buachaill sa cheantar nach n-imríonn peil Ghaelach nó iománaíocht.

Imrím féin cispheil ar scoil. Is breá liom an cluiche. Ach níl cúirt againn anseo don chispheil ach clós na bunscoile, agus níl sé sin ró-oiriúnach. Tá club óige againn sa Bhaile Nua. Bíonn an club sin gníomhach sa gheimhreadh, gach oíche Shathairn. Úsáidtear Halla an Pharóiste. Is féidir unihockey, sacar agus badmantan a imirt istigh.

Bhí mise i mo bhall den chlub ar feadh trí bliana, ach d'éirigh mé as i mbliana. Níl aon duine ar comhaois liom ann anois. I ndáiríre ní bhíonn mórán is féidir linn a dhéanamh, geimhreadh nó samhradh, ach an snámh. Taitníonn an snámh go mór liom féin mar chaitheamh aimsire. Trí thráthnóna sa tseachtain fanaim siar sa Chaisleán Nua chun dul go dtí an linn snámha.

Ó thaobh áiseanna de is baile mór an-mhaith é. Tá club leadóige ann agus lárionad breá nua spóirt. Tá sé i gceist agam féin dul ag imirt scuaise an bhliain seo chugainn. Beidh mé sa chúigiú bliain an bhliain seo chugainn, agus ligfear chuig dioscó na n-óg mé, tá súil agam. Sin rud eile nach mbíonn againn sa Bhaile Nua ach uair amháin sa bhliain.

Gluais

tuairim is: approximately
ceantar tuaithe: a rural area
áiseanna: facilities
déanann siad freastal ar: they cater for
oiriúnach: suitable
gníomhach: active
i mo bhall de: a member of
ar comhaois liom: of my own age
scuais: squash

Alt samplach 2

Bhí tú ar thuras scoile le déanaí, agus iarradh ort alt a scríobh d'iris na scoile faoi. Scríobh an t-alt a chuirfeá chuig eagarthóir na hirise (Teastas Sóisearach, 1994).

Bhain mé an-taitneamh go deo as laethanta saoire na Cásca seo caite. Chuaigh daichead duine as an tríú bliain ar thuras scoile go dtí an Mhór-roinn. D'fhágamar an scoil oíche Déardaoin ar a seacht. Bhí turas trí huaire an chloig le déanamh againn go dtí Ros Láir. Bhíomar go léir lán d'anam, mar ba é seo an chéad uair den chuid is mó againn a bheith ag dul thar lear. Bhí tiománaí an chóiste an-lách ar fad, mar sheinn sé cibé téip a d'iarr muid air. Níor mhothaíomar an turas ró-fhada in aon chor, agus shroicheamar Ros Láir timpeall leathuair tar éis a deich.

Cuireadh moill dhá uair a chloig orainn i Ros Láir, toisc nach raibh long Le Havre tagtha isteach go fóill. Níl ach seomra feithimh an-chúng i Ros Láir, agus bhí slua ansin romhainn. Bhí orainn seasamh taobh amuigh go dtí go raibh sé in am dúinn dul ar bord. Geallaimse duit nach raibh aon teaspach orainn agus sinn ag dul ar bord ar ceathrú chun a haon ar maidin. Nuair a chualamar go mbeadh an dioscó ar siúl go dtí a dó thángamar chugainn féin go tapa. Chuamar caol díreach go dtí na cábáin agus chuireamar malairt éadaigh orainn. Bhí oíche bhreá againn, agus chuamar a chodladh go gairid roimh a trí ar maidin.

Bhí an fharraige chomh mín le gloine an lá dár gcionn. Bhí slua mór ógánach ó scoileanna éagsúla ar bord, agus chuireamar aithne ar a lán acu. Ní fhacamar an ceathrar múinteoirí a bhí i mbun ár ngrúpa ach corruair i rith an lae.

Bhí sé a dó a chlog ar maidin arís nuair a shroicheamar Le Havre. Bhí cóiste ag fanacht linn ansin chun sinn a bhreith go Páras. Bhí sé a cúig a chlog nuair a shroicheamar an t-óstán i bPáras. Ní raibh fonn ceoil ar aon duine ar an mbealach, mar bhíomar go léir tuirseach traochta tar éis an turais fharraige.

Cheap mé nach raibh mé ach tar éis titim a chodladh nuair a glaodh orainn ar a naoi an mhaidin dár gcionn. Bhí turas trí chathair Pháras socraithe dúinn roimh ré, agus bhí an cóiste ag feitheamh linn. Cé go rabhamar an-tuirseach go deo, níor mhaith linn an turas seo a chailleadh. Agus b'fhiú go mór é. Chonaiceamar radhairc mhóra na cathrach. Fuaireamar an lón i Montmarte, agus chuamar a luí go luath an oíche sin.

Ar feadh na seachtaine ina dhiaidh sin ní raibh tuirse ar bith ar aon duine. Chaitheamar dhá lá i bPáras, agus chuamar go baile mór san Ísiltír darb ainm Valkenburg. Bhí an áit sin go hálainn ar fad. Bhí na daoine ann an-lách agus bhí gach cineál caitheamh aimsire ann de ló is d'oíche. Chuamar ar thuras lae as sin go dtí an Ghearmáin. Bhíomar i gcathracha Köln agus Bonn. Thugamar cuairt ar áiteanna stairiúla agus ar chúpla monarcha nua-aimseartha.

Chaitheamar an chuid eile den tseachtain i Valkenburg. Bhí gach duine ag éirí chomh ceanúil ar an áit nár mhaith linn é a fhágáil. Ach bhí orainn filleadh ar Le Havre ar an Aoine dár gcionn. Bhí brón orm go raibh an turas ag druidim chun deiridh.

Bhí an turas farraige go Ros Láir taitneamhach, cé go raibh an chéad leath beagán garbh. Bhí tinneas farraige ar chorrdhuine, ach ní raibh mé féin tinn. Bhíomar ar ais ag an scoil go déanach oíche Shathairn. Bhíomar go léir agus an ceathrar múinteoirí a bhí i mbun an ghrúpa an-sásta leis an turas, agus shocraíomar go ndéanfaimis arís é an bhliain seo chugainn. Ach an bhféadfainn dhá chéad punt a iarraidh ar mo thuismitheoirí arís?

Gluais

an-taitneamh go deo: great enjoyment
lán d'anam: full of spirit
thar lear: abroad
an-lách: very kind
seomra feithimh: waiting-room
geallaimse duit: I can assure you
teaspach: high spirits
caol díreach: directly
chomh mín le gloine: as smooth as glass
chuireamar aithne ar: we got to know
corruair: occasionally
tuirseach traochta: tired and weary
roimh ré: beforehand
b'fhiú go mór é: it was well worth it
áiteanna stairiúla: historic places
nua-aimseartha: modern
ceanúil: fond
ag druidim chun deiridh: drawing to an end
taitneamhach: enjoyable

Obair duitse

D'fhreastail tú ar na Cluichí Oilimpeacha in Atlanta, agus iarradh ort alt a scríobh d'iris na scoile faoi do thuras ann. Scríobh an t-alt a chuirfeá chuig eagarthóir na hirise. **Bain úsáid as an alt samplach agus as an stór focal a ghabhann leis.**

Alt samplach 3

Iarradh ort alt a scríobh d'iris na scoile faoi scannán a chonaic tú. Scríobh an t-alt a chuirfeá chuig eagarthóir na hirise (Teastas Sóisearach, 1993).

Is é an scannán is fearr dá bhfaca mé le tamall anuas ná *Far and Away*. Scannán atá ann ag cur síos ar scéal ógfhir as Éirinn a théann ar imirce ag lorg saoil nua dó féin. Tosaíonn an scéal in iarthar na hÉireann sa bhliain 1892. Tá an Drochshaol thart, ach níl buaine seilbhe fós ag tionóntaí na hÉireann. Tá teipthe ar an bhfoighne acu, agus éiríonn siad amach i gcoinne cíosanna arda agus dí-shealbhaithe. Tá teaghlach na príomh-phearsan, Joseph (Tom Cruise), i dtrioblóid, toisc nach féidir leo an cíos a íoc. Nuair a fhaigheann athair Joseph bás de dheasca gortú a bhain dó i gcíréib, fágtar Joseph agus a dheartháireacha achrannacha ar an ngann-chuid, gan dídean.

Lorgaíonn Joseph díoltas ar an tiarna talún, Daniel Christie. Beartaíonn sé an tíoránach a mharú, ós é is ciontach ina ndíshealbhú. Sula n-éiríonn leis a aidhm a bhaint amach, ámh, castar air Shannon (Nicole Kidman), iníon bhíogúil an tiarna—agus ionsaíonn sí le píce é! Tarraingíonn Joseph gunna agus scaoileann le Christie, ach teipeann air é a aimsiú. Fágann frithbhuille an ghunna Joseph gan aithne gan urlabhra.

Idir an dá linn tá scéim beartaithe ag Shannon. Tá an ógbhean 'nua-aimseartha' míshásta lena saol. Dar léi go bhfuil a tuismitheoirí caolaigeanta; agus rud eile, níl sí i ngrá leis an bhfear (Steven) atá roghnaithe ag a tuismitheoirí di. Teastaíonn uaithi an tír a fhágáil, rud nach dtig léi a dhéanamh ina haonar. Tá talamh le fáil saor i Meiriceá, agus meallann seo Joseph chun dul in éineacht léi. Imíonn an bheirt faoi scáth na hoíche, gan acu ach roinnt spúnóg airgid! Ach goidtear uathu an fhoinse seo saibhris, sa chaoi go sroicheann siad Meiriceá agus gan pingin rua sa saol acu.

Téann Joseph i mbun dornálaíochta chun riar a gcáis a bhaint amach. Téann Shannon ag obair (den chéad uair riamh!), agus is iomaí eachtra ghreannmhar a bhaineann di. Éiríonn sách maith leo go ceann tamaill—go dtí go dteipeann ar Joseph mar dhornálaí. Tréigeann a 'gcairde' go léir iad, agus den dara huair ina shaol fágtar Joseph san fhaopach.

Faoin am seo tarlaíonn réabhlóid in Éirinn agus cuirtear teach mór Christie trí thine. Caitheann sé féin, mar aon lena bhean chéile agus le Steven, dul sall go Meiriceá. Chomh luath agus a shroicheann siad an tOileán Úr tosaíonn Christie ar a iníon ainsrianta a chuartú. San idirlinn baineann gortú de Shannon, agus níl an dara rogha ag Joseph ach í a thabhairt ar ais chuig a muintir. Is léir faoin am seo go bhfuil an bheirt óg i ngrá lena chéile. Imíonn Joseph, ámh, ag ceapadh nach bhfeicfidh sé Shannon arís choíche.

Roinnt míonna ina dhiaidh sin cad deir tú ach gur casadh ar a chéile iad ag an 'gcomórtas talún' in Oklahoma! Ar luas marcaíochta atá an comórtas bunaithe: an té is túisce a bhaineann amach píosa áirithe talún is leis feasta é. Tá fadhbanna ag Joseph bocht: ní féidir leis a chapall óg scinnideach a smachtú, agus bíonn air Steven a throid chun a chuid talún (agus Shannon) a fháil! Gortaítear go trom é, agus tá sé i mbaol a bháis. Cuirtear 'críoch shona' leis an scéal, áfach, nuair a osclaíonn Joseph a shúile arís!

Scéal iontach atá ann, dar liom, é breac le heachtraí greannmhara, agus scéal a mhúsclaíonn idir fhearg agus bhrón. Admhaím go raibh mé ag gol agus ag gáire le linn an scannáin, agus i gcónaí ar bís. Tá an scéal spéisiúil, tá an aisteoireacht cumasach, tá an suíomh suimiúil—ar an iomlán is sárscannán é.

Gluais

an Drochshaol: the Great Famine
buaine seilbhe: fixity of tenure
díshealbhú: eviction
círéib: a brawl, riot
ar an ngannchuid: in straitened circumstances, poor
bíogúil: lively, spirited
frithbhuille: recoil
caolaigeanta: narrow-minded
foinse: source
sa chaoi go: so that
sách maith: fairly well
san fhaopach: in a fix, in dire straits
an tOileán Úr: the New World
ainsrianta: 'wild', uncontrolled
níl an dara rogha aige: he has no alternative
scinnideach: nervous, jumpy

Obair duitse

Ailt a tugadh ar pháipéar an Teastais Shóisearaigh

2005 Alt (Do nuachtán nó d'iris)

Freagair do rogha *ceann amháin* díobh seo:

(i) Bhuaigh tú comórtas cócaireachta. Scríobh an t-alt a chuirfeá chuig eagarthóir iris na scoile ag cur síos ar an gcomórtas agus ar an mbéile a d'ullmhaigh tú mar chuid den chomórtas.

(ii) Tá an iris idirlín Beo ag www.beo.ie ag lorg alt ó dhaoine óga ar an ábhar 'An córas smachta i do scoilse'. Scríobh an t-alt a chuirfeá chuig eagarthóir na hirise faoin ábhar sin.

2004 Alt (Do nuachtán nó d'iris)

Freagair do rogha *ceann amháin* díobh seo:

(i) Thug duine cáiliúil cuairt ar do scoil le déanaí. Scríobh an t-alt a chuirfeá chuig eagarthóir iris na scoile ag cur síos ar an ócáid.

(ii) Tá an nuachtán Lá ag lorg alt ó dhaoine óga faoin ábhar 'An Ghaeilge i do scoilse'. Scríobh an t-alt a chuirfeá chuig eagarthóir an nuachtáin faoin ábhar sin.

2003 Alt (Do nuachtán nó d'iris)

Freagair do rogha *ceann amháin* díobh seo:

(i) Bhí seó faisin i do scoil féin le déanaí.
Scríobh an t-alt a chuirfeá chuig eagarthóir iris na scoile ag cur síos ar an ócáid.

(ii) Tá an nuachtán Foinse ag lorg alt ó dhaoine óga faoin ábhar 'Clubanna Oíche'. Scríobh an t-alt a chuirfeá chuig eagarthóir an nuachtáin faoin ábhar sin.

2002 Alt (Do nuachtán nó d'iris)

Freagair do rogha *ceann amháin* díobh seo:

(i) Tá an-suim agat i gcúrsaí cócaireachta agus iarradh ort alt a scríobh faoi d'iris na scoile. Scríobh an t-alt a chuirfeá chuig eagarthóir iris na scoile faoin ábhar sin.

(ii) Chonaic tú clár teilifíse ag plé cúrsaí ólacháin i measc daoine óga. Scríobh an t-alt a chuirfeá chuig an iris idirlín Beo (http://www.beo.ie) ag léiriú do thuairimí féin faoin scéal.

Páipéar I Comhrá nó Agallamh

Treoracha

1 *Fad:* timpeall 130 focal.

2 *Plean:* Déan plean, bunaithe ar na gnéithe seo a leanas:

- An tús (*The opening*)
- Intriachtaí agus beannachtaí (*Interjections and blessings*)
- Tuairimí (*Opinions*)
- Croí an chomhrá (*Body of the conversation*)
- Críoch an chomhrá (*The conclusion*)

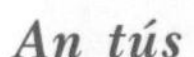

An tús

To begin a *comhrá* or *agallamh,* these words and phrases are essential. Learn them and put them into practice.

Go mbeannaí Dia duit, a Phádraig.—Go mbeannaí Dia is Muire duit, a Phóil.
Dia duit, a Mhic Uí Mhurchú.—Dia is Muire duit, a Shéamais.
Dé do bheatha, a Aingeal.—Go maire tú i bhfad, a Eibhlín.
Conas tá tú?/Cén chaoi a bhfuil tú?/Cad é mar atá tú?—Ar fheabhas (*excellent*). Agus tú féin?
Ní gearánta dom (*middling*)./Nílim ach go measartha (*I'm only fair*)./Maith go leor (*all right*).
Nach bhfuil sé fuar/te/fliuch/gaofar inniu?—Tá, cinnte.
Táim préachta/scallta/báite./Dhera, níl sé ródhona (*it's not too bad*).
Ní raibh aon choinne agam bualadh leatsa anseo (*I didn't expect to meet you here*).—Bhuel, sin mar a bhíonn (*such is life*)./Castar na daoine ar a chéile (*it's a small world*).
Fáilte romhat, a Ruairí. Tar isteach.—Go raibh maith agat./Go maire tú.
Fan liom, a Sheáin.—Ó, Dia duit, a Úna. Ní fhaca mé thú.
Cá bhfuil tú ag dul?—Cois trá. Céard a dhéanfaidh an aimsir?

Intriachtaí agus beannachtaí (Interjections and blessings)

The following are commonly used in *comhrá* and *agallamh:*

Intriachtaí	ar ndóigh (*indeed*)	dála an scéil (*by the way*)
bhuel	dar fia	an créatúr bocht
muise	dar m'fhocal (*I swear*)	ar ámharaí an domhain
féach	dar an leabhar	mo cheol thú
éist liom	mo ghraidhin thú	éist do bhéal (*shut up*)
dhera	togha fir/togha mná	cogar (*listen*)
amaidí (*nonsense*)	ochón go deo	a thiarcais

Beannachtaí

Nollaig shona duit
go ndéana Dia trócaire uirthi (*may God have mercy on her*)
go bhfóire Dia orainn (*God help us*)
go mbeirimid beo ag an am seo arís (*may we all be alive at the same time next year*)
go maire tú is go gcaithe tú é (*may you wear it and prosper*)
go raibh maith agat
bail ó Dhia ar an obair (*God bless the work*)
go méadaí Dia do stór (*God prosper you*)
Dia sa teach (*God bless all here*)
go n-éirí an t-ádh leat/go n-éirí leat/go dté tú slán/ádh mór ort (*good luck*)
go n-éirí an bóthar leat (*good luck on your journey*)

Tuairimí (Opinions)

Expressing a personal opinion is very important in the *comhrá* or *agallamh*. Learn the following phrases for this purpose:

General

is í mo thuairim/is í mo bharúil (*it's my opinion*)
is dóigh liom/ceapaim/measaim/sílim (*I think*)
feictear dom/samhlaítear dom (*it seems to me*)
is cuimhin liom (*I remember*)
is léir dom (*it's clear to me*)
admhaím (*I admit*)
ní call a rá (*it goes without saying*)
is mór an trua (*it's a great pity*)
tá súil agam (*I hope*)
nach deas é? (*isn't it nice?*)
thug mé faoi deara (*I noticed*)
ní háibhéil a rá (*it's no exaggeration to say*)
caithfidh mé a rá (*I must say*)
dar liom (*according to me, in my opinion*)

Agreement

aontaím leat sa mhéid sin
tá an ceart agat (*you're right*)
chreidfinn é sin (*I'd believe that*)
is fíor duit (*true for you*)
táim ar aon intinn ar fad leat (*I agree with you entirely*)
ceart go leor (*all right*)
tá go maith (*all right, very well*)
táim ag teacht leat go hiomlán (*I quite agree with you*)

Disagreement

ní aontaím leis sin (*I don't agree with that*)
is deacair é sin a chreidiúint (*it's hard to believe that*)

seans go bhfuil an ceart agat ach ní dóigh liom é (*you may be right, although I doubt it*)
is maith an scéalaí an aimsir (*time will tell*)
conas a d'fhéadfadh? (*how could?*)
a mhalairt ar fad (*on the contrary*)
ní fíor sin in aon chor (*that's not true at all*)
an bhfuil tú cinnte? (*are you sure?*)
an gceapann tú gur amadán mé? (*do you think I'm a fool?*)
go dtuga Dia ciall duit (*may God give you sense*)
fan go bhfeicfidh tú (*wait till you see*)
ar mhiste leat a insint dom (*would you mind telling me*)
is deacair a rá (*it's hard to say*)
ní bheinn róchinnte de sin (*I don't know about that*)

Croí an chomhrá (The body of the conversation)
Bí cinnte go mbaineann sé leis an ábhar (*that it is relevant, to the point*).
Foghlaim na nathanna seo:

gabh mo leithscéal (*excuse me*)
ceart go leor, ach ná tarlaíodh sé arís (*all right, but don't let it happen again*)
níl aon leithscéal agam, is oth liom a rá (*I've no excuse, I'm sorry to say*)
níl a fhios agam ó thalamh an domhain conas a tharla sé (*I've no idea at all how it happened*)
ná tóg orm é (*don't blame me*)
trí thimpiste/de thaisme (*by accident*) a tharla sé
seanleithscéal é sin (*that's an old excuse*)
tá aiféala orm (*I'm sorry*)
scaoilfidh mé leat an babhta seo (*I'll let you off this time*)
ach má bheirim arís ort íocfaidh tú go daor as (*but if I catch you again you'll pay dearly for it*)
dóbair dom é a dhearmad (*I nearly forgot it*)
bhí dul amú orm (*I was mistaken*)
conas a d'éirigh leat? (*how did you get on?*)
céard a d'éirigh duit? (*what happened to you?*)
ná bíodh aon imní ort (*don't be worried*)
nach méanar duit (*isn't it well for you*)
ní bhaineann sin domsa (*that doesn't concern me*)
ná tabhair aon aird air (*don't heed him*)
níl sé ceart ná cóir (*it's not right*)
ort féin an locht (*it's your own fault*)
fág fúm é (*leave it to me*)
ná clis orm (*don't let me down*)
más é do thoil é
go raibh maith agat

Críoch an chomhrá (The conclusion)
Críochnaítear comhrá le nathanna mar seo:

Caithfidh mé brostú abhaile anois (*I must hurry home now*).
Cén deifir atá ort (*What hurry are you in*)?
Dúirt mo mháthair liom gan bheith déanach (*not to be late*).
Feicfidh mé anocht thú, mar sin.
Ná bí déanach.
Ní bheidh. Abair le do mháthair go raibh mé ag cur a tuairisce (*Tell your mother that I was asking for her*).
Beannacht Dé leat.
Go n-éirí an bóthar leat.
Go dté tú slán.
Go n-éirí leat.
Slán leat [*to a person moving away*].
Slán agat [*to a person remaining behind*].
Beidh an bua againn, cinnte. Ná bíodh aon imní ort.
Bhuel, is maith an scéalaí an aimsir. Feicfimid ar an Domhnach.
Nollaig shona duit, a Liam.
Gurab amhlaidh duit (*The same to you*).

Comhrá samplach 1

Bhí dioscó ar siúl oíche Shathairn seo caite. Ní raibh fonn ar d'athair cead a thabhairt duit dul. Scríobh an comhrá a bhí eadraibh faoin scéal.

Mise: A Dhaid, tá na buachaillí go léir ag dul chuig an dioscó sa bhaile mór Dé Sathairn seo chugainn. An dtabharfaidh tú cead dom dul leo?
Athair: Cad é seo? Ní thabharfaidh mé a leithéid. Tá a fhios ag an saol nach aon rud fónta a bhíonn ar siúl sa bhaile mór oíche Shathairn.
Mise: Ach … ach, a Dhaid! Beidh gach duine ann, agus—
Athair: Tá mo chuid ráite agam. Níl cead agat. Sin sin.
Mise: Ach ní gnáthdhioscó é. An scoil atá á eagrú. Tá coiste na dtuismitheoirí ag iarraidh airgead a bhailiú chun foireann sacair na scoile a chur go Sasana an mhí seo chugainn.
Athair: An mar sin é—an scoil atá á eagrú? Cuireann sin dreach nua ar an scéal.
Mise: Cuireann, cinnte! Beidh na múinteoirí go léir ann—Máistir Ó Donnchú, fiú. Eisean atá i mbun fhoireann na scoile.
Athair: Tá go maith, tá go maith. Ach ná bí ródhéanach ag teacht abhaile duit. Tá a fhios agat go mbíonn do mháthair buartha.
Mise: Ní bheidh mé déanach. Dúirt athair Liam go dtabharfadh sé síob abhaile dúinn. Tá sé ar an gcoiste, agus beidh sé i láthair an oíche ar fad.
Athair: Ceart go leor mar sin. Beidh airgead ag teastáil uait, is dócha!
Mise: Beidh! Go raibh maith agat, a Dhaid!

Gluais
tá a fhios ag an saol: everyone knows
aon rud fónta: anything good
á eagrú: organising it
dreach nua: a different slant
buartha: worried
síob/marcaíocht: a lift

Comhrá Samplach 2

Is dóigh leatsa go bhfuil an saol mór ag dul thar fóir le cluichí agus le cúrsaí spóirt. Tá cara leat, áfach, agus tá a mhalairt ar fad de thuairim aige nó aici. Scríobh an comhrá a bhí eadraibh faoin scéal. (Teastas Sóisearach, 1994)

Éamann: Dia duit, a Mhichíl.
Micheál: Dia is Muire duit, a Éamainn.
Éamann: An bhfuil d'obair bhaile déanta agat?
Micheál: Níl fós. Caithfidh mé tosú uirthi anois díreach. Tá díospóireacht le hullmhú agam.
Éamann: Cad é an t-ábhar?
Micheál: Cúrsaí spóirt. Bhí sé á phlé againn sa rang Béarla. Tá mise ag rá go bhfuil an saol mór ag dul thar fóir le cúrsaí spóirt sa lá atá inniu ann. Caithfidh mé a rá go n-aontaím go hiomlán leis an tuairim sin.
Éamann: Ní dóigh liom go bhfuil an ceart agat. Is rud iontach é an spórt do gach duine. Tá sé go maith don tsláinte.
Micheál: Is fíor sin; ach níl aon spórt fágtha i gcluichí. Faigheann réaltaí spóirt an iomarca airgid. Éiríonn siad santach.
Éamann: Ach tá na mílte duine, a Mhichíl, ag imirt cluichí agus ní fhaigheann siad pingin rua.
Micheál: Chuala mise go bhfaigheann a lán amaitéaraigh airgead. Níl sin ceart ná cóir, dar liomsa. Agus is annamh a fheiceann tú cluiche breá cothrom anois. Tá foréigean in an-chuid cluichí, iománaíocht agus rugbaí mar shampla. Gortaítear a lán daoine.
Éamann: Níl an spórt contúirteach. Ceapaim go bhfuil na himreoirí contúirteach uaireanta mar go mbriseann siad na rialacha.
Micheál: Agus cad faoin dornálaíocht? Nach gceapann tú go bhfuil sí sin contúirteach?
Éamann: Á, bhuel, ní spórt í sin ar chor ar bith. Ní áirím an bhrúidiúlacht sin agus 'spórt' á phlé againn.
Micheál: Agus cad faoi Maradona bocht agus na drugaí? Tá a shaol scriosta ag na drugaí céanna.
Éamann: Bhuel, an bhfuil sé ar intinn agatsa mar sin éirí as an gcispheil an bhliain seo chugainn?
Micheál: Feicfimid! Caithfidh mé imeacht anois go dtí an leabharlann chun an díospóireacht seo a scríobh. Slán tamall, a Éamainn.
Éamann: Slán leat, a Mhichíl.

Note the use of these phrases in expressing an opinion:

caithfidh mé a rá
is dóigh liomsa
measaim
is í mo thuairim
dar liom
is fíor go bhfuil/nach bhfuil
aontaím leat
ní aontaím leat
is éard a cheapaim féin ná
is í mo bharúil

Obair duitse

Is maith leatsa ainmhithe agus éin go mór, agus tá roinnt mhaith díobh mar pheataí agat sa bhaile. Tá cara leat, áfach, agus ní maith leis nó léi a leithéid in aon chor. Scríobh an comhrá a bheadh eadraibh faoin scéal. Bain úsáid as an gcomhrá samplach agus as an stór focal a ghabhann leis.

AGALLAMH SAMPLACH

Tháinig réalta spóirt chuig do scoilse. Chuir tú agallamh ar an duine sin d'iris na scoile. Rinne tú téipeáil ar an agallamh. Scríobh síos an t-agallamh a bhí ar an téip agat. (Teastas Sóisearach, 1996)

Mise: Dia duit, a Shonia. Táim an-bhuíoch díot as ucht bualadh liom.
Sonia: Tá fáilte romhat. Tá sceideal dian agam, ach is breá liom labhairt le daoine óga.
Mise: An raibh suim agat i gcúrsaí spóirt ar scoil?
Sonia: Ba bhreá liom an spórt i gcónaí. Bhí mé ag glacadh páirte sna Cluichí Pobail agus mé ar scoil. Thug sé an-mhisneach dom nuair a bhuaigh mé cúpla craobh náisiúnta.
Mise: Ar éirigh tú tuirseach den traenáil riamh?
Sonia: Gach aon lá—go mór mór nuair a bhíodh an bháisteach trom! Ach thugadh m'athair an-spreagadh dom i gcónaí.
Mise: Tá d'athair agus do mháthair an-bhródúil asat, nach bhfuil?
Sonia: Ó, tá. Is minic a thagann m'athair chuig na comórtais lúthchleasaíochta. Tá sin an-tábhachtach domsa.
Mise: An mbíonn aird agat ar a mbíonn ar siúl timpeall ort agus tú ag rásaíocht?
Sonia: Ní bhíonn. Ní bhíonn aird agam ar rud ar bith ná ar dhuine ar bith ach ar na mná eile os mo chomhair amach agus i mo dhiaidh.

Mise: An raibh an-díomá ort nuair a bhuaigh na mná ón tSín ort?

Sonia: Bhí, gan amhras. Ní raibh aon duine ag súil lena leithéid, mé féin san áireamh. Ach tá sé sin thart anois agus an bonn óir agam ó Helsinki, agus caithfidh mé díriú anois ar Atlanta.

Mise: Agus tá súil againn go léir gur ag Corcaíoch a bheas an bonn óir samhradh na bliana seo.

Sonia: Táim ag rá le muintir na hÉireann go ndéanfaidh mé mo dhícheall. Ní féidir liom níos mó ná sin a dhéanamh.

Mise: An bhfuil aon rud le rá agat le haos óg na hÉireann, a Shonia?

Sonia: Molaim dóibh a ndícheall a dhéanamh i gcónaí, pé slí bheatha a roghnaíonn siad dóibh féin, agus má bhíonn tionchar acu ar na polaiteoirí níos mó airgid a chur ar fáil do lúthchleasaithe óga. Tá géarghá leis. Tá a fhios sin agamsa.

Mise: Go raibh míle maith agat, a Shonia. Bhain mé an-taitneamh as bheith ag labhairt leat.

Sonia: Go raibh maith agat féin.

Gluais

sceideal: schedule
an-mhisneach: great encouragement
an-spreagadh: great encouragement, inspiration
an-bhródúil: very proud
aird: attention
díomá: disappointment
mé féin san áireamh: myself included
tionchar: influence

Obair duitse

Comhráite agus agallaimh a tugadh ar pháipéar an Teastais Shóisearaigh.

2005 Ceist 2

Freagair **A nó B** anseo. **(Ní gá dul thar leathleathanach i do fhreagra)**

A. Fágann tú do sheomra leapa go míshlachtmhar go minic. Scríobh an comhrá a bheadh idir tusa agus duine de do thuismitheoirí mar gheall ar sin.

B. Tá dalta i do scoilse a tháinig go dtí an tír seo le déanaí. Chuir tú agallamh uirthi/air i gcomhair iris na scoile. Rinne tú téipeáil ar an agallamh. Scríobh an t-agallamh a bhí ar an téip sin.

2004 Ceist 2.

Freagair **A nó B** anseo. **(Ní gá dul thar leathleathanach i do fhreagra)**

A. Tá spéis ar leith agat i grúpa ceoil áirithe ach ní maith le do thuismitheoirí an grúpa sin. Scríobh an comhrá a bhí idir tusa agus duine de do thuismitheoirí mar gheall air seo.

B. Chuir tú agallamh ar dhuine gan dídean (duine a chónaíonn ar na sráideanna) i gcomhair iris na scoile. Rinne tú téipeáil ar an agallamh. Scríobh an t-agallamh a bhí ar an téip agat.

2003 Ceist 2.

Freagair **A nó B** anseo. **(Ní gá dul thar leathleathanach i do fhreagra)**

A. Tháinig an múinteoir Gaeilge ort agus tú ag cur téacs-teachtaireachta ar do fón póca chuig cara leat le linn an rang Gaeilge.
Scríobh an comhrá a bhí idir tusa agus an múinteoir faoi seo tar éis an ranga.

B. Chuir tú agallamh ar pholaiteoir ó do cheantar féin i gcomhair iris na scoile.
Rinne tú téipeáil ar an agallamh.
Scríobh an t-agallamh a bhí ar an téip agat.

PÁIPÉAR I LÉAMHTHUISCINT

Treoracha

- Read the passage carefully as often as necessary (twice or three times).
- Try to pick out the main points. Underlining may help.
- Remember that this is a comprehension test on the passage as a whole, so it is not necessary to understand every word.
- Real *all* the questions and then read over the passage again.
- Now take the questions in turn. Very often there will be more than one point in the answer. Make sure to include all the points.
- Many of the questions deal with the traits and characteristics of individuals. A list of these is given on page 7–8 and 104–105 under the heading 'Tréithe daoine'.
- You may on occasion need to give your own opinion, so make sure you are familiar with phrases such as 'is í mo thuairim,' 'ceapaim,' 'is dóigh liom,' 'déarfainn féin,' 'is cosúil,' 'sílim,' etc.
- Most of the marks in this question (about 90 per cent) are for your comprehension ability, and therefore sentences or phrases may be taken directly from the passage. It is *preferable* of course to put your own slant on these, and better still if you can give the answer in your own words in good clear Irish.

Note
In the following pages you will find
—the Léamhthuiscintí from the 2005 and 2004 examination papers, with sample answers for the questions.
—the Léamhthuiscintí for 2003, 2002, 2001 and 2000. You should do these yourself and as many others as you can find.

SAMPLA 1 WORKED EXAMPLE 1

(Teastas Sóisearach 2005)

Léigh an t-alt thíos agus freagair na ceisteanna a ghabhann leis. (Bíodh na freagraí i d'fhocail féin chomh maith agus is féidir leat.)

NB. When more than one piece of information is required use - bullet points for each piece of information.

NB. Always use the word 'Mar' to begin answers to questions beginning with the words 'Cén fáth'.

LAOCHRA BHAILE PHIB

1. Is iomaí uair a dhéanann baill bhriogáid dóiteáin gaisce agus iad i mbun a gcuid oibre. In earrach na bliana 2004, nuair a bhí ceathanna Aibreáin ag lascadh na tíre, tháinig briogáid dóiteáin Bhaile Phib, i dtuaisceart Bhaile Átha Cliath, i gcabhair ar naoi gcinn d'éiníní lachan a bhí i mbaol a mbáite sa Chanáil Ríoga.

2. Thug duine éigin, a bhí ag dul thar bráid, faoi deara go raibh na héiníní teanntaithe istigh i gceann de loic na canála. Chuir sé fios ar an mbriogáid dóiteáin agus tháinig aonad amach agus na fearais tarrthála cuí acu. Fad is a bhí obair na tarrthála ar siúl d'fhág an lacha, máthair na n-éiníní, an chanáil agus d'eitil amach ar an mbruach, áit ar fhan sí agus í ag faire go himníoch ar na himeachtaí drámatúla.

3. Tógadh na héiníní go cúramach as an gcontúirt ina raibh siad. Scaoileadh amach ar an mbruach iad. Rith siad i dtreo na máthar agus níorbh fhada go raibh ocht gcinn díobh go sábháilte teolaí faoina sciatháin.

4. Bhí éinín amháin áfach, a bhí chomh traochta, spíonta sin ón tsíorlapadaíl a bhí ar siúl aige istigh sa loc canála nach raibh an fuinneamh sna cosa beaga aige chun dul chomh fada lena mháthair. D'fhan sé ina staicín scanraithe ar an mbruach go dtí gur thóg ball den bhriogáid dóiteáin é ina lámha agus gur fágadh é ag taobh na máthar. D'ardaigh sise a sciathán agus tharraing isteach lena taobh é. Nár laga Dia go deo sibh, a Laochra Bhaile Phib!

Ceisteanna (iad ar cómharc)

(i) (a) Cathain a tharla an eachtra seo agus cén saghas aimsire a bhí ann ag an am?
(b) Cén fáth a raibh na héiníní lachan i mbaol?

(ii) (a) Cé a chuir fios ar an mbriogáid dóiteáin?
(b) Cén tionchar a bhí ag na himeachtaí drámatúla seo ar mháthar na n-éiníní?

(iii) (a) Cé mhéad éinín a rith i dtreo na máthar agus cad a rinne sise leo?
(b) Cad a bhí cearr le héinín amháin agus cén fáth?

(iv) (a) Luaigh **dhá** phointe eolais i dtaobh mháthair na n-éiníní mar mháthair.

(v) (a) Breac síos **dhá** phointe eolais ón téacs a léiríonn go raibh 'Laochra Bhaile Phib' cúramach agus críochnúil.

Freagraí Samplacha

(i) (a) Tharla sé san earrach sa bhliain 2004.
Bhí an aimsir go dona mar bhí ceathanna ar fud na tíre.
(b) Mar bhí siad teanntaithe i gceann de na loic na canála.

(ii) (a) An duine a bhí ag dul thar bráid.
(b) Bhí sí ag féachaint, agus imní uirthi, ar na himeachtaí.

(iii) (a) Rith ocht gcinn ina treo agus chuir sí faoina sciatháin iad.
(b) Ní raibh sé ábalta dul chomh fada lena mháthair mar ní raibh fuinneamh ar bith aige ina chosa beaga.

(iv) -*Bhí sí cineálta mar d'fhan sí ag faire go himníoch ar na héiníní.
* Máthair an-mhaith í mar chuir sí faoina sciatháin iad.

SAMPLA 2 WORKED EXAMPLE 2

Teastas Sóisearaigh 2004)

Léigh an píosa iriseoireachta seo (bunaithe ar ailt in *Foinse* agus *Lá)* agus freagair na ceisteanna a ghabhann leis.

[Bíodh na freagraí i d'fhocail féin, chomh fada agus is féidir leat.]

Talamh Úr na Matrix

1. Téann scannáin áirithe i gcion ar an bpobal ar shlite nach dtéann scannáin eile. Tugtar scannáin chultais ar na scannáin seo agus bíonn lucht leanúna fíordhílis acu. Cheana féin, tá gach cuma ar an scéal gur mar seo a bheidh sé i gcás an scannáin **The Matrix** agus an dá cheann eile a lean é: ***The Matrix Reloaded*** agus ***The Matrix Revolutions.*** Cad is cúis leis seo?

2. Nuair a bhí an bhliain 2000 ag druidim linn, bhuail scanradh go leor daoine maidir leis an gcumhacht as cuimse a bhí ag na ríomhairí ar ár saol. Cad a dhéanfaí dá gcuirfeadh fabht na mílaoise ríomhairí an domhain as riocht? B'fhéidir gur smaoineamh den saghas seo a spreag na deartháireacha Wachowski, Andy agus Larry, chun domhan seo na ***Matrix*** a chur os ár gcomhair.

3. Bhí criticeoirí scannán ag rá ag an am nach raibh seans dá laghad ann go gcuirfeadh daoine spéis in ***The Matrix*** toisc é a bheith ag teacht ar an saol ag an am céanna le ***The Phantom Menace.*** Bhí dul amú orthu áfach. Rinneadh ***The Matrix*** ar bhuiséad a bhí beagán os cionn $200 milliún i Sydney na hAstráile agus tá breis agus $456 milliún saothraithe ag an scannán go dtí seo. Rinneadh ***The Matrix Reloaded*** agus ***The Matrix Revolutions*** le chéile ar chostas $300 milliún agus tá an costas sin glanta go maith faoin am seo.

4. Thuig na stiúrthóirí, Andy agus Larry Wachowski, cad a bhí ag teastáil ón lucht féachana. D'fhoghlaim siad é seo ó scannáin ar nós ***Star Wars*** agus ***Lord of the Rings.*** Mheasc siad codanna de bhunábhair na scannán seo le seanscéalta na Gréige agus íomhánna ón mBíobla agus bhain siad úsáid as teicníochtaí a bhí in úsáid sna cluichí ríomhairí, i bhfístéipeanna ceoil agus sa bhficsean eolaíochta le blianta.

5. Briseann na scannáin seo talamh úr Insíonn siad scéal atá cosúil leis na seanscéalta béaloidis ach insítear é i stíl atá fíornua-aoiseach.

<u>Ceisteanna</u> (iad ar cómharc)

(i) (a) Cén saghas scannán a dtugtar scannáin chultais orthu?
(b) Ainmnigh na trí scannán atá luaite in *Alt 1.*

(ii) (a) Breac síos pointe *amháin* eolais i dtaobh an scanradh a bhuail daoine agus 2000 ag druidim linn.
(b) Cén tionchar a bhí ag an scanradh seo, b'fhéidir, ar Andy agus Larry Wachowski?

(iii) (a) Cén fáth ar shíl criticeoirí scannán nach gcuirfeadh daoine spéis in ***The Matrix***?
(b) Luaitear in **Alt 3** go raibh 'dul amú' ar na criticeoirí. Cén fáth?

(iv) (a) Cad a d'fhoghlaim na stiúrthóirí ó scannáin ar nós ***Star Wars*** agus ***Lord of the Rings***?
(b) Luaigh teicníocht *amháin* ar baineadh úsáid as sna scannáin faoin ***Matrix.***

(v) (a) Breac síos *dhá* phointe eolais ón téacs a léiríonn go bhfuil an sean agus an nua in úsáid sna scannáin faoin ***Matrix.***

Freagraí Samplacha

(i) (a) Scannáin a dtéann i gcion ar an bpobal i mbealaigh nach dtéann scannáin eile.
(b) * The Matrix *The Matrix Reloaded *The Matrix Revolution.

(ii) (a) * An cumhacht an-mhór a bhí ag ríomhairí.
* Cad a tharlódh dá gcuirfí ríomhairí an domhain as riocht. **(either)**
(b) B'fhéidir gur seo a spreag iad chun na Matrix a dhéanamh.

(iii) (a) Mar bhí sé ag teacht amach ag an am céanna le The Phantom Menace.
(b) Mar tá breis is $456 milliún saothraithe aige go dtí seo.

(iv) (a) D'fhoghlaim siad cad a bhí ag teastáil ón lucht féachana.
(b) Baineadh úsáid as * Teicníochtaí ó na cluichí ríomhairí * Teicníochtaí ó na fístéipeanna ceoil * Teicníochtaí ó na ficsean eolaíochta. **(Any one of three will do.)**

(v) (a) D'úsáid siad seanscéalta ón nGréig agus íomhánna ón mBíobla.
* Bhain siad úsáid as codanna de bhunábhair na scannán, Star Wars agus Lord of the Rings.

SAMPLA 3 2003

Léigh an píosa iriseoireachta seo (bunaithe ar ailt in *Foinse, Lá, The Irish Times* agus *www.goldeneagle.ie)* agus freagair na ceisteanna a ghabhann leis. [Bíodh na freagraí i d'fhocail féin, chomh fada agus is féidir leat.]

AN T-IOLAR FÍRÉAN AG FILLEADH AR ÉIRINN

1. Tá sé beagnach céad bliain ó shin ó bhí an t-iolar fíréan sa tír seo.

I 1910 ní raibh ach péire amháin fágtha i gCo. Dhún na nGall.

Dhá bhliain ina dhiaidh sin chonacthas an péire deireanach i dtuaisceart Mhaigh Eo. Le cúpla bliain anuas tá tionscnamh ar bun chun na héin uaisle seo a mhealladh ar ais go hÉirinn. Is é Lorcán Ó Tuathail atá ina bhainisteoir ar an tionscnamh seo. Is féidir gach eolas i dtaobh na hoibre seo a léamh agus a leanúint ar an suíomh idirlín **www.goldeneagle.ie**

2. Sa bhliain 2001 tugadh sé cinn d'iolair óga isteach sa tír seo ó Albain, áit a bhfuil ceithre chéad fiche péire de na hiolair seo ag lonnú. Scaoileadh na hiolair óga seo saor i bPáirc Náisiúnta Ghleann Bheatha i gCo. Dhún na nGall. Anuraidh scaoileadh ocht gcinn eile d'iolair óga saor sa cheantar céanna. Scaoilfear idir seasca agus seachtó cúig eile saor laistigh de thréimhse chúig bliana. Cuirtear teaigeanna raidió ar na héin ionas gur féidir le Lorcán agus a fhoireann cuntas a choimeád faoi gach iolar fíréan a scaoiltear saor.

3. Tá ag éirí go hiontach leis an tionscnamh go dtí seo cé go mbíonn deacrachtaí beaga ann ó am go chéile. Is éan creiche é an t-iolar fíréan, is é sin, seilgeann sé agus maraíonn sé éin agus ainmhithe eile chun é féin a chothú. Foghlaimíonn an t-iolar óg é seo go nádúrtha óna thuismitheoirí. Gan na múinteoirí seo tógann sé tamall níos faide ar na hiolair óga a scaoiltear saor scileanna na seilge a fhoghlaim dóibh féin. Ar an ábhar seo fágtar bia amach dóibh i dtús báire ach diaidh ar ndiaidh tosaíonn siad ag seilg agus ag soláthar bia dóibh féin.

Ceisteanna (iad ar cómharc)

(i) (a) Cén fáth a luaitear Maigh Eo?
(b) Cén aidhm atá ag an tionscnamh a luaitear in *Alt 1*?

(ii) (a) Cad a deirtear in *Alt 1* faoi Lorcán Ó Tuathail?
(b) Breac síos *dhá* phointe eolais mar gheall ar na hiolair a tugadh isteach sa tír seo in 2001.

(iii) (a) Cé mhéad iolar fíréan a scaoileadh saor in Éirinn go dtí seo? Cé mhéad a scaoilfear saor inti thar thréimhse chúig bliana?

(b) Cén fáth a gcuirtear teaigeanna raidió ar na héin?

(iv) (a) Cén fáth a dtugtar éan creiche ar an iolar fíréan?
(b) Conas a fhoghlaimíonn iolair óga scileanna na seilge go nádúrtha?

(v) (a) Breac síos cúis *amháin* a bhfágtar bia amach do na hiolair i dtús báire nuair a scaoiltear saor iad?
(b) Tá slí amháin luaite in *Alt 1* chun teacht ar eolas faoin tionscnamh seo. Cad é?

Sampla 4 – 2002

Léigh an píosa iriseoireachta seo (bunaithe ar alt in *Foinse*) agus freagair na ceisteanna a ghabhann leis.
[Bíodh na freagraí i d'fhocail féin, chomh fada agus is féidir leat.]

Tá an Mol Thuaidh ag leá

1. Ní leac oighir ach uisce atá le feiceáil ag an Mol Thuaidh an samhradh seo – den chéad uair le tuairim is caoga milliún bliain. Chuaigh eolaithe, mairnéalaigh agus thart ar chéad turasóir ar bord an *Yamal*, long Rúiseach a bhfuil trealamh speisialta uirthi chun an leac oighir a bhriseadh, agus rinne siad an turas go dtí pointe a bhí an-ghar don Mhol Thuaidh.

2. Ach, nuair a shroich an bád an áit, bhí iontas an domhain ar chaptaen na loinge nach raibh aon leac oighir le feiceáil ann. Bhí an turas céanna déanta aige deich n-uaire le blianta beaga anuas ach ní raibh rud mar seo feicthe aige riamh cheana féin. Bhí orthu turas mara sé mhíle eile a dhéanamh go dtí gur aimsigh siad an leac oighir, le go bhféadfadh na paisinéirí gabháil amach air agus a rá 'gur sheas siad ar an Mol Thuaidh'.

3. Is é seo an léiriú is soiléire fós go bhfuil an domhan ag téamh ag ráta níos tapúla ná mar a chreid formhór na n-eolaithe cúpla bliain ó shin. Meastar anois go leáfaidh an plána oighir san Artach ina iomláine faoi lár na haoise seo. Tuairiscítear cheana féin go bhfuil an Béar Artach ag cailleadh meáchain toisc go bhfuil bia ag éirí gann ann.

4. Má leánn an leac oighir ar fad ag an Mol Thuaidh beidh tionchar an-mhór aigesean ar Éirinn agus ar thuaisceart na hEorpa i gcoitinne. Cuirfear Sruth na Murascaille dá threo agus beidh an aimsir i bhfad níos fuaire ná mar atá sí anois.

5. Tá an domhan ag téamh os comhair ár súl mar go bhfuil CO_2 agus gáis eile á gcaitheamh amach san aer gan chosc gan srian. Leagadh síos treoracha do thíortha ag Comhaontú Kytoto i 1997 agus arís san Háig in 2000 maidir leis an gceist seo. Is beag tír, áfach, atá ag cloí leis na treoracha sin. Tá gá anois le gníomhaíocht ó lucht tionscail agus ó na tíortha forbartha chun an fhadhb seo a réiteach nó beidh sé ró-dhéanach ar fad aon rud a dhéanamh faoi.

Ceisteanna (iad ar cómharc)

(i) (a) Breac síos pointe eolais *amháin* ón sliocht i dtaobh an *Yamal*.
(b) Cén fáth a raibh iontas an domhain ar chaptaen an *Yamal*?

(ii) (a) Cén fáth, de réir an údair, a dtéann turasóirí ar an turas seo?
(b) Breac síos pointe eolais *amháin* ón sliocht mar gheall ar an mBéar Artach.

(iii) (a) Cá fhad eile a thógfaidh sé sula leáfaidh an plána oighir san Artach?
(b) Breac síos tionchar *amháin*, de réir an údair, a bheidh ag leá an leac oighir ar Éirinn.

(iv) (a) Léiríonn an t-eolas i dtaobh An Mhoil Thuaidh, in *Alt 5*, go bhfuil fadhb againn. Cad í an fhadhb?
(b) Breac síos cúis *amháin* atá leis an bhfadhb seo.

(v) (a) Cad a tharla ag Comhaontú Kyoto (1997) agus san Háig (2000)?
(b) Conas is féidir an fhadhb seo a réiteach, dar le húdar an tsleachta seo?

Sampla 5 2001

Léigh an píosa iriseoireachta seo (bunaithe ar alt in Mahogany Gaspipe) agus freagair na ceisteanna a ghabhann leis. [*Bíodh na freagraí i d'fhocail féin, chomh fada agus is féidir leat.*]

An Chéad Íol Déagórach

An déagóir dorcha gruama corrthónach! Tá sé ina *cliché* amach is amach, déarfá. Is cosúil, áfach, go gcaithfidh gach déagóir a bheith amhlaidh anois. Cé a thógfadh uirthi/air é nuair nach bhfuil tuiscint dá laghad ag tuismitheoirí ar dhéagóirí? Sin a thugtar le fios dúinn, pé scéal é. Ní inniu ná inné a tháinig an deacracht seo chun solais.

Ón dara cogadh domhanda ar aghaidh tháinig glúin óg nua chun cinn i Meiriceá, a bhí réasúnta saibhir agus níos saoire óna dtuismitheoirí ná mar a bhí aon ghlúin a chuaigh roimpi. Chonaic lucht déanta scannán go raibh lucht féachana mór ann nach raibh aon scannánóir ag freastal air go dtí sin. Chuir siad rompu pictiúir a dhéanamh don chultúr nua déagórach seo. Ba é **Rebel Without a Cause** an scannán ba cháiliúla díobh seo agus ba é James Dean a laoch.

Léirigh gothaí agus geáitsí Dean dearcadh nua na glúine óige go soiléir sa scannán seo. Faraor gear ní dhéanfadh an t-íol déagórach ach scannán amháin eile, **Giant**. Thaispeáin **Giant** go raibh Dean in ann páirteanna casta a ghlacadh agus go raibh sé i ndán dó a bheith ina réaltóg mhór. Ach ní mar a shíltear bítear sa saol seo go minic.

Bhí spéis i gcónaí ag James Dean i gcairr, cairr ghasta. Siombail an-tábhachtach den tsaoirse san ógchultúr nua ba ea an carr. Bhí Dean an-bhródúil as an *Porsche Spyder* a bhí aige. Shocraigh sé deireadh seachtaine a chaitheamh ag glacadh páirte i rás bóthair i Salinas, California. Ar an mbealach bhuail sé féin agus carr eile faoina chéile. Maraíodh é. Ar nós go leor réaltóg eile a fuair bás go hóg, thosaigh cáil James Dean ag méadú ón lá cinniúnach sin, 30 Meán Fómhair, 1956.

<u>Ceisteanna</u> (iad ar cómharc)

(i) (a) Cén saghas duine é 'an déagóir' atá luaite *sa chéad alt*?
(b) Cén fáth a mbíonn an déagóir mar seo, dar le húdar an phíosa?

(ii) (a) Breac síos *dhá* thréith a bhain leis an nglúin óg 'ón dara cogadh domhanda ar aghaidh'.
(b) Luaigh an buntáiste a bhain lucht déanta scannán as an gcultúr nua déagórach seo.

(iii) (a) Ainmnigh an *dá* scannán, atá luaite sa téacs, inar ghlac James Dean páirt.
(b) I gcás *ceann amháin* den dá scannán sin breac síos *pointe eolais amháin* faoi James Dean sa scannán sin.

(iv) (a) Cén sórt cairr a raibh spéis ag James Dean ann?
(b) Bhí tábhacht ag baint leis an gcarr 'san ógchultúr nua'. Cad é?

(v) (a) Conas a fuair James Dean bás?
(b) Cad a tharlaíonn i gcás réaltóige a fhaigheann bás go hóg, dar le húdar an phíosa?

Sampla 6 – 2000

Léigh an t-alt seo agus freagair na ceisteanna a ghabhann leis. [Bíodh na freagraí i d'fhocail féin, chomh fada agus is féidir leat.]

Ó TG4 GO TV3

Iompaíonn na súile ar fad i dtreo Ghráinne Seoige nuair a shiúlann sí isteach sa seomra. Is bean dathúil í, ach tá níos mó i gceist ná sin.

Is réalta í Gráinne Seoige ó d'fhág sí Nuacht TG4. Bhí sí ina réalta ag TG4 freisin, ach ar scála níos lú. Tá *Canwest*, an dream atá taobh thiar de TV3, tar éis airgead go leor a chaitheamh le cinntiú go mbeadh sise ina réalta mhealltach agus tharraingteach ar a gclár nuachta, *News @ 6*.

Ina ainneoin sin ar fad, ní cheapann Gráinne go bhfuil an cháil agus an phoiblíocht ag dul i bhfeidhm uirthi in aon bhealach.

"Bheadh níos mó poimpe ag baint le post láithreoireachta in RTÉ, feictear dom. Ach i TV3, tá chuile dhuine mar a chéile."

"Cuirim TG4 agus TV3 i gcomparáid mar tá na daoine, idir iriseoirí agus theicneoirí, óg."

Bhí Gráinne le Nuacht TG4 ar feadh dhá bhliain nuair a fuair sí glaoch ó TV3. Go tobann, d'athraigh chuile rud. Bheadh uirthi Gaillimh agus Conamara a fhágáil. Bheadh uirthi dul i mbun oibre ag ceannáras nua TV3 amuigh i dTamhlacht, na céadta míle ón Trá Mhór.

Ach má bhí Gaillimh chomh deas, agus má thaitin an obair i TG4 an oiread sin léi, cén fáth ar fhág sí?

"Is deis iontach a bhí ann. Do thírín chomh beag, ní thagann mórán stáisiún teilifíse nua ar an saol. Freisin, nílim ag iarraidh a bheith 60 bliain d'aois agus mé fós san áit chéanna."

In ainneoin go bhfuil sí níos gnóthaí ná mar a bhí sí riamh, tá Gráinne thar a bheith sásta ina post nua. Fágann sí an baile ag a deich ar maidin, agus tiomáineann sí chuig ceanncheathrú TV3. Is é an chéad rud a dhéanann sí ann ná bualadh leis an eagarthóir agus scéalta móra an lae a phlé. Bíonn ceannlínte le léamh aici ag meán lae agus an clár mór nuachta ag a sé a chlog. Ansin, gach dara seachtain, bíonn uirthi nuacht a haon déag a léamh chomh maith le ceannlínte ag meán oíche.

"Is maith liom mo jab. Tá go leor brú ann, ach is breá liom é. Tá níos lú do shaol sóisialta anois agam ná mar a bhí, agus beidh go ceann tamaill. Tá go leor, leor oibre i gceist. Bím an-tuirseach nuair a chríochnaíonn an tseachtain ar an Aoine."

Céard, mar sin, atá amach roimh Ghráinne Seoige? RTÉ? Abhaile chuig TG4? Sky News? An chéad stáisiún nua eile in Éirinn? Níl sí ag rá tada, ach bí cinnte nach bhfanfaidh sí ró-fhada ar an runga céanna den dréimire teilifíse, má tá rungaí eile os a cionn.

(as *Foinse*)

Ceisteanna (iad ar cómharc)

(i) (a) Cén post atá ag Gráinne Seoige anois?
(b) Cén post a bhí aici roimhe sin?

(ii) (a) Breac síos *difríocht amháin*, a luaitear sa sliocht, idir RTÉ agus TV3.
(b) Luaigh *cosúlacht amháin* idir TV3 agus TG4, dar le Gráinne.

(iii) Luaigh an *dá chúis* ar fhág Gráinne TG4.

(iv) Déan cur síos ar *dhá shaghas* oibre a bhíonn le déanamh ag Gráinne in TV3.

(v) An dóigh leat go bhfuil meas mór ag údar an phíosa seo ar Ghráinne? Bíodh *dhá* phointe eolais ón téacs agat mar thaca le do fhreagra.

Sampla 7 – 1999

Léigh an t-alt seo agus freagair na ceisteanna a ghabhann leis. [*Bíodh na freagraí i d'fhocail féin, chomh fada agus is féidir leat.*]

IONTAIS AN DOMHAIN SEO

Sa bhliain 1915 d'fhoilsigh Alfred Wegener an smaoineamh cáiliúil ar a dtugtar "gluaiseacht na mór-ranna talún". Bhí an smaoineamh chomh suntasach agus chomh neamhchoitianta sin gur cuireadh suim ann ar fud an domhain agus gur scríobhadh mórán páipéar eolaíochta faoi. Ba é smaoineamh a bhí ann go raibh talamh an domhain ina haonad mór amháin ar feadh i bhfad agus gur thosaigh an t-aonad sin ag briseadh timpeall 200 milliún bliain ó shin, agus gur ghluais Meiriceá Thuaidh agus Meiriceá Theas siar agus gur ghluais an Eoraip agus an Afraic soir. Ceann de na príomhphointí a bhí ag Wegener ba ea go luífeadh cósta thoir Mheiriceá Thuaidh agus Mheiriceá Theas isteach go maith le cósta thiar na hEorpa agus na hAfraice. Níor éirigh le Wegener a mhíniú, áfach, cad ba chúis leis na mór-ranna talún a bheith ag gluaiseacht. Fuair Wegener bás sa bhliain 1930. Sna 1920idí bhí a lán eolais á bhailiú a bhain le grinneall na farraige. Ansin i lár na haoise fuarthas amach rud iontach, ba é sin go raibh grinneall na farraige ag leathadh in áiteanna. An raibh freagra anseo ar an gceist nach raibh Wegener in ann a fhreagairt?

Sa bhliain 1967 foilsíodh an smaoineamh cáiliúil ar a dtugtar "gluaiseacht na bplátaí". Is é atá sa smaoineamh sin go bhfuil dromchla an domhain roinnte ina phlátaí. Sna háiteanna ina dtagann dhá phláta le chéile ar ghrinneall na farraige, brúnn ábhar te aníos eatarthu agus cruann sé agus sánn sé na plátaí amach óna chéile. Ar an tslí sin, tá grinneall na farraige ag leathadh de réir a chéile.

Nuair a sháitear na plátaí amach óna chéile in áiteanna, brúitear na plátaí i gcoinne a chéile in áiteanna eile agus bristear imeall na bplátaí. Is é an fás ar imeall na bplátaí agus an briseadh ar imeall na bplátaí is cúis le gluaiseacht na bplátaí agus, dá bharr sin, le gluaiseacht na mór-ranna talún atá suite orthu. Nuair a bhíonn na plátaí ag briseadh in aghaidh a chéile, bíonn brú millteanach i ndromchla an domhain. Is é an brú sin is cúis leis na creathanna talún agus leis na bolcáin bheo a bhíonn sa nuacht chomh minic sin. Tarlaíonn creathanna talún agus brúchtaí bolcánacha i gcónaí in áiteanna atá suite feadh imill na bplátaí.

Mar sin, tá suíomh na mór-ranna talún ag athrú go mall, ach ag síorathrú. San am atá thart bhí leagan amach orthu a bhí difriúil leis an leagan amach atá orthu anois. Is féidir a dhéanamh amach cén leagan amach a bhí orthu i dtréimhsí éagsúla siar chomh fada le 200 milliún bliain ó shin. Tá leagan amach na mór-ranna talún ar na ceisteanna is suimiúla a mbíonn lucht geolaíochta ag déanamh staidéir orthu.

Gluais
grinneall na farraige = íochtar na farraige
dromchla an domhain = an taobh amuigh den domhain

Ceisteanna (iad ar cómharc)

(i) Cad í an cheist nach raibh freagra ag Wegener uirthi?

(ii) Cad é an rud iontach a fuarthas amach i lár na haoise seo?

(iii) Conas a tharlaíonn leathadh ghrinneall na farraige?

(iv) Cad is cúis le creathanna talún a bheith ann?

(v) Cén abairt sa sliocht is fearr a fhreagraíonn an cheist nach raibh Wegener in ann a fhreagairt?

CLUASTUISCINT

100 marc—$31\frac{1}{4}$%　　　　Am: 30 nóiméad

Treoracha

- Before this test begins you will have five minutes to read the questions and the instructions. *Do not waste this valuable time.*
- Make sure your writing is clear. Use a pencil, as corrections can be made more easily and more neatly.
- A sheet of supplementary paper should be obtained from the superintendent in order to jot down brief notes during the first playing of the tape.
- Use the gaps for the writing of answers. Long answers are not required.
- Answer the questions in Irish!
- Read the questions carefully before each section of tape.
- Never leave a blank space. Write down something.
- Familiarise yourself with the format of the test, which is given below.
- The great majority of the marks are awarded for understanding (about 90 per cent) and only a small proportion (about 10 per cent) for accuracy, spelling, etc.

Format

Cuid A

- **Trí ghiota cainte** ó dhaoine óga.
- Seinnfear gach giota faoi thrí.
- Beidh ort píosaí eolais faoi na daoine a scríobh isteach sa ghreille.

Cuid B

- **Trí fhógra** (*announcements*).
- Seinnfear gach fógra faoi dhó.
- Beidh ort cúpla ceist tuisceana a fhreagairt ar gach fógra.

Cuid C

- **Trí chomhrá** (*conversations*).
- Seinnfear gach comhrá faoi thrí:

—an chéad uair: an comhrá go léir;
—an dara huair: an comhrá ina dhá mhír;
—an tríú huair: an comhrá go léir arís.

Cuid D

- **Trí phíosa nuachta.**
- Seinnfear gach píosa faoi dhó.
- Beidh ort cúpla ceist tuisceana a fhreagairt ar gach píosa.

Note

Usually *cuid A* and *cuid C* are played three times and *cuid B* and *cuid D* twice. However, make sure you read the instructions before each section to verify this.

Ag ullmhú don triail

Is minic a chloistear stór focal (*vocabulary*) ar an téip faoi na rudaí seo thíos. Foghlaim na rudaí seo agus cabhróidh siad leat san éisteacht.

CONTAETHA, TÍORTHA, CATHRACHA

Contaetha

Aontroim/Contae Aontroma
Ard Mhacha/Contae Ard Mhacha
Baile Átha Cliath/Contae Bhaile Átha Cliath
an Cabhán/Contae an Chabháin
Ceatharlach/Contae Cheatharlach
Ciarraí/Contae Chiarraí
Cill Chainnigh/Contae Chill Chainnigh
Cill Dara/Contae Chill Dara
Cill Mhantáin/Contae Chill Mhantáin
an Clár/Contae an Chláir
Corcaigh/Contae Chorcaí
Doire/Contae Dhoire
an Dún/Contae an Dúin
Dún na nGall/Contae Dhún na nGall
Fear Manach/Contae Fhear Manach
Gaillimh/Contae na Gaillimhe
an Iarmhí/Contae na hIarmhí
Laois/Contae Laoise
Liatroim/Contae Liatroma
Loch Garman/Contae Loch Garman
an Longfort/Contae an Longfoirt
Lú/Contae Lú
Luimneach/Contae Luimnigh
Maigh Eo/Contae Mhaigh Eo
an Mhí/Contae na Mí
Muineachán/Contae Mhuineacháin
Port Láirge/Contae Phort Láirge
Ros Comáin/Contae Ros Comáin
Sligeach/Contae Shligigh
Tiobraid Árann/Contae Thiobraid Árann
Tír Eoghain/Contae Thír Eoghain
Uíbh Fhailí/Contae Uíbh Fhailí

TÍORTHA AGUS CATHRACHA

Sasana (*England*); Londain (*London*); Learpholl (*Liverpool*)
an Bhreatain Bheag (*Wales*)

Albain (*Scotland*); Dún Éideann (*Edinburgh*)
an Bheilg (*Belgium*); an Bhruiséil (*Brussels*)
an Fhrainc (*France*); Páras (*Paris*)
an Ghearmáin (*Germany*)
an Danmhairg (*Denmark*)
an Ghréig (*Greece*)
an Eilvéis (*Switzerland*)
an Iodáil (*Italy*); an Róimh (*Rome*)
an Iorua (*Norway*)
an Pholainn (*Poland*)
an Ísiltír (*the Netherlands*)
an Phortaingéil (*Portugal*)
an Rúis (*Russia*)
an Spáinn (*Spain*)
an Rómáin (*Romania*)
an tSualainn (*Sweden*)
an tSeapáin (*Japan*)
an Bhrasaíl (*Brazil*)
an tSín (*China*)
Iosrael (*Israel*)
na Stáit Aontaithe (*the United States*); Nua-Eabhrac (*New York*)

AN SCOIL

Ábhair

an Ghaeilge (*Irish*)
an Béarla (*English*)
an Laidin (*Latin*)
an Fhraincis (*French*)
an Ghearmáinis (*German*)
an Spáinnis (*Spanish*)
an Iodáilis (*Italian*)
matamaitic (*mathematics*)
stair (*history*)
tíreolaíocht (*geography*)
eolaíocht (*science*)
ceol (*music*)
eagrú gnó (*business organisation*)
ealaín (*art*)
eacnamaíocht bhaile (*home economics*)
líníocht theicniúil (*technical drawing*)
adhmadóireacht (*woodwork*)
líníocht mheicniúil (*mechanical drawing*)

Áiseanna (*facilities*)

halla tionóil (*assembly hall*)
leabharlann (*library*)
bialann (*restaurant*)
seomra ceoil (*music room*)
seomra staidéir (*study room*)
páirc pheile (*football field*)
halla gleacaíochta (*gymnasium*)
seomra ríomhairí (*computer room*)
rúnaí na scoile (*the school secretary*)

SPÓRT

peil (Ghaelach) (*Gaelic football*)
sacar (*soccer*)
rugbaí (*rugby*)
cispheil (*basketball*)
liathróid láimhe (*handball*)
iománaíocht (*hurling*)
camógaíocht (*camogie*)
haca (*hockey*)
cúl (*a goal*)
cúilín (*a point*)
imreoir, imreoirí (*player, players*)
peileadóir, peileadóirí (*footballer, footballers*)
leadóg (*tennis*): ag imirt leadóige (*playing tennis*)
cluiche (*match, game*)
galf (*golf*)
scuais (*squash*)
lúfar/aclaí (*fit*)
cluichí páirce (*field games*)
cluichí foirne (*team games*)
foireann (*team*)
réiteoir (*referee*)
cluiche ceannais/cluiche craoibhe (*final*)
corn (*cup, trophy*)
Corn an Domhain (*the World Cup*)
lucht féachana (*spectators*)
lúthchleasa (*athletics*)
na Cluichí Oilimpeacha (*the Olympic Games*)
tá an iomarca béime ar ... (*there's too much emphasis on ...*)
suim sa spórt (*interest in sport*)

taitneamh agus tairbhe (*enjoyment and benefit*)
sárchluiche (*a great game*)
corpoideachas (*physical education*)
Craobh na hÉireann (*the All-Ireland*)

Caitheamh aimsire

Ceol

ceol tíre/ceol Gaelach (*traditional music*)
siansa (*symphony*)
ceol siansach (*orchestral music, classical music*)
ceolchoirm (*concert*)
ceoldráma (*opera*)
snagcheol (*jazz*)
pop-cheol (*pop music*)
banna ceoil (*band*)
grúpa ceoil (*group*)
ceoltóir, ceoltóirí (*musician, musicians*)
ceolfhoireann (*orchestra*)
gléasanna ceoil (*musical instruments*)
cruit/cláirseach (*harp*)
feadóg stáin (*tin whistle*)
veidhlín/fidil (*violin*)
feadóg mhór/fliúit (*flute*)
pianó (*piano*)
giotár (*guitar*)
amhrán (*song*)
amhránaí (*singer*)
amhránaíocht (*singing*)
ceirnín (*record*)
dlúthcheirnín (*compact disc, CD*)
seinnteoir ceirníní (*record player*)
téipthaifeadán (*tape-recorder*)
caiséad, caiséid (*cassette, cassettes*)
casaim/seinnim (*I play*)
togha ceoil! (*great music!*)

Raidió agus teilifís

na meáin chumarsáide (*the mass media*)
cláir raidió (*radio programmes*)
cláir theilifíse (*television programmes*)
teilifíseán (*television set*)
bolscaire (*announcer*)
tráchtaire (*commentator*)
láithreoir (*presenter*)
arna chur i láthair ag ... (*presented by ...*)
clár oideachais (*educational programme*)
clár faisnéise (*documentary*)
cláir do pháistí (*children's programmes*)
ag iarraidh freastal ar gach duine (*trying to please everyone*)
ní féidir gach duine a shásamh (*you can't please everyone*)
fógraíocht (*advertising*): an iomarca fograíochta (*too much advertising*)
cuireann sé isteach ar an gclár (*it interrupts the programme*)
cur amú ama is ea é (*it's a waste of time*)
an iomarca seafóide ó Mheiriceá (*too much rubbish from America*)
staisiún bradach (*illegal station*)
ceadúnas (*licence*)
raidió áitiúil (*local radio*)
cainéal (*channel*)
Raidió na Gaeltachta
Teilifís na Gaeilge
an nuacht (*the news*)
réamhaisnéis na haimsire (*the weather forecast*)
cabhraíonn sé le daoine an t-uaigneas a dhíbirt (*it helps people to banish loneliness*)
cláir fhiúntacha (*worthwhile programmes*)
sraith (*a series*)
sraithscéal (*a serial*)
léirítear foréigean agus gáirsiúlacht mar ghnáthchuid den saol (*violence and obscenity are portrayed as a normal part of life*)
creidtear go bhfuil droch-thioncar aige ar pháistí (*it's believed to have a bad effect on children*)

Léitheoireacht

litríocht (*literature*)
úrscéalta (*novels*)
gearrscéalta (*short stories*)
drámaí (*plays*)
filíocht (*poetry*)

irisí (*magazines*)
scéalta bleachtaireachta (*detective stories*)
leabhair thaistil (*travel books*)
beathaisnéis (*biography*)
dírbheathaisnéis (*autobiography*)
cúlra stairiúil (*historical background*)
leabhar faoi chlúdach bog (*paperback*)
an leabharlann (*the library*)
leabharlannaí (*librarian*)
dáta fillte (*return date*)
ag dul i léig (*on the decline*)
leabhar a roghnú (*to choose a book*)
rogha fairsing (*a wide choice*)
níl fáil air (*it's not available*)
údar (*author*)
is caitheamh aimsire taitneamhach é (*it's a pleasant pastime*)
samhlaíocht (*imagination*)
fairsingíonn sé an intinn (*it broadens the mind*)

Cineálacha eile caitheamh aimsire

an dráma (*the theatre*)
dráma (*a play*)
amharclann (*a theatre*)
aisteoir (*actor*)
ag imirt cartaí (*playing cards*)
ficheall (*chess*)
bailiú stampaí (*collecting stamps*)
gúnadóireacht (*dressmaking*)
patrún páipéir (*paper pattern*)
cócaireacht (*cooking*)
oideas (*recipe*)
ríomhaire (*computer*)
cluichí ríomhaireachta (*computer games*)
scannánaíocht (*the cinema*)
scannán (*a film*)
pictiúrlann (*a cinema*)

An teaghlach (The family)

clann (*children*)
tuismitheoirí (*parents*)
athair (*father*)
máthair (*mother*)
deartháir (*brother*)
deirfiúr (*sister*)
seanathair (*grandfather*)
seanmháthair (*grandmother*)
nia (*nephew*)
neacht (*niece*)
uncail (*uncle*)
aintín (*aunt*)
col ceathrair (*first cousin*)
bean chéile (*wife*)
fear céile (*husband*)
an duine is sine (*the eldest*)
an duine is óige (*the youngest*)

Poist

gairm bheatha/slí bheatha (*occupation, profession*)
ceird (*trade*)
aturnae (*solicitor*)
abhcóide (*barrister*)
innealtóir (*engineer*)
bainisteoir (*manager*)
cuntasóir (*accountant*)
siúinéir (*carpenter*)
pluiméir (*plumber*)
leictreoir (*electrician*)
meicneoir (*mechanic*)
feisteoir (*fitter*)
dul le múinteoireacht (*to go in for teaching*)
oileadh ina dochtúir í (*she became a doctor*)
ba mhaith liom bheith i mo ... (*I would like to be a ...*)
slí bheatha a roghnú (*to choose a career*)
freastal ar an ollscoil (*to attend university*)
easpa deiseanna (*lack of opportunities*)
cáilíochtaí (*qualifications*)
céim a bhaint amach (*to get a degree*)
teastas (*certificate*)
obair dhian (*hard work*)
obair shuimiúil (*interesting work*)
obair thuirsiúil (*tiring work*)

obair leadránach (*boring work*)
oibrí, oibrithe (*worker, workers*)
ceardchumann (*trade union*)
oifig (*office*)
monarcha (*factory*)
ag meilt ama (*passing time*)
pá (*pay, wages*)
fostóir (*employer*)
thug sé an bóthar di (*he gave her the sack*)
briseadh as a post í (*she was sacked*)
fostaithe (*employed*)
dífhostaithe (*unemployed*)
sochar dífhostaíochta (*unemployment benefit*)
cúnamh dífhostaíochta/an deol (*unemployment assistance, the dole*)
ardú céime (*promotion*)
cur isteach ar phost (*to apply for a job*)
foirm iarrtais (*an application form*)

Am, aimsir

Laethanta na seachtaine
an Luan (*Monday*): Dé Luain (*on Monday*)
an Mháirt (*Tuesday*): Dé Máirt (*on Tuesday*)
an Chéadaoin (*Wednesday*): Dé Céadaoin (*on Wednesday*)
an Déardaoin (*Thursday*): Déardaoin (*on Thursday*)
an Aoine (*Friday*): Dé hAoine (*on Friday*)
an Satharn (*Saturday*): Dé Sathairn (*on Saturday*)
an Domhnach (*Sunday*): Dé Domhnaigh (*on Sunday*)

Míonna

Eanáir/mí Eanáir (*January*)
Feabhra/mí Feabhra (*February*)
Márta/mí an Mhárta (*March*)
Aibreán/mí Aibreáin (*April*)
Bealtaine/mí na Bealtaine (*May*)
Meitheamh/mí an Mheithimh (*June*)
Iúil/mí Iúil (*July*)
Lúnasa/mí Lúnasa (*August*)
Meán Fómhair/mí Mheán Fómhair (*September*)
Deireadh Fómhair/mí Dheireadh Fómhair (*October*)
Samhain/mí na Samhna (*November*)
Nollaig/mí na Nollag (*December*)

An t-Am

soicind (*a second*)
nóiméad/bomaite (*a minute*)
uair (an chloig) (*an hour*)

inné (*yesterday*)
maidin inné (*yesterday morning*)
arú inné (*the day before yesterday*)
inniu (*today*)
tráthnóna inniu (*this afternoon/evening*)
amárach (*tomorrow*)
arú amárach (*the day after tomorrow*)
an lá dar gcionn/lá arna mhárach (*the following day*)
an tseachtain seo caite/an tseachtain seo a chuaigh thart (*last week*)
seachtain ó shin (*a week ago*)
seachtain agus an lá inniu/seachtain ó inniu (*this day next week*)
i gceann seachtaine (*in a week's time*)
an tseachtain seo chugainn (*next week*)
anuraidh/an bhliain seo caite (*last year*)
bliain ó shin (*a year ago*)
bliain ó inniu (*this time next year*)
i gceann bliana (*in a year's time*)
an bhliain seo chugainn (*next year*)
fadó (*long ago*)

AN AIMSIR

breá brothallach (*fine and warm*)
te grianmhar (*hot and sunny*)
fuar fliuch (*cold and wet*)
stoirmiúil gaofar (*stormy and windy*)
sioc (*frost*)
sioc talún (*ground frost*)
sneachta (*snow*)
ceo (*fog, mist*)
ceobhrán/brádán (*drizzle*)
tréimhsí gréine (*sunny spells*)
tintreach agus toirneach (*thunder and lightning*)
tais go leor (*humid*)
scamallach (*cloudy*)
gaoth láidir (*strong wind*)

Note
In the following pages you will find
—two worked examples
- **The 2005 Aural, accompanied by a transcript of the CD**
- **The 2004 Aural, accompanied by a transcript of the CD**

The 2003, 2002, 2001 and 2000 Aurals followed by transcripts of the CDs for each one.

Sampla 1 Worked Example 1 - 2005 Listening Test

Cluastuiscint - 2005

N.B. NÍ MÓR NA FREAGRAÍ AR FAD A SCRÍOBH AS GAEILGE (100 marc)

Cloisfidh tú giota cainte ó gach duine de *thriúr* daoine óga Chuid seo. Cloisfidh tú gach giota díobh *trí huaire.* Éist go cúramach leo agus líon isteach an t-eolas atá á lorg sna greillí ag 1, 2 agus 3 thíos.

CUID A

1. An Chéad Chainteoir **Rian 1**

Ainm:	*Peadar Ó Seachnasaigh*
Cá bhfuil Peadar ag dul?	Go dtí an Bhruiséil
Cad as dá thuismitheoirí?	As Contae Chiarraí iad
Cén t-ainm atá ar an teach tábhairne?	An Ghloine Lán an t-ainm atá air
Cén saghas scoile a bhfuil Peadar ag freastal uirthi?	Scoil chónaithe
Ainmnigh an réalta spóirt is fearr leis.	Brian Ó Drisceoil

2. An Dara Cainteoir **Rian 2**

Ainm:	*Aisling Kovac*
Cá bhfuil Aisling ina cónaí?	I nGaoth Dobhair i gContae Dhún na nGall
Breac síos dhá phointe eolais i dtaobh a tuismitheoirí.	(i) as an Bhoisnia iad (ii) Tháinig said go hÉirinn sa bhliain naoi déag ochtó naoi
Cén caitheamh aimsire is fearr léi?	Bheith ag amharc ar na sobalchlár ar an teilifís
Cén sobalchlár a raibh páirt bheag ag Aisling ann?	Ros na Rún

3. An Tríú Cainteoir — Rian 3

Ainm:	*Deirdre Ní Cheallaigh*
Cad as do Dheirdre?	As Cathair na Mart i gContae Mhaigh Eo
Cén fáth a dtéann Deirdre go Londain?	Ar cuairt chuig a hathair
Cad atá ar siúl ag deirfiúr Dheirdre anois?	Tá sí déanamh leighis in Ollscoil na Gaillimhe
Cad a dhéanann Deirdre agus an cara is fearr atá aici nuair a bhíonn siad i dteannta a chéile?	Téann siad gach áit le chéile

CUID B

Cloisfidh tú trí fhógra sa Chuid seo. Cloisfidh tú gach fógra díobh **faoi dhó**. Éist go cúramach leo. Beidh sos tar éis gach casadh chun deis a thabhairt duit na ceisteanna a bhaineann le gach fógra a fhreagairt.

Fógra a hAon — Rian 4

1. Luaigh an **dá** shaghas duine a ngearrfaí pionós €2 uirthi/air.

   (i) Ar dhalta ar bith nach mbaineann úsáid as na ciseáin bhruscair

   (ii) Ar dhalta má bheirtear air nó uirthi ag scríobh ar na binsí sna seomra ranga

2. Cad a dhéanfaidh an scoil leis an airgead a bhaileofar?

   Tabharfar an t-airgead do Chlann Shíomóin.

Fógra a Dó — Rian 5

1. Cé atá ag eagrú an chomórtais?

   An Chomhairle Contae i gContae Lú

2. Cad é téama na bpóstaer atá á lorg le haghaidh an chomórtais?

   "Ná hól go fóill"

3. Cá gcuirfear an t-eolas i dtaobh an chomórtais?

   Go dtí na scoileanna

Fógra a Trí — Rian 6

1. Ainmnigh an bóthar a luaitear san fhógra.

   Ar bhóthar na Gaillimhe lasmuigh den Spidéal.

2. Cén fáth a bhfuil an bóthar dainséarach?

   Mar tá sileadh íle ansin ar feadh ceithre mhíle.

3. Luaigh pointe eolais amháin eile a luaitear faoi stad an bhóthair.

   Tá taobh chlé den bhóthar ag dul i dtreo na cathrach dúnta ar feadh leath mhíle.

CUID C

Cloisfidh tú trí cinn de chomhráite teileafóin sa Chuid seo. Cloisfidh tú gach comhrá díobh *trí huaire.* Cloisfidh tú an comhrá ó thosach deireadh an chéad uair. Ansin cloisfidh tú é ina 2 mhír. Beidh sos tar éis gach míre díobh chun deis a thabhairt duit an cheist a bhaineann leis an mhír sin a fhreagairt. Ina dhiaidh sin cloisfidh tú an comhrá ó thosach deireadh arís.

Comhrá a hAon — Rian 7

An Chéad Mhír

1. Cad a cheap Cathal faoin scannán *Troy*?

   Cheap sé go gur eipic a bhí ann agus go raibh sé an-fhada

An Dara Mír

2. Cén cuireadh a thugann Ríona do Chathal?

   Teacht chuig scannán léi an tseachtain ina dhiaidh sin.

3. Cén fáth, dar leat, a raibh Ríona mí-shásta ag an deireadh?

   Mar cheap Cathal go raibh sí chun íoc as na ticéid.

Comhrá a Dó

Rian 8

An Chéad Mhír

1. Cén scéala a chuala Ciara faoi Róise?

   Go raibh sí san ospidéal.

An Dara Mír

2. Cad ba chúis leis an bhfadhb bheag a bhí aici, dar leis na dochtúirí?

   Dúirt na dochtúirí gur fhás sí ró-thapa.

3. Cén chomhairle a chuir na dochtúirí ar Róise?

   Gan imirt ar feadh míosa.

Comhrá a Trí

Rian 9

An Chéad Mhír

1. Cad chuige ar cuireadh Seán as an rang?

   Mar bhuail a fón-póca os ard le linn an ranga.

An Dara Mír

2. Cén fáth nár theastaigh ó Sheán an fón póca a thabhairt don Phríomhoide?

   Mar go mbeidh a mháthair ag glaoch air ag am lóin.

3. Cén pionós eile a cuireadh ar Sheán?

   Fanacht siar tar éis na scoile tráthnóna amárach.

CUID D

Cloisfidh tú ***trí cinn*** de phíosaí ón raidió sa Chuid seo. Cloisfidh tú gach píosa díobh ***faoi dhó***. Éist go cúramach leo agus freagair an ***dá*** cheist a ghabhann le gach píosa díobh.

Píosa a hAon

Rian 10

1. Cad a tharla i bPobalscoil an Ghleanna Dé hAoine seo caite?

   Osclaíodh gairdín na scoile go hoifigiúil.

2. Conas a bhí an t-iarscoláire in ann íoc as an gcostas?

   Mar rinne sí go maith di fhéin ó d'fhág sí an scoil.

Píosa a Dó **Rian 11**

1. Cén saghas leabhair é *Amach*?

   Úrscéal do dhéagóirí é.

2. Cén ráfla atá amuigh anois?

   Go bhfuil TG4 ag smaoineamh ar scannán a dhéanamh de.

Píosa a Trí **Rian 12**

1. Cathain a bhuaigh Mickey Harte croíthe idir óg agus aosta?

   Sa bhliain dhá mhíle agus a trí.

2. Cé a bhuaileann isteach sa chlinic go minic?

   Ceoltóirí agus amhránaithe na tíre.

Téipscript Sampla 1 (2005)

CUID A

An Chéad Chainteoir **Rian 1**

Haigh, a chairde. Peadar Ó Seachnasaigh ag caint libh. Tá mé ar mo bhealach go dtí an t-aerfort mar beidh mé ag dul go dtí an Bhruiséil ar ball. Tá cónaí ar mo thuismitheoirí ansin. Is as Contae Chiarraí iad, ach tá teach tábhairne sa Bhruiséil acu. Is é 'An Ghloine Lán' an t-ainm atá air. Freastalaím ar scoil chónaithe anseo in Éirinn. Imrím rugbaí agus cruicéad agus is é Brian Ó Drisceoil an réalta spóirt is fearr liom.

An Dara Cainteoir **Rian 2**

Goidé mar tá sibh? Aisling Kovac ag labhairt libh. Tá mé i mo chónaí i nGaoth Dobhair i gContae Dhún na nGall. Is as an Bhoisnia do mo thuismitheoirí, ach tháinig siad go hÉirinn sa bhliain naoi déag ochtó naoi agus rugadh mise anseo an bhliain ina dhiaidh sin. 'Sé an caitheamh aimsire is fearr liom ná bheith ag amharc ar na sobalchláir ar an teilifís. Bhí páirt bheag agam féin i Ros na Rún mí Eanáir seo caite.

An Tríú Cainteoir — Rian 3

Cén chaoi a bhfuil sibh? Deirdre Ní Cheallaigh is ainm dom. Is as Cathair na Mart i gContae Mhaigh Eo mé. Tá mo thuismitheoirí scartha agus cónaím le mo mháthair. Téim ar cuairt chuig m'athair i Londain gach Nollaig agus gach samhradh. Tá deirfiúr amháin agam. Áine is ainm di. Tá sí ag déanamh leighis in Ollscoil na Gaillimhe. Is í Eibhlín Nic Pháidín an cara is fearr atá agam. Téimid gach áit le chéile.

CUID B

Fógra a hAon — Rian 4

Fógra anseo ón Leas-Phríomhoide. Is oth liom a rá libh, a dhaltaí, go bhfuil timpeallacht na scoile an-salach le tamall anuas. As seo amach gearrfar pionós dhá euro ar dhalta ar bith nach mbaineann úsáid as na ciseáin bhruscair chun fáil réidh le bruscar. Gearrfar an pionós céanna ar dhalta má bheirtear air nó uirthi ag scríobh ar na binsí sna seomra ranga. Tabharfar an t-airgead a bhaileofar do Chlann Shíomóin.

Fógra a Dó — Rian 5

Tá an Chomhairle Contae i gContae Lú ag eagrú comórtais speisialta do scoileanna sa chontae. Tá siad ag lorg póstaer ar an téama 'Ná hól go fóill'. Bronnfar duaiseanna deasa ar na buaiteoirí agus ar na scoileanna. Chomh maith leis an gcomórtas, beidh cainteanna do dhéagóirí agus do thuismitheoirí ar an ábhar céanna in ionaid éagsúla ar fud an chontae. Cuirfear gach eolas i dtaobh an chomórtais agus i dtaobh na gcainteanna go dtí na scoileanna go luath.

Fógra a Trí — Rian 6

Fáilte romhaibh isteach chuig 'Camchuairt' ar RTÉ, Raidió na Gaeltachta. I dtús báire, fógra práinneach anseo ó na gardaí. Iarrtar ar thiománaithe a bheith fíor – chúramach ar bhóthar na Gaillimhe lasmuigh den Spidéal. Tá sileadh íle ansin ar feadh ceithre mhíle. Caithfidh tiománaithe dul go mall mar tá an bóthar ansin dainséarach. Chomh maith le seo tá taobh chlé den bhóthar ag dul i dtreo na cathrach dúnta ar feadh leath mhíle. Bígí aireach má tá sibh ag dul an treo sin.

CUID C

Comhrá a hAon — Rian 7

Cathal: Dia Duit, a Ríona.

Ríona: Dia is Muire, a Chathail. Bhí mé ag súil le glaoch uait. Conas ar thaitin an scannán 'Troy' leat?

Cathal: Is eipic atá ann ceart go leor. Bhí sé an-fhada ar fad ach tá áthas orm. Ní fhaca mé é an samhradh seo caite.

Ríona: Chonaic mise é an samhradh seo caite ach sílim go bhfuil 'Alexander' níos fearr ná é.
Cathal: Colin Farrell is cúis leis sin is dócha?
Ríona: Ná bac Colin anois – an dtiocfaidh tú chuig scannán liom an tseachtain seo chugainn, a Chathail?
Cathal: Tiocfaidh, cinnte. Cén scannán atá i gceist?
Ríona: 'Kingdom of Heaven', tá Orlando Bloom, Liam Neeson agus Eva Green ann.
Cathal: Iontach, cuir glaoch orm nuair a bheidh na ticéid agat, slán.
Ríona: Ach, a Chathail, níl mise chun íoc – a Chathail! a Chathail!

Comhrá a Dó — Rian 8

Róise: Haló, a Chiara, Róise de Buitléir anseo.
Ciara: Dé do bheatha, a Róise. Goidé mar tá tú? Chuala mé go raibh tú san ospidéal.
Róise: Tháinig mé abhaile arú inné agus tá mé ag dul i bhfeabhas diaidh ar ndiaidh.
Ciara: Buíochas le dia. Inis dom munar mise leat caidé go díreach a bhí cearr leat?
Róise: Bhí fadhb bheag agam le mo scamhóga. Deir na dochtúirí gur fhás mé ró-thapa.
Ciara: Cén airde thú anois, a Róise?
Róise: Timpeall sé throigh agus trí orlach.
Ciara: Cén uair a bheas tú ar ais linn sa chlub? Chailleamar go leor cluichí gan tú.
Róise: Chuir na dochtúirí comhairle orm gan imirt ar feadh míosa.
Ciara: Dá luaithe 'sea is fearr é, a Róise. Buailfidh mé isteach agat amárach.
Róise: Tá mé ag dréim go mór le tú a fheiceáil, a Chiara.

CUID C

Comhrá a Trí — Rian 9

Máistreás: Anois, a Sheáin. Inis dom cén fáth a bhfuil tú anseo in oifig an phríomhoide?
Seán: Cuireadh as an rang mé agus dúradh liom teacht chugatsa!
Máistreás: Cuireadh as an rang! Caithfidh go raibh tú an-dána ar fad.
Seán: Bhuail mo fón-póca os ard le linn an ranga.
Máistreás: Ar bhuail anois? Tuigeann tú na rialacha, a Sheáin. Tabhair dom an fón le do thoil.
Seán: Ach beidh mo mháthair ag glaoch orm ag am lóin.
Máistreás: Freagróidh mé é agus inseoidh mé di cad a thárla.
Seán: Ná déan, le do thoil. Beidh mé i dtrioblóid cheart má chloiseann m'athair faoi!
Máistreás: 'Sé an trua nár smaoinigh tú air sin agus nár mhúch tú an fón nuair a tháinig tú isteach doras na scoile ar maidin. Anois tabhair dom an fón le do thoil. Fan siar tar éis na scoile tráthnóna amárach.
Seán: Tá an-bhrón orm faoi seo, a mháistreás.

CUID D

Píosa a hAon — Rian 10

Bhí an-oíche go deo i bPobalscoil an Ghleanna de hAoine seo caite nuair a osclaíodh gairdín na scoile go hoifigiúil. Ba é Gerry Daly a rinne an oscailt. Bhí baint ag múinteoirí, daltaí agus tuismitheoirí le cur le chéile an ghairdín. Is í an aidhm atá leis ná spéis i bplandaí agus sa dúlra a mhúscailt i bpobal na scoile. D'íoc iarscoláire a rinne go maith di fhéin ó d'fhág sí an scoil, as an gcostas. Tá garraíodóir ag obair go lán-aimseartha sa scoil.

Píosa a Dó — Rian 11

Comhghairdeas leis an scríbhneoir Alan Titley. Bhuaigh Alan an phríomhdhuais i gcomórtas Bisto leis an leabhar 'Amach'. Is úrscéal do dhéagóirí é. Tá idir ghreann agus uafás ann. Ach thar aon rud eile tá scéal maith ann. Is é Aiden Harte a tharraing na pictiúir agus na léaráidí. Seacht euro agus caoga cent an praghas atá air. Tá ráfla amuigh anois go bhfuil TG4 ag smaoineamh ar scannán a dhéanamh de.

Píosa a Trí — Rian 12

Níor bhuaigh Mickey Harte an comórtas Eoraifíse sa bhliain dhá mhíle agus a trí, ach bhuaigh sé croíthe idir óg agus aosta nuair a ghlac sé páirt i gceolchoirm na Nollag sa Chlinic Lárnach i gCluain Tairbh. Bhí breis agus céad páiste ón go gClinic i láthair ar an oíche. Chan siad gach amhrán in éineacht le Mickey. Buaileann ceoltóirí agus amhránaithe na tíre isteach sa Chlinic go minic chun siamsaíocht a chur ar fáil do na páistí a bhíonn ag freastal ar an gClinic.

Sampla 2 Worked Example

Cluastuiscint – 2004

N.B. NÍ MÓR NA FREAGRAÍ AR FAD A SCRÍOBH AS GAEILGE (100 marc)

CUID A

Cloisfidh tú giota cainte ó gach duine de *thriúr* daoine óga sa Chuid seo. Cloisfidh tú gach giota díobh *trí huaire.* Éist go cúramach leo agus líon isteach an t-eolas atá á lorg sna greillí ag **1, 2** agus **3** thíos.

An Chéad Chainteoir

Rian 13

Ainm:	*Fiachra Ó Dálaigh*
Cén aois é Fiachra?	Cúig bliana déag d'aois
Cá bhfuil cónaí air?	I gcathair Chill Chainnigh
Cén fáth a bhfuil sé trína chéile?	Mar ní féidir leis lámh a leagan ar a chóip de *Harry Potter and the Order of the Phoenix.*
(i) Cén áit a ndeachaigh Máire ar maidin? (ii) Cén fáth a ndeachaigh sí ann?	(i) An áit: go dtí an Bhreatain Bheag (ii) An fáth: Bhí sí ag dul ar thuras scoile

An Dara Cainteoir

Rian 14

Ainm:	*Síle Ní Bhrádaigh*
Cá bhfuil Síle ina cónaí?	Dhá mhíle taobh amuigh de Chluain Eois i gCo. Mhuineacháin
Luaigh dhá phointe eolais faoina tuismitheoirí.	(i) Is feirmeoirí iad (ii) Bíonn lá oibre an-fhada acu
Cad a dhéanann Ultan?	Freastalaíonn sé ar an ollscoil i mBéal Feirste.
Cén tslí bheatha ba mhaith le Síle?	Bheith ina haisteoir

An Tríú Cainteoir

Rian 15

Ainm:	*Fionnuala Ní Chléirigh*
Cá bhfuil Fionnuala ar scoil?	I gClochar na Trócaire
Cén fáth gur aoibhinn léi a saol i láthair na huaire?	Mar tá sí an-sona sa bhaile agus ar scoil
Ainmnigh an spórt a imríonn sí.	An pheil ghaelach
Cad ba mhaith léi a dhéanamh i gceann bliana nó dhó?	Imirt don chontae

CUID B

Cloisfidh tú trí fhógra sa Chuid seo. Cloisfidh tú gach fógra díobh **faoi dhó**. Éist go cúramach leo. Beidh sos tar éis gach casadh chun deis a thabhairt duit na ceisteanna a bhaineann le gach fógra a fhreagairt.

Fógra a hAon — Rian 16

1. Cathain a thabharfaidh na gardaí síochána cuairt ar an scoil?

   An tseachtain seo chugainn.

2. Cad faoi a labhróidh na gardaí síochána leis na daltaí?

   Mar gheall ar rialacha an bhóthair.

3. Cad a iarrtar ar dhaltaí a dhéanamh?

   Cóip den leabhar Rialacha an Bhóthair a bheith acu.

Fógra a Dó — Rian 17

1. Cén t-ainm atá ar nuachtán laethúil na Gaeilge?

   Lá

2. Cad chuige a bhfuil an nuachtán ag lorg daoine óga?

   Chun ailt a chur ar fáil dóibh ar chúrsaí ceoil agus ar leabhair do dhaoine óga.

3. Cad a chuirfear ar fáil dóibh siúd a cheapfar?

   Cúrsa traenála

Fógra a Trí — Rian 18

1. Cén aois a bheidh ag Tomás Dé Céadaoin seo chugainn?

   Beidh sé céad bliain d'aois.

2. Cá mbeidh an chóisir ar siúl?

   I Halla an Phobail

3. Cén t-am a thosóidh na himeachtaí?

   Ar a hocht

CUID C

Cloisfidh tú trí cinn de chomhráite teileafóin sa Chuid seo. Cloisfidh tú gach comhrá díobh *trí huaire.* Cloisfidh tú an comhrá ó thosach deireadh an chéad uair. Ansin cloisfidh tú é ina 2 mhír. Beidh sos tar éis gach míre díobh chun deis a thabhairt duit an cheist a bhaineann leis an mhír sin a fhreagairt. Ina dhiaidh sin cloisfidh tú an comhrá ó thosach deireadh arís.

Comhrá a hAon — Rian 19

An Chéad Mhír

1. Cad ba chúis le Gearóid a bheith éirithe go luath maidin Shathairn?
   Chaill sé a chárta aitheantais.

2. Cá raibh Gearóid agus a chairde sula ndeachaigh siad go Cheers?
   Gur thug sé a chárta do Shorcha.

3. Cad is cuimhin le Gearóid?
   Cóip den leabhar *Rialacha an Bhóthair* a bheith acu.

Comhrá a Dó — Rian 20

An Chéad Mhír

1. Cad a bhí ar siúl ag Donncha sa Fhrainc?
   Ag foghlaim Fraincise

2. Cén chuid den Fhrainc ina raibh sé?
   I bPáras

An Dara Mír

3. Cén fáth a gceapann Donncha go bhfuil na Francaigh bródúil?
   Tá siad an-bhródúil as an bhFraincis.

Comhrá a Trí — Rian 21

An Chéad Mhír

1. Cén t-eolas a bhí ó Mhícheál?
   Faoi shaol an gharda síochána

An Dara Mír

2. Luaigh fáth **amháin** ar mhaith le Mícheál a bheith ina gharda síochána.
   Mar is breá leis cabhrú le daoine agus is maith leis an éide nua atá ag an bhfórsa.

3. Cén chomhairle a thug an Garda Ó Broin do Mhícheál?
   An Ardteistiméireacht a dhéanamh

CUID D

Cloisfidh tú trí cinn de phíosaí ón raidió sa Chuid seo. Cloisfidh tú gach píosa díobh **faoi dhó**. Éist go cúramach leo agus freagair na ceisteanna a ghabhann le gach píosa díobh.

Píosa a hAon — Rian 22

1. Cén uair a bhí an teacht le chéile ag lucht leanúna Glasgow Celtic?
   Ar an deireadh seachtaine seo caite

2. Cad a bunaíodh i gceantar na Rosann roinnt blianta ó shin?
   Bunaíodh club tacaíochta Glasgow Celtic.

Píosa a Dó — Rian 23

1. Cá bhfaighidh na daltaí torthaí a gcuid scrúduithe scoile?
   Ar an Idirlíon

2. Cén chaoi a mbeidh gach dalta ábalta úsáid a bhaint as an gcóras nua?
   Tabharfar cód agus uimhir speisialta do gach dalta.

Píosa a Trí **Rian 24**

1. Cén stáisiún raidió a luadh?
   RTÉ Raidió na Gaeltachta

2. Luaigh fáth **amháin** ar mhaith le Siobhán amhrán a chloisteáil?
   Chun sos ó na leabhair a thógáil.

Téipscript Sampla 2 (2004)

Léigh anois go cúramach, ar do scrúdpháipéar, na treoracha agus na ceisteanna a ghabhann le Cuid A.

An Chéad Chainteoir **Rian 13**

Dia daoibh! Fiachra Ó Dálaigh is ainm dom. Tá mé cúig bliana déag d'aois. Tá cónaí orm i gcathair Chill Chainnigh. Tá mé trína chéile ar fad inniu mar ní féidir liom mo lámh a leagan ar mo chóip de *Harry Potter and the Order of the Phoenix*. Níl mé ach leath bhealach tríd. Tá súil agam nár thóg mo dheirfiúr Máire é nuair a bhí sí ag dul ar thuras scoile go dtí an Bhreatain Bheag ar maidin.

An Dara Cainteoir **Rian 14**

Goidé mar atá sibh? Síle Ní Bhrádaigh ag labhairt libh. Tá mí i mo chónaí dhá mhíle taobh amuigh de Chluain Eois i gCo. Mhuineacháin. Is feirmeoirí iad mo thuismitheoirí. Bíonn lá oibre an-fhada acu agus is beag sos a thógann siad i rith na bliana. Tá beirt dheartháireacha agam, Ultan agus Séamas. Freastalaíonn Ultan ar an ollscoil i mBéal Feirste agus oibríonn Séamas sa mhonarcha áitiúil. Ba mhaith liom a bheith i mo aisteoir amach anseo.

An Tríú Cainteoir **Rian 15**

Cén chaoi a bhfuil sibh? Is mise Fionnuala Ní Chléirigh. Is as Sligeach mé. Tá mé ar scoil i gClochar na Trócaire. Is aoibhinn liom mo shaol i láthair na huaire mar tá mé an-sona sa bhaile agus are scoil. Chomh maith leis seo tá a lán cairde maithe agam. Is í an pheil ghaelach an spórt is fearr liom agus imrím féin í leis an gclub áitiúil. Ba mhaith liom imirt don chontae i gceann bliana nó dhó.

CUID B

Léigh anois go cúramach, ar do scrúdpháipéar, na treoracha agus na ceisteanna a ghabhann le Cuid B.

Fógra a hAon — Rian 16

An Príomhoide anseo. A mhúinteoirí agus a dhaltaí, gabhaim pardún agaibh ach tá fógra agam daoibh ón nGarda Síochána. Tabharfaidh na gardaí cuairt ar na ranganna go léir an tseachtain seo chugainn agus labhróidh siad libh mar gheall ar rialacha an bhóthair. Iarrtar ar dhaltaí cóip den leabhar *Rialacha an Bhóthair* a bheith acu le linn na cainte. Is féidir an leabhar sin a cheannach i siopa leabhar na scoile ar €5.

Fógra a Dó — Rian 17

Ar mhaith leat post mar iriseoir páirtaimseartha? Éistigí leis seo más ea. Tá an nuachtán *Lá* ag lorg daoine óga chun ailt a chur ar fáil dóibh go rialta ar chúrsaí ceoil agus ar leabhair do dhaoine óga. Má tá Gaeilge mhaith agat agus spéis agat i gcúrsaí ceoil agus i leabhair, seol CV chuig *Lá* agus déanfar teagmháil leat. Cuirfear cúrsa traenála ar fáil dóibh siúd a cheapfar. Is féidir an páipéar seo a cheannach gach lá.

Fógra a Trí — Rian 18

Dé Céadaoin seo chugainn ceiliúrfaidh Tomás Ó Ríordáin a lá breithe. Beidh Tomás céad bliain d'aois ar an lá sin. Is é Tomás an duine is sine sa pharóiste seo. In onóir don ócáid seo beidh cóisir speisialta do Thomás agus a bhean chéile Bríd, i Halla an Phobail, an tráthnóna sin. Beidh fáilte roimh gach éinne ón bparóiste ag an gcóisir. Beidh aíonna speisialta i láthair agus tosóidh na himeachtaí ar a hocht.

CUID C (2004)

Léigh anois go cúramach, ar do scrúdpháipéar, na treoracha agus na ceisteanna a ghabhann le Cuid C.

Comhrá a hAon — Rian 19

Gearóid: Bail ó Dhia ort ar maidin a Úna! Gearóid Ó Dufaigh anseo.

Úna: *An bhail chéanna ort, a Gearóid. Nach tusa atá éirithe luath maidin Shathairn?*

Gearóid: Agus cúis mhaith agam leis. Sílim a Úna gur chaill mé mo chárta aitheantais aréir.

Úna: *Tóg bog é, a Ghearóid. Téigh siar, céim ar chéim, ar gach rud a rinneamar aréir. Cuimhneoidh tú ar cad a rinne tú leis ansin.*

Sos

Gearóid: I dtosach bhíomar i dteach Shorcha. Ansin chuamar go dtí Cheers.

Úna: *Nár thaispeáin tú do chárta aitheantais do Superman ag an doras?*
Gearóid: Thaispeáin. Níor aithin sé mé, i dtús báire, ón ngrianghraf ach thug sé ar ais dom é nuair a lig sé isteach mé.
Úna: *B'fhéidir gur thug tú é do Shorcha mar bhí mála láimhe aici.*
Gearóid: Maith thú, a Úna. B'shin an rud a rinne mé. Is cuimhin liom anois é.

Comhrá a Dó — Rian 20

Donncha: Haló, a Bhriain! Donncha Ó Dúill anseo.
Brian: *'Sea, a Dhonncha! Níor chuala mé uait le fada. Cá raibh tú?*
Donncha: Bhí mé sa Fhrainc le bliain anuas ag foghlaim Fraincise.
Brian: *Go hiontach, a Dhonncha. Cén chuid den Fhrainc ina raibh tú?*
Donncha: I bPáras. Bhí mé ag fanacht le teaghlach agus ag dul ar scoil ansin freisin.
Brian: *Scoil! Caithfidh go raibh sé sin dian go leor ort. Ar thuig tú na múinteoirí?*
Sos
Donncha: Bhí sé deacair i dtosach ach chuaigh mé i dtaithí air tar éis tamaill.
Brian: *An raibh na Francaigh cairdiúil?*
Donncha: Bhí ach is daoine bródúla iad freisin. Tá siad an-bhróduil as an bhFraincis agus ní labhraíonn siad Béarla leat.
Brian: *Tuigim, a Dhonncha. Is beag rogha a bhí agat mar sin ach luí isteach ar an bhFraincis.*
Donncha: An ceart ar fad agat, a Bhriain.

Comhrá a Trí — Rian 21

An Garda: Coláiste an Teampaill Mhóir. An Garda Ó Broin ag caint.
Mícheál: *Dia dhuit, a Gharda. Is mise Mícheál Ó Duibhir. Tá eolas uaim faoi shaol an gharda síochána mar ba mhaith liom a bheith i mo gharda.*
An Garda: Cén aois tú, a Mhíchíl, agus cén airde thú?
Mícheál: *Tá mé cúig bliana déag d'aois agus sé throigh ceithre orlach ar airde.*
Sos
An Garda: Cén fáth ar mhaith leat a bheith i do gharda síochána, a Mhichíl?
Mícheál: *Is breá liom cabhrú le daoine... chomh maith leis sin is maith liom an éide nua atá ag an bhfórsa.*
An Garda: Mholfainn duit an Ardteistiméireacht a dhéanamh. Ansin is féidir leat cur isteach ar an scrúdú iontrála i gcomhair Choláiste an Teampaill Mhóir.
Mícheál: *Dúirt an múinteoir Treoir Ghairme liom go bhfuil leabhrán eolais agaibh. An féidir leat é sin a chur chugam le do thoil, a Gharda?*
An Garda: Is féidir liom, a Mhichíl. Tabhair dom do sheoladh le do thoil.

CUID D (2004)

Léigh anois go cúramach, ar do scrúdpháipéar, na treoracha agus na ceisteanna a ghabhann le Cuid D.

Píosa a hAon — Rian 22

Bhí go leor léinte glasa agus bána le feiceáil fá cheantar Anagaire an deireadh seachtaine seo caite. Bhí teacht le chéile ag lucht leanúna Glasgow Celtic ann in Óstán an Chaisleáin Óir agus i dtigh tábhairne Uí Shearcaigh. Tá ceangal láidir idir ceantar na Rosann agus Glasgow Celtic le fada an lá. Bunaíodh club tacaíochta Glasgow Celtic sna Rosa roinnt blianta ó shin. Anois nuair a bhíonn Glasgow Celtic ag imirt téann a lán daoine as na Rosa chun iad a fheiceáil.

Píosa a Dó — Rian 23

Tá Pobalscoil Áine chun tosaigh ar go leor scoileanna eile sa tír faoi láthair. As seo amach beidh daltaí Phobalscoil Áine ábalta torthaí a gcuid scrúduithe scoile a fháil ar an Idirlíon. Tá suíomh gréasáin nua ag an scoil. Tabharfar cód agus uimhir speisialta do gach dalta. Úsáidfidh an 5ú agus 6ú bliain an córas seo. Má oibríonn sé i gceart bainfear úsáid as sna blianta eile.

Píosa a Trí — Rian 24

Fáilte romhaibh chuig an gclár Togha agus Rogha ar RTÉ Raidió na Gaeltachta. As seo go ceann uair a' chloig nó mar sin beidh iarratais agus ceol agam daoibh. Tá iarratas anseo agam ó Shiobhán Bhreathnach. Tá Siobhán agus a cairde i gClochar na Toirbhirte ag déanamh An Teastais Shóisearaigh agus ba mhaith le Siobhán amhrán ar bith a chloisteáil chun sos ó na leabhair a thógáil. 'Fágfaidh mé an rogha fút féin', a deir sí sa nóta ríomhphoist a fuair mé uaithi. Seo duit, a Shiobháin, An Raicín Álainn le Lasairfhíona Ní Chonaola.

Sin deireadh na trialach. Slán agaibh!

Sampla 3 (2003)

CLUASTUISCINT

N.B. NÍ MÓR NA FREAGRAÍ AR FAD A SCRÍOBH AS GAEILGE (100 marc)

CUID A

Cloisfidh tú giota cainte ó gach duine de *thriúr* daoine óga Chuid seo. Cliosfidh tú gach giota díobh *trí huaire.* Éist go cúramach leo agus líon isteach an t-eolas atá á lorg sna greillí ag 1, 2 agus 3 thíos.

An Chéad Chainteoir

Rian 25

Ainm:	*Eibhlín Seoighe*
Cén aois a bhí Eibhlín nuair a d'fhág sí Bostún?	
Cá bhfuil sí ina cónaí?	
Cad as dá hathair?	
Luaigh pointe eolais amháin faoi Eibhlín agus an scoil.	

An Dara Cainteoir

Rian 26

Ainm:	*Mícheál Ó Cinnéide*
Cén aois é Mícheál?	
Ainmnigh an dá spórt a imríonn sé.	
Cén fáth a rachaidh sé le ceann amháin acu?	
Cén tslí bheatha atá ag a thuismitheoirí?	

An Tríú Cainteoir

Rian 27

Ainm	*Seán Mac Grianna*
Cad a dhéanann Seán gach samhradh?	
Cé atá ina chónaí i Rann na Feirste?	
Cén uirlis cheoil a sheinneann Seán?	
Cad a dhéanfaidh sé an bhliain seo chugainn?	

CUID B

Cloisfidh tú *trí* fhógra sa Chuid seo. Cloisfidh tú gach fógra díobh *faoi dhó*. Éist go cúramach leo. Beidh sos tar éis gach casadh chun deis a thabhairt duit na ceisteanna a bhaineann le gach fógra a fhreagairt.

Fógra a hAon

Rian 28

1. Cad a bhuaigh foireann sacair na scoile faoi 16?

___

2. Cén duais atá ag dul do Mháirtín Ó Drisceoil?

___

3. Cén comórtas a bhuaigh Treasa agus Sabrina?

___

Fógra a Dó

Rian 29

1. Ainmnigh an páipéar nuachta a luaitear.

___

2. Luaigh **ainm** an chomórtais atá i gceist.

___

3. Cad í an duais atá ag dul don aiste is fearr?

___

Fógra a Trí

Rian 30

1. Cá mbeidh an taispeántas ar siúl?

___

2. Cathain a tógadh na grianghraif?

___

3. Cad chuige a n-úsáidfear an t-airgead a bhaileofar?

___

CUID C

Cloisfidh tú ***trí cinn*** de chomhráite teileafóin sa Chuid seo. Cloisfidh tú gach comhrá díobh ***trí huaire***. Cloisfidh tú an comhrá ó thosach deireadh an chéad uair. Ansin cloisfidh tú é ina 2 mhír. Beidh sos tar éis gach míre díobh chun deis a thabhairt duit an cheist a bhaineann leis an mhír sin a fhreagairt. Ina dhiaidh sin cloisfidh tú an comhrá ó thosach deireadh arís.

Comhrá a hAon — Rian 31

An Chéad Mhír

1. Cén fáth a raibh Sinéad san Iodáil le coicís anuas?

____

An Dara Mír

2. Cad a dúirt Sinéad faoin aimsir nuair a bhí sí (i) sa Róimh agus (ii) i Sorrento?

   (i) ______________________________

   (ii) ______________________________

Comhrá a Dó — Rian 32

An Chéad Mhír

1. Cén scéal a bhí ag Gráinne do Bhríd?

____

An Dara Mír

2. (i) Cad a d'iarr an Príomhoide ar Ghráinne a dhéanamh?

   ____

   (ii) Cén fáth nár phioc Gráinne Bríd chun cabhrú léi?

   ____

Comhrá a Trí — Rian 33

An Chéad Mhír

1. Cén fáth ar cuimhin leis an leabharlannaí Ruairí?

___

An Dara Mír

2. (i) Breac síos a raibh le déanamh ag Ruairí don rang Béarla.

___

(ii) Luaigh **pointe amháin** eolais a luaigh Ruairí faoina thuismitheoirí.

___

CUID D

Cloisfidh tú *trí cinn* de phíosaí ón raidió sa Chuid seo. Cloisfidh tú gach píosa díobh *faoi dhó.* Éist go cúramach leo agus freagair na ceisteanna a ghabhann le gach píosa díobh.

Píosa a hAon — Rian 34

1. Cé mhéad tionscnamh as Gaeilge a cuireadh isteach ar an gcomórtas?

___

2. Cén fáth a bhfuil brú mór ann daoine óga a mhealladh i dtreo na heolaíochta?

___

Píosa a Dó — Rian 35

1. Cá fhad atá Raidió na Life ar an aer?

___

2. Ainmnigh ceannasaí an stáisiúin.

___

Píosa a Trí **Rian 36**

1. Cén fáth nár gortaíodh aon duine nuair a thit an crann trí dhíon an tí?

____

2. Cad a iarrtar ar dhaoine a dhéanamh oíche anocht?

____

Téipscript Sampla 3 (2003)

CUID A

Léigh anois go cúramach, ar do scrúdpháipéar, na treoracha agus na ceisteanna a ghabhann le Cuid A.

An Chéad Chainteoir **Rian 25**

Dia daoibh! Eibhlín Seoighe is ainm dom. Rugadh mé i mBostún ach d'fhág mé nuair a bhí mé dhá bhliain d'aois. Tá mé i mo chónaí i mBéal an Átha i gContae Mhaigh Eo. Is as Inis Meáin do m'athair agus is Meiriceánach í mo mháthair. Ní maith liom a bheith ar scoil ar chor ar bith. **D'fhágfainn** í ar maidin ach ní thabharfadh mo thuismitheoirí cead dom é sin a dhéanamh.

An Dara Cainteoir **Rian 26**

Bail ó Dhia oraibh! Is mise Mícheál Ó Cinnéide. Tá cónaí orm i gCathair Luimnigh. Tá mé cúig bliana déag d'aois. Imrím rugbaí agus iománaíocht. Beidh sé deacair orm rogha a dhéanamh idir an dá spórt amach anseo ach rachaidh mé le rugbaí is dócha má bhíonn cúpla euro le déanamh as. Ba mhaith liom a bheith i mo dhochtúir nuair a fhásfaidh mé suas. Is **dlíodóirí** iad mo thuismitheoirí.

An Tríú Cainteoir **Rian 27**

Caidé mar atá sibh? Seán Mac Grianna is ainm dom. Tá mé i mo chónaí i dTír an Iúir i mBaile Átha Cliath. Caithim dhá mhí gach samhradh sa Ghaeltacht i dTír Chonaill mar cónaíonn mo sheanathair i Rann na Feirste. Taitníonn an ceol go mór liom. Seinnim an giotár agus canaim amhráin fosta. Déanfaidh mé an **idirbhliain** an bhliain seo chugainn agus beidh dóthain ama agam ansin chun a bheith an cleachtadh le banna ceoil na scoile.

CUID B (2003)

Léigh anois go cúramach, ar do scrúdpháipéar, na treoracha agus na ceisteanna a ghabhann le Cuid B.

Fógra a hAon — Rian 28

An Príomhoide ag labhairt libh anseo. Tá cúpla fógra spóirt agam daoibh. I dtús báire, **comhghairdeas** le foireann sacair na scoile faoi sé déag a bhuaigh an cluiche ceannais i gCeatharlach inné. Fuair Máirtín Ó Drisceoil trí chúl sa chluiche agus tá an duais don imreoir is fearr sa chluiche ag dul dó. Comhghairdeas freisin le Treasa Ní Dhubhda agus Sabrina Ní Ruairc a bhuaigh an comórtas gailf i mBinn Éadair ar an gCéadaoin. Go raibh maith agaibh.

Fógra a Dó — Rian 29

Fógra agam daoibh tráthnóna ón bpáipéar nuachta, *Foinse.* Ceannaigí, a mhúinteoirí agus a dhaltaí, *Foinse* na seachtaine seo. Beidh gach eolas ann faoin gcomórtas 'Aiste sa Rang'. Is fiú daoibh cur isteach ar an gcomórtas seo mar tá duaiseanna breátha le fáil. Beidh míle euro ag dul don aiste is fearr ar fad a **fuarthas** i rith na bliana.

Fógra a Trí — Rian 30

Osclófar **taispeántas grianghraf** i Halla an Phobail Dé hAoine seo chugainn ar a hocht a chlog tráthnóna. Is grianghraif iad seo a tógadh breis agus caoga bliain ó shin. Baineann siad ar fad le muintir an cheantair agus leis an gceantar féin. Beidh catalóga speisialta ina mbeidh cóip de gach grianghraf atá ar taispeántas le ceannach ag an doras ar fiche euro an ceann. Úsáidfear an t-airgead a bhaileofar chun Áras na Sean a **mhaisiú**.

CUID C (2003)

Léigh anois go cúramach, ar do scrúdpháipéar, na treoracha agus na ceisteanna a ghabhann le Cuid C.

Comhrá a hAon — Rian 31

Fuaim: guthán ag bualadh

Dia duit, a Phádraig. Sinéad Ní Shúilleabháin anseo.
Haló, a Shinéid! Níor chuala mé uait le fada. Cá raibh tú in aon chor?
Bhí mé san Iodáil ar thuras scoile le coicís anuas. Chaith mé seachtain sa Róimh agus seachtain eile i Sorrento.
Ó, a dhiabhail! Táim in ***éad*** *leat! Ach inis dom faoi. Caithfidh go raibh an-am agat ann.*
Is iontach an áit í an Róimh, go háirithe an tseanchathair. An t-aon rud a chuir isteach orm ná an aimsir. Bhí sí ró-the dom.
Cogar, a Shinéid, ar bhac tú le Pompeii nuair a bhí tú i Sorrento?

Chaitheamar lá amháin ann. Áit an-spéisiúil í. Rud eile, bhí an aimsir i bhfad **níos fionnuaire** ann.
Fáilte romhat abhaile, a Shinéid. Buailfidh mé leat amárach tar éis na scoile.

Comhrá a Dó — Rian 32

Fuaim: Guthán ag bualadh

Haigh, a Bhríd, Gráinne anseo.
*Is ea, a Ghráinne. Céard atá uait? Tá mé ag iarraidh an aiste staire **a chríochnú**.*
Ní chuirfidh mé moill ort, ach ar chuala tú an scéal?
*Anois, a Ghráinne, ar chuala mé an scéal? Cén scéal **in ainm Dé**?*
Go mbeidh **an tUachtarán**, Máire Mhic Giolla Íosa, ag teacht go dtí an scoil an mhí seo chugainn.
*Is **seanscéal** é sin. An é sin an fáth ar ghlaoigh tú orm?*
Is ea, agus ní hea. D'iarr an Príomhoide orm fáilte a chur roimh an Uachtarán ag an bpríomhdhoras agus dúirt sí liom cailín eile a fháil chun cabhrú liom ar an lá.
Agus bheadh grianghraf sna páipéir den bheirt againn?
Bheadh tusa ró-ghnóthach ar fad, a Bhríd, agus na haistí móra sin atá le déanamh agat. Labhróidh mé le Sorcha faoi.
Ach, a Ghráinne . . .

Comhrá a Trí — Rian 33

Is mise an leabharlannaí. An féidir liom cabhrú leat?
Ruairí Ó Cathasaigh is ainm dom. Labhair mé leat ar an bhfón inné.
Is cuimhin liom thú, a Ruairí. Bhí tú ag lorg cóip de *Lord of the Rings*.
Bhí mé, a leabharlannaí. An bhfuil cóip ar fáil?
Fan go bhfeicfidh mé. Tá an t-ádh leat, a Ruairí. Feicim ar an **ríomhaire** anseo gor tháinig cóip ar ais ar maidin.
Is breá liom sin a chloisteáil. Caithfidh mé comparáid a dhéanamh idir an scannán agus an leabhar don rang Béarla.
Ar mhaith leat an **fhístéip** a thógáil amach freisin?
Ba mhaith liom, mura miste leat. Beidh mo thuismitheoirí in ann féachaint air freisin mar ní fhaca siad an scannán Lord of the Rings *nuair a bhí sé sa phictiúrlann.*
Anois, a Ruairí, taispeáin do **chárta ballraíochta** dom go mbreacfaidh mé síos na sonraí.

CUID D

Léigh anois go cúramach, ar do scrúdpháipéar, na treoracha agus na ceisteanna a ghabhann le Cuid D.

Píosa a hAon — Rian 34

Cuireadh tús le comórtas ESAT 'Eolaí Óg na Bliana' san RDS an tseachtain seo. I mbliana cuireadh aon cheann déag de **thionscnaimh** as Gaeilge isteach ar an gcomórtas. Tá brú mór ann anois daoine óga a mhealladh i dtreo na heolaíochta mar níl go leor daltaí ag déanamh na n-ábhar eolaíochta ar scoil. Chuir níos mó cailíní isteach ar an gcomórtas i mbliana. Críochnóidh an comórtas ar a hocht a chlog tráthnóna Dé Sathairn.

Píosa a Dó **Rian 35**

Tá ag éirí thar barr le Raidió na Life i mBaile Átha Cliath. I láthair na huaire, tá ceathrar ag obair ann go lánaimseartha. Bíonn ceol do dhaoine óga le cloisteáil ar an stáisiún go minic. Tá Raidió na Life ar an aer le breis agus deich mbliana. Is í Fionnuala Nic Aodha **ceannasaí** an stáisiúin. Deir sí go bhfuil sí an-bhródúil as a bhfuil déanta go dtí seo ag Raidió na Life.

Píosa a Trí **Rian 36**

Rinne stoirm ghaoithe aréir mórán damáiste ar fud na tíre. I gContae na Mí, bhí an t-ádh le teaghlach nuair a thit crann mór a bhí ag fás sa chúlghairdín trí dhíon an tí. Níor gortaíodh éinne mar bhí an teaghlach ar fad amuigh ag siopadóireacht san Uaimh ag an am. Leanfaidh na gálaí gaoithe ar aghaidh inniu agus amárach, go háirithe i dtuaisceart na tíre. Iarrtar ar dhaoine gan dul amach ag tiomáint anocht ar na bóithre ach i gcásanna a bhfuil **géarghá** leo.

Sampla 4 (2002)

CLUASTUISCINT

N.B. NÍ MÓR NA FREAGRAÍ AR FAD A SCRÍOBH AS GAEILGE (100 marc)

CUID A

Cloisfidh tú giota cainte ó gach duine de *thriúr* daoine óga sa Chuid seo. Cloisfidh tú gach giota díobh *trí huaire.* Éist go cúramach leo agus líon isteach an t-eolas atá á lorg sna greillí ag **1, 2** agus **3** thíos.

An Chéad Chainteoir **Rian 37**

Ainm:	*Máire Ní Loingsigh*
Cad as dá hathair?	
Cén post atá ag a máthair?	
Cén fáth nach mbíonn daoine ródheas, uaireanta, lena máthair?	

An Dara Cainteoir — Rian 38

Ainm:	*Féilim Ó Dochartaigh*
Cén saghas scoile a bhfuil sé ag freastal uirthi?	
Cad a theastaíonn uaidh a dhéanamh amach anseo?	
Cá bhfuil garáiste a uncail?	

An Tríú Cainteoir — Rian 39

Ainm:	*Pádraic Mac a' tSaoi*
Cá bhfuil sé ina chónaí?	
Ainmnigh an spórt a imríonn sé	
Cén airde atá aige?	

CUID B

Cloisfidh tú trí fhógra sa Chuid seo. Cloisfidh tú gach fógra díobh **faoi dhó**. Éist go cúramach leo. Beidh sos tar éis gach casadh chun deis a thabhairt duit na ceisteanna a bhaineann le gach fógra a fhreagairt.

Fógra a hAon — Rian 40

1. Cén fáth a mbeidh an Halla Spóirt dúnta?

____

2. Cá mbeidh na ranganna corpoideachais anois?

____

3. Cad a dhéanfaidh na daltaí má bhíonn sé ag cur báistí?

____

Fógra a Dó — Rian 41

1. Cathain a osclófar Féile na bPortach?

____

2. Ainmnigh an duine a dhéanfaidh an oscailt oifigiúil.

____

3. Cén fáth a n-eagrófar comórtas sna scoileanna?

____

Fógra a Trí — Rian 42

1. Cad atá déanta ag madraí strae le cúpla mí anuas?

____

2. Cá gcuirtear ainm an úinéara?

____

3. Cad a tharlóidh d'úinéirí nach leanann an rialachán?

____

CUID C

Cloisfidh tú trí cinn de chomhráite teileafóin sa Chuid seo. Cloisfidh tú gach comhrá díobh **trí huaire**. Cloisfidh tú an comhrá ó thosach deireadh an chéad uair. Ansin cloisfidh tú é ina 2 mhír. Beidh sos tar éis gach míre díobh chun deis a thabhairt duit an cheist a bhaineann leis an mhír sin a fhreagairt. Ina dhiaidh sin cloisfidh tú an comhrá ó thosach deireadh arís.

Comhrá a hAon — Rian 43

An Chéad Mhír

1. Cá raibh Mícheál agus Tríona le déanaí?

____

An Dara Mír

2. (i) Cén fáth ar cheap Mícheál go raibh an slua go hiontach?

___

(ii) Luaigh **pointe amháin** eolais faoin suíomh.

___

Comhrá a Dó — Rian 44

An Chéad Mhír

1. Cad a dúirt Siobhán le hEibhlín?

___

An Dara Mír

2. (i) Luaigh **pointe amháin** eolais faoi laethanta saoire Eibhlín.

___

(ii) Cén fáth a bhfeicfidh Eibhlín an "buachaill dathúil" arís?

___

Comhrá a Trí — Rian 45

An Chéad Mhír

1. Cén gaisce a rinne Sibéal le déanaí?

___

An Dara Mír

2. Luaigh **dhá chúis** ar thug sí an barra rotha léi?

___

___

CUID D

Cloisfidh tú trí cinn de phíosaí ón raidió sa Chuid seo. Cloisfidh tú gach píosa díobh **faoi dhó**. Éist go cúramach leo agus freagair na ceisteanna a ghabhann le gach píosa díobh.

Píosa a hAon — Rian 46

1. Cé mhéad euro a chosain gach gluaisrothar?

___

2. Cad chuige a n-úsáidfidh na gardaí na gluaisrothair?

___

Píosa a Dó — Rian 47

1. Cé a bhí ag seinm san Ionad Pobail sa Daingean?

___

2. Cén fáth a bhfuil aithne ag muintir na háite ar an gceoltóir seo?

___

Píosa a Trí — Rian 48

1. Cad a bhíonn ar siúl sa scoil le linn an tsosa agus am lóin?

___

2. Cén plean atá ag na daltaí?

___

Téipscript Sampla 4 (2002)

CUID A

Léigh anois go cúramach, ar do scrúdpháipéar, na treoracha agus na ceisteanna a ghabhann le Cuid A.

An Chéad Chainteoir — Rian 37

Dia daoibh! Tá súil agam go bhfuil sibh go maith. Is mise Máire Ní Loinsigh. Rugadh agus tógadh mé i gContae na Mí. Tá mé sé bliana déag d'aois. Is as

Contae an Longfoirt do m'athair. Is **oifigeach** é san arm. Tá sé ag obair thar lear faoi láthair le fórsaí na Náisiún Aontaithe. Is **maor tráchta** i mo mháthair. Uaireanta, ní bhíonn daoine ró-dheas léi má chuireann sí ticéad ar charranna a bhíonn páirceáilte sa áit mhícheart.

An Dara Cainteoir — Rian 38

Feidhlim Ó Dochartaigh ag labhairt libh anseo, a chairde. Caidé mar atá sibh? Is as Droichead Átha, Contae Lú, mé. Tá mé **ag freastal** ar an bpobalscoil áitiúil. Ní maith liom a bheith ar scoil ar chor ar bith. Táim ag súil leis an lá a bheidh mé críochnaithe. Teastaíonn uaim a bheith i mo mheicneoir amach anseo. Caithim achan uair a bhíonn saor agam ag obair i ngaráiste m'uncail. Tá garáiste mór aige ar **imeall an bhaile**.

An Tríú Cainteoir — Rian 39

Cén chaoi a bhfuil sibh? Pádraig Mac a' tSaoi is ainm dom. Tá mé i mo chónaí taobh amuigh de Bhéal Átha na Sluaighe, i gContae na Gaillimhe. Imrím cispheil agus tá mé ar an bhfoireann náisiúnta. D'imir mé cluiche mór sa Staid Náisiúnta Cispheile, i dTamhlacht, an tseachtain seo caite. Tá mé sé troigh agus sé orlach ar airde. Ba bhreá liom dul go Meiriceá agus cispheil a imirt ansin, ach níl mo thuismitheoirí ró-shásta leis an smaoineamh sin.

CUID B

Léigh anois go cúramach, ar do scrúdpháipéar, na treoracha agus na ceisteanna a ghabhann le Cuid B.

Fógra a hAon — Rian 40

Gabhaim pardún agaibh, a mhúinteoirí agus a dhaltaí, ach tá fógra **práinneach** agam daoibh. Beidh an halla spóirt dúnta go ceann seachtaine. Briseadh isteach ann aréir agus deineadh mórán damáiste ann. Tógfaidh sé seachtain ar a laghad an áit a dheisiú arís. Idir an dá linn, is amuigh ar an bpáirc peile a bheidh na ranganna corpoideachais. Má bhíonn sé ag cur báistí iarrtar oraibh fanacht sna seomraí ranga.

Fógra a Dó — Rian 41

Osclófar Féile na bPortach sa Tulach Mhór Dé Domhnaigh seo chugainn. Is í an tUachtarán, Máire Mhic Ghiolla Íosa, a dhéanfaidh an oscailt oifigiúil ar a dó a chlog. Beidh na **turais agus léachtaí** ar siúl i rith na seachtaine. Taispeánfar do dhaoine an tábhacht a bhaineann leis na **portaigh**. Rachaidh clár speisialta raidió agus teilifíse amach faoi phortaigh na hÉireann freisin. Eagrófar comórtas do scoileanna áitiúla chun spéis na ndaltaí san ábhar seo a mhúscailt.

Fógra a Trí — Rian 42

Fógra anseo ón nGarda Síochána. Iarrtar an **úinéirí madraí** a gcuid madraí a choinneáil istigh istoíche. Maraíodh a lán caorach le cúpla mí anuas. Madraí strae ba chúis leis seo. Ní mór ainm an úinéara a bheith ar strapa ar mhuineál gach madra i gcónaí. Cuirfear an dlí ar úinéirí madraí nach leanann an **rialachán** seo. Má tá madra agat coinnigh súil air agus ná lig don mhadra a bheith ag rith timpeall **gan smacht**.

CUID C

Léigh anois go cúramach, ar do scrúdpháipéar, na treoracha agus na ceisteanna a ghabhann le Cuid C.

Comhrá a hAon — Rian 43

Fuaim: guthán ag bualadh

Dia duit, a Thríona. Mícheál anseo.
Dia is Muire duit, a Mhichíl. Bhí mé ag smaoineamh ort. Ar bhain tú taitneamh as an gceolchoirm ag an deireadh seachtain*e seo caite?*
Bhain mé cinnte. Shíl mé go raibh David Gray ar fheabhas ar fad. Tá na focail as 'This Year's Love' ag rith trí mo cheann gan stad.
*Mhuise, nach mór an **díol trua** tú. Shíl mise go raibh David Kitt níos fearr ná é.*
Nach raibh an slua go hiontach? Bhí na hamhráin ar fad **de ghlanmheabhair** acu agus níor chuir an bháisteach isteach orthu ar chor ar bith.
Bí ag caint ar shuíomh, a Mhichíl, le haghaidh ceolchoirme. Sléibhte Bhaile Átha Cliath taobh thiar dínn agus crainn mhóra inár dtimpeall.
Neamh ar talamh, a Thríona. Cogar! An dtiocfaidh tú suas anseo tráthnóna go bhfeicfidh tú na grianghraif?
Tiocfaidh mé cinnte. Slán, a Mhichíl.

Comhrá a Dó — Rian 44

Fuaim: guthán ag bualadh

Haló, a Eibhlín. Brian anseo.
*Is ea, a Bhriain. Bhí mé **ag súil le glao uait!** Chuala mé go ndeachaigh tú go dtí an phictiúrlann le cailín eie nuair a bhí mé sa Spáinn.*
Theastaigh ó mo chara *Harry Potter and The Philosopher's Stone* a fheiceáil. B'in an méid. Cé a d'inis an scéal seo duit?
*Siobhán a dúirt liom go bhfaca sú thú, agus do chara, mar a thugann tú uirthi, ag siúl amach as an bpictiúrlann, agus **greim láimhe agaibh ar a chéile**.*
Tá brón orm, a Eibhlín, má ghortaigh mé thú. Ní dhéanfaidh mé arís é. Ach abair liom: caidé mar a bhí do chuid laethanta saoire sa Spáinn?
Bhí an aimsir go haoibhinn agus bhuail mé le buachaill dathúil ann.
Ó, ar bhuail? Ach, is dócha nach bhfeicfidh tú arís é.

Feicfidh mé é, cinnte, mar beidh sé ag teacht anseo an mhí seo chugainn chun Béarla a fhoghlaim. Slán agat, a Bhriain!

Comhrá a Trí — Rian 45

Céad fáilte romhaibh isteach, a lucht éisteachta, chuig an gclár raidió Agallamh na Seachtaine. I mo theannta tráthnóna tá Sibéal Ní Chonchúir. Fáilte romhat, a Shibéil.

Go raibh maith agat, a Stiofáin.

Rinne tú **gaisce** le deireanaí, a Shibéil.

Bhuel, chuaigh mé timpeall na héireann de shiúl cos le ***barra rotha****, ag bailiú airgid do 'Gorta'.*

Ar bhailigh tú mórán airgid?

Caoga míle euro.

Cén fáth a ndearna tú é seo?

An samhradh seo caite bhí mé ag obair le 'Gorta' san Afraic agus chonaic mé an bochtanas ansin le mo dhá shúil féin.

Cad chuige an barra rotha?

Siombail a bhí ann. Tá mé ag iarraidh cuid de ***ualach na mbocht*** *a iompar dóibh. Chomh maith leis sin, chuidigh sé liom an t-airgead a bhailigh mé a iompar.*

Molaim thú, a Shibéil!

CUID D

Léigh anois go cúramach, ar do scrúdpháipéar, na treoracha agus na ceisteanna a ghabhann le Cuid D.

Píosa a hAon — Rian 46

Beidh gluaisrothar á n-úsáid arís ag na gardaí síochána i gContae Dhún na nGall. Ceannaíodh dhá ghluaisrothar le déanaí. Chosain siad trí mhíle dhéag euro an ceann. Beidh ceann amháin á úsáid thart ar Leitir Ceanainn agus an ceann eile i ndeisceart an chontae. Is féidir leo luas céad agus a fiche míle san uair a bhaint amach. Beidh siad á n-úsáid ag an **bhfoireann tráchta** chun sábháilteacht **a chur chun cinn** ar na bóithre. Fuair na gardaí a úsáidfidh na gluaisrothair seo traenáil speisialta.

Píosa a Dó — Rian 47

Bhí an t-ionad pobail sa Daingean lán go doras Dé Sathairn seo caite. Tháinig na daoine chun éisteacht le Philip King agus a bhanna ceoil, Scullion, a bhí ag seinm ann. Ba léir gur thaitin an ceol leis na daoine mar bhí siad go léir ag canadh in éineacht leis an mbanna **roimh dheireadh na hoíche**. Tá aithne ag gach duine sa **cheantar** ar Philip King mar tá sé ina chónaí i gCeann Trá, áit atá cúig mhíle taobh thiar den Daingean.

Píosa a Trí **Rian 48**

Tá áthas ar na daltaí sa Phobalscoil i mBaile na Manach i mBaile Átha Cliath. Nuair nach mbíonn ranganna ar siúl **le linn an tsosa ar maidin** agus ag am lóin i lár an lae bíonn ceol ar an aer ar fud na scoile. Is iad na daltaí féin a roghnaíonn an ceol. Tá plean ag na daltaí raidió scoile a thosú go luath freisin. Ansin beidh seans ag daltaí **iarratais** le haghaidh a rogha píosa ceoil a chur isteach.

Sampla 5 (2001)

CLUASTUISCINT

N.B. NÍ MÓR NA FREAGRAÍ AR FAD A SCRÍOBH AS GAEILGE. (100 marc)

CUID A

Cloisfidh tú giota cainte ó gach duine de thriúr daoine óga sa Chuid seo. Cloisfidh tú gach giota díobh **trí huaire**. Éist go cúramach leo agus líon isteach an t-eolas atá á lorg sna greillí ag **1**, **2** agus **3** thíos.

An Chéad Chainteoir **Rian 49**

Ainm:	*Regina Nic Samhráin*
Cén áit inar rugadh í?	
Luaigh pointe eolais amháin faoina seanmháthair.	
Cad é an post ba mhaith léi amach anseo?	

An Dara Cainteoir **Rian 50**

Ainm:	*Síomón Ó Mongáin*
Cén saghas scoile a bhfuil sé ag freastal uirthi?	
Cén fáth a bhfuil giúmar maith orthu sa bhaile?	
Ainmnigh an caitheamh aimsire is fearr leis.	

An Tríú Cainteoir

Rian 41

Ainm:	*Síobhán Tóibín*
Cén dath atá ar a cuid gruaige?	
Cá bhfios duit go bhfuil an-spéis aici sa pheil Ghaelach?	
Cad atá ar siúl ag a deirfiúr Imelda?	

CUID B

Cloisfidh tú trí fhógra sa Chuid seo. Cloisfidh tú gach fógra díobh **faoi dhó**. Éist go cúramach leo. Beidh sos tar éis gach casadh chun deis a thabhairt duit na ceisteanna a bhaineann le gach fógra a fhreagairt.

Fógra a hAon

Rian 52

1. Cathain a bheidh an Díolachán Earraí ar siúl?

____

2. Cad chuige an t-airgead?

____

3. Cad a chuirfidh na haisteoirí ar fáil?

____

Fógra a Dó

Rian 53

1. Cén fáth a luaitear an Luan seo chugainn?

____

2. Ainmnigh ceann **amháin** de na himeachtaí a bheidh ar siúl?

____

3. Cad a dúirt Pádraig Mac Piarais?

____

Fógra a Trí — Rian 54

1. Cá bhfuil na capaill atá ar strae?

2. Cé mhéad capall atá i gceist?

3. Cén fáth a n-iarrtar ar úinéir na gcapall iad a bhaint den bhóthar láithreach?

CUID C

Cloisfidh tú trí cinn de chomhráite teileafóin sa Chuid seo. Cloisfidh tú gach comhrá díobh **trí huaire**. Cloisfidh tú an comhrá ó thosach deireadh an chéad uair. Ansin cloisfidh tú é ina 2 mhír. Beidh sos tar éis gach míre díobh chun deis a thabhairt duit an cheist a bhaineann leis an mhír sin a fhreagairt. Ina dhiaidh sin cloisfidh tú an comhrá ó thosach deireadh arís.

Comhrá a hAon — Rian 55

An Chéad Mhír

1. Cad a d'fhiafraigh Bairbre de Shéamas?

An Dara Mír

2. (i) Cá raibh Bairbre aréir?

   (ii) Cad a dhéanfaidh Séamas amárach?

Comhrá a Dó — Rian 56

An Chéad Mhír

1. Cén t-eagras Gaeilge lena n-oibríonn Siobhán?

An Dara Mír

2. (i) Ainmnigh an **dá** scoil a bheidh sa díospóireacht.

   (ii) Cad é an rún a bheidh acu?

Comhrá a Trí — Rian 57

An Chéad Mhír

1. Luaigh **dhá chúis** a raibh a fhios ag Bean De Róiste go raibh Ruairí i dtrioblóid.

An Dara Mír

2. Cad ba chúis leis "an magadh", dar le máthair Ruairí?

CUID D

Cloisfidh tú trí cinn de phíosaí ón raidió sa Chuid seo. Cloisfidh tú gach píosa díobh **faoi dhó**. Éist go cúramach leo agus freagair na ceisteanna a ghabhann le gach píosa díobh.

Píosa a hAon — Rian 58

1. Cé atá ag lorg ionaid spóirt?

2. Cé a bhainfidh tairbhe as an ionad spóirt nua?

Píosa a Dó **Rian 59**

1. Cad a chonaic Antaine?

____

2. Cad a chuir sé chuig an gclár raidió?

____

Píosa a Trí **Rian 60**

1. Cár cheannaigh Máire an ticéad?

____

2. Luaigh **dhá phointe** eolais faoin duais a bhuaigh sí?

____

Téipscript Sampla 5 (2001)

CUID A

Léigh anois go cúramach, ar do scrúdpháipéar, na treoracha agus na ceisteanna a ghabhann le Cuid A.

An Chéad Chainteoir **Rian 49**

Cad é mar tá sibh, a chairde? Regina Nic Samhráin ag labhairt libh anseo. Rugadh agus tógadh mé i gContae Liatroma. Is as Contae Thír Eoghain do mo sheanmháthair agus deir sí liom gur chuala sí Gaeilge á labhairt ag na seandaoine nuair a bhí sí óg. Is aoibhinn liom féin an Ghaeilge agus téim go dtí Gaeltacht Rann na Feirste gach samhradh. Ba mhaith liom bheith i m'**innealtóir** amach anseo.

An Dara Cainteoir **Rian 50**

Is mise Síomón Ó Mongáin. Cén chaoi a bhfuil sibh? Is as an Uaimh i gContae na Mí mé. Táim ag freastal ar an meánscoil áitiúil. Is meánscoil do bhuachaillí í. Tá **giúmar** maith orainn go léir sa bhaile na laethanta seo mar bhuaigh mo Dhaid **an Crannchur Náisiúnta** mí ó shin. Is altra é mo Dhaid agus oibríonn sé in ospidéal i gContae Mhuineacháin. 'Sé an caitheamh aimsire is fearr liom ná bheith ag bailiú stampaí.

An Tríú Cainteoir — Rian 51

Conas tá sibh? Siobhán Tóibín is ainm dom. Tugtar Siobhán Rua orm mar tá dath rua ar mo chuid gruaige. Tá cónaí orm taobh amuigh de Dhún Garbhán i gContae Phort Láirge. Imrím peil Ghaelach agus **tá súil agam** imirt don chontae i gceann bliana nó dhó. Tá beirt dheirfiúracha agam - Imelda atá 20 bliain d'aois agus Sonia, atá cúig bliana is fiche. Is ar an ollscoil i gCorcaigh atá Imelda agus tá Sonia pósta le Seapánach agus **tá cónaí uirthi** i dTóiceo.

CUID B

Léigh anois go cúramach, ar do scrúdpháipéar, na treoracha agus na ceisteanna a ghabhann le Cuid B.

Fógra a hAon — Rian 52

Beidh **díolachán earraí** ar siúl i gcearnóg an Bhaile Mhóir Dé Domhnaigh seo chugainn. Cuirfear an t-airgead a dhéanfar sa **chiste tógála** don halla spóirt nua. Ní mór gach rud a bheith réidh tráthnóna Dé Sathairn. Táthar ag súil leis go mbeidh na Teachtaí Dála áitiúla i láthair ar an Domhnach. Chomh maith leis an díolachán earraí beidh **aisteoirí** ó 'Macnas' ann chun seó sráide a chur ar fáil. Bígí ann gan téip! Cabhraígí linn chun cabhrú libh!

Fógra a Dó — Rian 53

Gabhaigí mo leithscéal as a bheith ag cur isteach ar na ranganna. Tá fógra agam daoibh. Beidh *Seachtain na Gaeilge* ag tosú ar an Luan seo chugainn. I measc na n-imeachtaí a bheas ar siúl beidh tráth na gceist, cláir Ghaeilge ar raidió na scoile, cuairteoirí speisialta agus ceolchoirm mhór. Iarrtar oraibh ar fad Gaeilge a labhairt chomh minic agus is féidir libh le linn na seachtaine. **'Beatha teanga** í a labhairt' mar a dúirt Pádraig Mac Piarais.

Fógra a Trí — Rian 54

Fógra práinneach daoibh tráthnóna ar Raidió na Gaeltachta, a lucht éisteachta. Iarrtar ar thiománaithe a bheith ag féachaint amach do chapaill atá ar strae ar an mbóthar idir an Daingean agus an Buailtín. Ceithre chapall ar fad atá ann. Ní fios do na Gardaí fós cé leis iad ach má tá an duine sin ag éisteacht ar mhiste leis na capaill a bhaint den bhóthar láithreach. Tá siad **ag cur beatha daoine i mbaol**.

CUID C

Léigh anois go cúramach, ar do scrúdpháipéar, na treoracha agus na ceisteanna a ghabhann le Cuid C.

Comhrá a hAon — Rian 55

Heileo.

Haigh, a Shéamais, Bairbre anseo. An raibh tú ag an ***léacht*** *aréir?*

Cén léacht, a Bhairbre?

An ceann i halla na scoile faoi rogha na n-ábhar don Ardteist.

Gabh mo leithscéal, a Bhairbre, nach mór an t-**amadán** mé. Bhí mé ann cinnte. Ach ní thabharfainn léacht air.

B'in a thug Bean Uí Mhurchú air ***pé scéal é****. 'Bígí ag an léacht gan teip' an rud deireanach a dúirt sí linn. Ní raibh ar mo chumas a bheith ann faoi mar a tharla sé.*

Anois, a Bhairbre. Caithfear é seo a mhíniú. Cá raibh tú? Amuigh ar an mbaile le Leonardo di Caprio an ea?

Ní hea, mhuis'. Tá aintín liom sa bhaile ó Bhostún agus thug sí amach sinn aréir le haghaidh béile. Ach inis dom faoin léacht. An raibh sé go maith?

Bhailigh mé a lán eolais agus tabharfaidh mé na nótaí duit amárach.

Go hiontach, a Shéamais.

Feicfidh mé amárach thú. Oíche mhaith.

Comhrá a Dó — Rian 56

Heileó. Ógra Éireann anseo. Siobhán ag caint. An féidir liom cabhrú leat?

Ba mhaith liom eolas a fháil i dtaobh na ***ndíospóireachtaí iarbhunscoile.***

Cad is ainm duit? Agus cén scoil atá i gceist?

Peadar Ó Madagáin is ainm dom. Is mac léinn mé i gColáiste Mhichil.

Sea, a Pheadair, agus cén t-eolas atá uait?

An bhfuil fhios agat cén uair a bheidh an chéad ***bhabhta*** *eile ann?*

Beidh sé ar siúl ar an gCéadaoin, an tríú lá de mhí na Nollag, agus beidh sibhse i gColáiste Mhichíl i gcoinne Phobalscoil an Chnoic.

Cén ***rún*** *a bheas ann?*

'Tá saol na cathrach níos fearr ná saol na tuaithe' an rún a bheas agaibh. Aon rud eile, a Pheadair?

Ó a dhiabhail, an mbeidh muid ***ar son nó in aghaidh an rúin****?*

Inseofar é sin daoibh Dé Céadaoin.

Go raibh maith agat.

Comhrá a Trí — Rian 57

Heileo! Seán Ó hEára an príomhoide anseo.

Dia dhuit, a dhuine uasail. Is mise Bean de Róiste, máthair Ruairí.

Dia is Muire duit, a Bhean de Róiste. Is dócha go bhfuair tú mo litir.

Fuair go raibh maith agat agus tá an-bhrón orm faoi na rudaí a tharla inné.

Glacaim leis gur inis Ruairí a thaobh fhéin den scéal duit.

D'inis sé gan dabht. Bhí an buachaill eile ag magadh faoi le cúpla seachtain anuas.

An ndúirt sé leat cén fáth a raibh sé **ag magadh faoi**?

Rud éigin faoi chúrsaí sacair. Leanann Ruairí Learpholl.

Rinne Ruairí a chion féin den mhagadh de réir mar a chloisim.

Tugaim ***geallúint*** *duit nach dtarlóidh sé arís.*

Go raibh maith agat as glaoch, a Bhean de Róiste.

CUID D

Léigh anois go cúramach, ar do scrúdpháipéar, na treoracha agus na ceisteanna a ghabhann le Cuid D.

Píosa a hAon   Rian 58

Tá dornálaithe óga Chonamara ag lorg ionad spóirt. Tá **easpa áiseanna** ann faoi láthair agus bíonn sé níos measa i rith an tsamhraidh nuair a bhíonn na hallaí in úsáid le haghaidh cúrsaí Gaeilge. Tá neart **dornálaithe** óga ar fud Chonamara a bhainfeadh tairbhe as ionad spóirt ceart dá mbeadh sé cu. Níl aon socrú déanta fós cá mbeidh an t-ionad nua suite. Ní hiad na dornálaithe amháin a bhainfeadh tairbhe as ionad spóirt, ach an pobal ar fad.

Píosa a Dó   Rian 59

Bhí gach duine ag gáire faoi Antaine Ó Gormáin le déanaí, mar dúirt sé go poiblí go bhfaca sé **lon dubh bán** ina ghairdín ar chúl an tí. Níor chreid éinne é ar ndóigh, ach ní raibh Antaine críochnaithe fós. Thóg sé **grianghraf** den éan agus chuir sé é chuig an gclár raidió 'For the Birds'. Labhair siad le hAntaine ar an gclár agus creid é nó ná creid, dúirt siad go raibh an ceart aige – lon dubh bán a bhí aige sa ghairdín!

Píosa a Trí   Rian 60

Bhí **an t-ádh le** Máire Ní Loinsigh, bean as Port Laoise, le déanaí. Cheannaigh sí ticéad i siopa áitiúil; níor smaoinigh sí air ina dhiaidh sin go dtí gur chuala sí a hainm ar an raidió **áitiúil**. Bhí an chéad duais buaite aici i gcrannchur a bhí ag club spóirt i mBaile Átha Cliath. Éistigí leis an duais a bhuaigh sí! Laethanta saoire di féin agus duine eile ar feadh coicíse i Meiriceá agus míle punt mar airgead póca.

Sampla 6 (2000)

CLUASTUISCINT

N.B. Ní mór na freagraí ar fad a scríobh as Gaeilge. (100 marc)

CUID A

Cloisfidh tú giota cainte ó gach duine de thriúr daoine óga sa Chuid seo. Cloisfidh tú gach giota díobh **trí huaire**. Éist go cúramach leo agus líon isteach an t-eolas atá á lorg sna gréillí ag **1, 2** agus **3** thíos.

An Chéad Chainteoir (Sibéal Feirtéar) Rian 61

Cá bhfuil cónaí ar Shibéal?	
Cén aois a bhí aici nuair a tháinig sí go hÉirinn?	
Luaigh pointe eolais amháin faoi Phiarais.	
Cad ba mhaith le Sibéal a dhéanamh amach anseo?	

An Dara Cainteoir (Sinéad Nic Suibhne) Rian 62

Cén saghas scoile a bhfuil Sinéad ag freastal uirthi?	
Cén spórt a imríonn sí?	
Cén fáth a raibh sí i nGlaschú?	
Cén aidhm atá aici don bhliain seo chugainn?	

An Tríú Cainteoir (Tomás Ó Máille) Rian 63

Cén tslí bheatha atá ag máthair Thomáis?	
Cén fáth a bhfuil a athair ag obair i Nua Eabhrac?	
Cad a shíleann sé de na cláir a rinne David Attenborough?	

CUID B

Cloisfidh tú trí fhógra sa Chuid seo. Cloisfidh tú gach fógra díobh **faoi dhó**. Éist go cúramach leo. Beidh sos tar éis gach casadh chun deis a thabhairt duit na ceisteanna a bhaineann le gach fógra a fhreagairt.

Fógra a hAon Rian 64

1. Cén fáth nach mbeidh ranganna ar siúl san iarnóin?

___

2. Cén t-am a chríochnóidh an scoil?

___

3. Cé hiad na daltaí a chaithfidh a bheith ann ar a dó a chlog?

___

Fógra a Dó **Rian 65**

1. Cén fáth a mbeidh an seó faisin ar siúl?

___

2. Cén áit a mbeidh na ticéid ar díol?

___

3. Cén fáth a moltar do dhaoine a bheith ann go luath?

___

Fógra a Trí **Rian 66**

1. Cén cineál aimsire a bheidh go forleathan ar fud na tíre maidin amárach?

___

2. Luaigh pointe eolais **amháin** i dtaobh na haimsire a bheidh ann san iarnóin?

___

3. Cad a tharlóidh istoíche amárach?

___

CUID C

Cloisfidh tú trí cinn de chomhráite teileafóin sa Chuid seo. Cloisfidh tú gach comhrá díobh **trí huaire**. Cloisfidh tú an comhrá ó thosach deireadh an chéad uair. Ansin cloisfidh tú é ina 2 mhír. Beidh sos tar éis gach míre díobh chun deis a thabhairt duit an cheist a bhaineann leis an mhír sin a fhreagairt. Ina dhiaidh sin cloisfidh tú an comhrá ó thosach deireadh arís.

Comhrá a hAon — Rian 67

An Chéad Mhír

1. Cén fáth ar ghlaoigh Síle ar Thomás?

____

An Dara Mír

2. (i) Conas is eol dúinn go raibh deacracht ag Síle le ceist ar Pháipéar a hAon?

____

(ii) Luaigh an dea-scéal a bhí ag Tomás di.

____

Comhrá a Dó — Rian 68

An Chéad Mhír

1. Conas atá Sinéad anois de réir a máthair?

____

An Dara Mír

2. (i) Cén chaoi ar ghortaigh Sinéad a cos?

____

(ii) Luaigh rud **amháin** a d'iarr Breandán ar Bhean Mhic Mhathúna a dhéanamh maidir le Sinéad.

____

Comhrá a Trí — Rian 69

An Chéad Mhír

1. Cén fáth a raibh Bairbre i bponc ceart?

____

An Dara Mír

2. (i) Cén réiteach a bhí ag Rónán ar an bhfadhb a bhí ag Bairbre?

(ii) Cad a iarrfaidh Bairbre ar rúnaí na scoile?

CUID D

Cloisfidh tú trí cinn de phíosaí ón raidió sa Chuid seo. Cloisfidh tú gach píosa díobh **faoi dhó**. Éist go cúramach leo agus freagair na ceisteanna a ghabhann le gach píosa díobh.

Píosa a hAon — Rian 70

1. Cén saghas scoile atá le bunú i Leitir Ceanainn?

2. Cad é a léiríodh i suirbhé a rinneadh?

Píosa a Dó — Rian 71

1. Cé mhéad duine a d'fhreastail ar an ócáid speisialta?

2. Cén praghas a bhí ar thicéad?

Píosa a Trí — Rian 72

1. Cá bhfuil an bhialann nua suite?

2. Luaigh **dhá** phointe eolais **eile** i dtaobh na bialainne.

Téipscript Sampla 6 (2000)

CUID A

Léigh anois go cúramach, ar do scrúdpháipéar, na treoracha agus na ceisteanna a ghabhann le Cuid A.

An Chéad Chainteoir — Rian 61

Conas atá sibh? Tá súil agam go bhfuil sibh go maith. Is mise Sibéal Feirtéar. Cónaím i nDún an Óir, lasmuigh den Bhuailtín i gContae Chiarraí. Inniu mo bhreithlá – cúig bliana déag atáim. Rugadh mé sa bhliain mile naoi gcéad ochtó cúig i Boston. Tháinig mo mhuintir anseo nuair a bhí mé dhá bhliain d'aois. **Táim ag siúl amach le** Piaras. Oibríonn sé sa ghalfchlub áitiúil. Imrím féin galf agus ba mhaith liom bheith i mo ghalfaire **gairmiúil** lá éigin.

An Dara Cainteoir — Rian 62

Cad é mar atá sibh? Sinéad Nic Suibhne ag caint libh. Is scoláire mé sa Phobalscoil i nGaoth Dobhair i gContae Dhún na nGall. Imrím sacar don scoil agus **tá an-spéis agam ann**. Leanaim Glasgow Celtic. Cúpla mí ó shin bhí mé thall i nGlaschú nuair a bhí Celtic ag imirt in éadan Rangers. Taobh amuigh den spórt níl mé ró-iontach ar scoil. **Tá sé ar intinn agam i** bhfad níos mó staidéir a dhéanamh an bhliain seo chugainn.

An Tríú Cainteoir — Rian 63

Dia daoibh! Tomás Ó Máille is ainm dom. Táim i mo chónaí ar an gCeathrú Rua i gConamara. Is garda síochána í mo mháthair. Tá mo dhaid ag obair i **Nua-Eabhrac** mar dúnadh an **mhonarcha** ina raibh sé ag obair anseo. An samhradh seo caite chaith mé mí leis i Nua-Eabhrac. Is aoibhinn liom bheith ag breathnú ar an teilifís. Sílim go bhfuil na cláir a rinne David Attenborough faoin **dúlra** ar fheabhas ar fad.

CUID B

Léigh anois go cúramach, ar do scrúdpháipéar, na treoracha agus na ceisteanna a ghabhann le Cuid B.

Fógra a hAon — Rian 64

Gabhaigí mo leithscéal, a mhúinteoirí agus a dhaltaí as a bheith ag cur isteach oraibh. Tá fógra práinneach agam daoibh. Ní bheidh ranganna ar siúl san iarnóin toisc nach bhfuil an **téamh lárnach** ag obair. Críochnóidh an scoil ag a haon a chlog. Níl an cluiche haca **ar ceal**. Ách, agus caithfidh na himreoirí bheith anseo ar a dó a chlog ar a dhéanaí. Go raibh maith agaibh.

Fógra a Dó — Rian 65

Beidh seó faisin ar siúl in Óstán na cille móire ar an tríú lá de Mhárta ar a hocht a chlog. Is chun airgead a bhailiú don Halla Pobail nua a bheidh an seó ann. Is féidir ticéid a cheannach ag an doras an oíche sin ach nó mór a bheith in am mar táthar ag súil le slua an-mhór toisc go mbeidh **mainicíní** cáiliúla ag glacadh páirt sa seó.

Fógra a Trí — Rian 66

Seo agaibh anois **réamhaisnéis na haimsire** don lá amárach. Beidh ceathanna báistí agus gaoth an-láidir **go forleathan** ar fud na tíre ar maidin. I gCúige Mumhan séidfidh an ghaoth ina gála in áiteanna, go háirithe ar na cóstaí. Glanfaidh an bháisteach i gcaitheamh an lae agus beidh sé grianmhar agus **brothallach** san iarnóin. Titfidh ceo istoíche amárach i lár na tíre agus ar thalamh ard san iarthar.

CUID C

Léigh anois go cúramach, ar do scrúdpháipéar, na treoracha agus na ceisteanna a ghabhann le Cuid C.

Comhrá a hAon — Rian 67

Haló?

Haigh, a Thomáis. Síle anseo.

Á, Dia duit, a Shíle. Conas a tú ó aréir?

Táim go maith, a Thomáis, ach – ceist agam ort; ar fhág mé mo ríomhaire póca i do theach aréir nuair bhíomar ag dul tríd an scrúdpháipéar matamaitice?

Ná bí buartha faoi, a Shíle. Feicim anois é os mo chomhair amach ar an matal sa seomra suí.

Buíochas le Dia! Bronntanas ó mo dhaid atá ann agus níor mhaith liom é a chailleadh.

Rachaidh mé suas chugat leis tráthnóna. Dála an scéil, a Shíle, an cuimhin leat ceist a ceathair ar Pháipéar a hAon?

An cuimhin liom í! Nár chaith mé an mhaidin ar fad uirthi!

Bhuel, a Shíle, tá dea-scéal agam duit. Réitigh mise an fhadhb agus taispeánfaidh mé an réiteach duit tráthnóna.

Go raibh míle agat, a Thomáis. Bheadh an-spéis agam ann. Slán go fóill.

Comhrá a Dó — Rian 68

Heileo?

Siobhán Mhic Mhathúna anseo. An bhféadfainn labhairt le Breandán Ó Conaire, le do thoil?

Breandán Ó Conaire ag labhairt leat.

Dia duit, a duine uasail. Mise máthair Shinéid atá ar an bhfoireann peile agat.

Dia is Muire duit, a Bhean Mhic Mhathúna, cad é mar atá Sinéad? An bhfuil a cos **ag cur as di** go fóill?

Tá a glúin an-tinn go fóill ach tá sí ag dul i bhfeabhas ó thosaigh sí ***ag fáil fisiteiripe*** *seachtain ó shin.*

Bhí an-mhí-ádh uirthi gur **sciorr sí** ar an urlár **tais** san ionad siopadóireachta.

Bhí go deimhin; ach d'fhéadfadh sé bheith níos measa. Pé scéal é, ar ordú an dochtúra ní bheidh sí ábalta dul ag traenáil libh go ceann míosa ar a laghad.

Tabhair aire di. Tá a sláinte **níos tábhachtaí** ná cluiche ar bith.

Dá bhfágfaí fúithi féin é bheadh sí ar ais libh i gceann seachtaine.

Abair léi go raibh gach duine ag cur a tuairisce. Slán!

Comhrá a Trí — Rian 69

Heileo!

Haigh, a Rónáin. Tá's agat an phióg úll a bheas le déanamh againn sa rang cócaireachta Déardaoin?

An gcreidfeá, a Bhairbre, go bhfuilim díreach ag breathnú ar na nótaí fúithi a fuaireamar sa rang inniu?

Tá mise i ***bponc*** *ceart, a Rónáin. Ní féidir liom mo lámh a leagan ar mo chuid nótaí féin. Caithfidh gur fhág mé ar an mbus iad.*

Ní dhéanfaidh seo cúis, a chailín – peata an mhúinteora ag cailleadh a cuid nótaí.

Níl sé seo greannmhar, beag ná mór. Tá scrúdú na Nollag ag brath air, mar is eol duit.

In ainm Dé, a Bhairbre, tóg bog é. Inniu an Luan . . . tabharfaidh mé mo chuid nótaí duit maidin amárach.

An-smaoineamh*. Iarrfaidh mé ar rúnaí na scoile iad a fhótachóipeáil dom. Go raibh maith agat, a Rónáin.*

Ná habair é. Anois, téigh agus breathnaigh ar Ros na Rún.

Déanfaidh mé sin ceart go leor, a Rónáin. Slán!

CUID D

Léigh anois go cúramach, ar do scrúdpháipéar, na treoracha agus na ceisteanna a ghabhann le Cuid D.

Píosa a hAon — Rian 70

Tá Gaelscoil nua, dara leibhéal, beartaithe do bhaile Leitir Ceanainn. Tá trí Ghaelscoil dara leibhéal sa chontae ach tá na trí cinn sin suite sa Ghaeltacht. Tá an tAire Spóirt agus Turasóireachta, an Dochtúir Séamas Mac Dáibhéid, i bhfabhar an phlean. Is é an chéad chéim eile ná **suíomh** oiriúnach a roghnú don scoil. Is léir í suirbhé a rinneadh **ar na mallaibh** go bhfuil an-spéis ag pobal Leitir Ceanainn in oideachas trí Ghaeilge dá gcuid páistí.

Píosa a Dó — Rian 71

D'fhreastail dhá chéad is caoga duine ar ócáid speisialta i Lios Tuathail le déanaí. Bhí siad ag tabhairt **ómóis** don aisteoir Eamon Kelly. Cé go raibh cúig phunt is seachtó ar thicéad bhí na ticéid go léir díolta i bhfad roimh ré. Bhí ceol agus **siamsaíocht** den scoth chomh maith le béile galánta le fáil an oíche sin. Faoi láthair tá Ionad Cultúir agus Litríochta á thógáil i Lios Tuathail agus beidh seomra in onóir d'Eamon Kelly ann.

Píosa a Trí — Rian 72

Osclaíodh bialann nua i mBaile Átha Cliath an Fómhar seo caite. Dáil Bia an t-ainm atá air agus tá sé suite i Sráid Chill Dara. Tá an biachlár i nGaeilge agus i mBéarla agus tá **togha na Gaeilge** ag an bhfoireann óg atá ag obair ann. Bíonn bricfeasta, lón, ceapairí, **anraith**, béilí teo agus rogha mhaith **sólaistí** ar fáil ann. Bíonn an bhialann ar oscailt gach lá den tseachtain ach amháin ar an Domhnach.

Páipéar II Leagan Amach

120 marks

Roinn I: Prós liteartha

Ceist 1.	Passage from literary text & questions	15 marks
Ceist 2.	Choice of A or B.	
A	An account of a piece of literature studied similar to the theme of the passage in *ceist 1.*	15 marks
B	An account of a piece of literature not connected to *ceist 1.*	

Roinn II: Filíocht

Ceist 1.	One or two poems & questions	15 marks
Ceist 2.	Choice of A or B.	
A	An account of a poem studied similar to the poem in *ceist 1.*	15 marks
B	An account of a poem not connected to *ceist 1.*	

Roinn III: Léamhthuiscint (giotaí gearra)

Choice of *any three* of A, B, C, and D.

A	Short passage & 2 questions	10 marks
B	Short passage & 2 questions	10 marks
C	Cloze test: 10 gaps to be filled from list of words supplied	10 marks
D	Short passage & 2 questions	10 marks

Roinn IV: Litir

Choice of *any one* of A, B, or C.

A B C	The choice will include *personal* and *formal* letters.	30 marks

PÁIPÉAR II PRÓS LITEARTHA

Treoracha

1 *Fad:* Is leor leathanach amháin chun ceist 1 a fhreagairt agus leathanach chun ceist 2 a fhreagairt.
2 Rogha (ceist 1): Trí cheist as sé cinn:
 - ceann amháin as A (buntuiscint);
 - ceann amháin as B (léirthuiscint ghinearálta);
 - ceann eile as A *nó* B.
3 Maidir le ceist 2, bí cinnte gur féidir leat
 - teideal an ghearrscéil, an úrscéil nó an dráma a litriú i gceart;
 - ainm an údair a litriú i gceart.
4 Léigh arís na treoracha don léamhthuiscint ar leathanach 38.
5 Bain úsáid as an ngluais.
6 Cuir an uimhir cheart ar gach freagra; mar shampla, (i) (*a*), (iii) (*b*), srl.

Stór focal

Tá trí phríomhthéama i gceist sa phrós liteartha:
(*a*) na mothúcháin;
(*b*) saol an duine;
(*c*) dúlra agus timpeallacht.
Cabhróidh an stór focal seo thíos leat:

Na mothúcháin
Tá áthas (*happiness*) ar Sheán.
Tá brón (*sorrow*) ar Sheán.
Tá ionadh (*wonder*) ar Sheán.
Tá tart (*thirst*) ar Sheán.
Tá ocras (*hunger*) ar Sheán.
Tá uaigneas (*loneliness*) ar Sheán.
Tá imní (*anxiety*) ar Sheán.
Tá díomá (*disappointment*) ar Sheán.
Tá gliondar (*delight*) ar Sheán.
Tá fearg (*anger*) ar Sheán.
Tá náire (*shame*) ar Sheán.
Tá éad (*envy*) ar Sheán.

Tá muinín/iontaoibh (*trust*) ag Liam **as** Máire.
Tá suim/spéis (*interest*) ag Liam **i** Máire.
Tá gaol (*relation*) ag Liam **le** Máire.
Tá trua (*pity*) ag Liam **do** Mháire.
Tá grá (*love*) ag Liam **do** Mháire.
Tá fuath (*hate*) ag Liam **do** Mháire.
Tá éad (*envy*) ar Sheán **le** Máire.
Tá fearg (*anger*) ar Sheán **le** Máire.
Tá eagla/scáth (*fear*) ar Sheán **roimh** Mháire.

Saol an duine

Tréithe daoine (Characteristics)
béasach/múinte (*polite*)
míbhéasach (*rude*)
fial/flaithiúil (*generous*)
amaideach (*foolish*)
cúthail (*shy*)
cairdiúil (*friendly*)
cneasta/cineálta (*kind*)
greannmhar (*funny*)
glic (*crafty, cute*)
neamhurchóideach/soineanta (*innocent*)

cliste (*clever*)
goilliúnach (*sensitive*)
cabhrach (*helpful*)
macánta (*honest*)
cancrach/cantalach (*cranky*)
ceanndána (*stubborn*)
gealgháireach (*cheerful*)
stuama/staidéarach (*steady*)
éirimiúil (*lively; intelligent*)
cróga (*brave*)
tuisceanach (*understanding*)
carthanach (*charitable*)
taitneamhach (*likable*)
séimh (*gentle*)
garbh (*rough*)
fiosrach (*inquisitive*)
amhrasach (*suspicious*)
truamhéalach (*pathetic*)
neirbhíseach (*nervous*)
dáiríre (*serious*)
aerach (*light-hearted*)
bródúil (*proud*)
tragóideach (*tragic*)
spéisiúil/suimiúil (*interesting*)
báúil (*sympathetic*)
díoltasach (*vengeful*)
léannta (*learned*)
rómánsach (*romantic*)
aineolach (*ignorant*)

Cur síos ar dhuine (Description of a person)
duine deas macánta (*a nice, gentle person*)
duine mall leisciúil (*a slow, lazy person*)
duine múinte béasach (*a polite, mannerly person*)
duine caoin cneasta (*a gentle, mild person*)
duine óg aerach (*a young, merry person*)
duine mór ramhar (*a big, fat person*)
duine beag bídeach (*a small, tiny person*)
fear tuirseach traochta (*a tired, exhausted man*)
bean chliste chumasach (*a clever, capable woman*)

Cuma (appearance) ***agus éadaí***
bhí cuma thuirseach air (*he looked tired*)
bhí cuma bhrónach uirthi (*she looked sad*)
bhí aoibh an gháire air (*he was smiling*)
bíonn aoibh mhaith air i gcónaí (*he is always in good humour*)
beannaíonn sí dom i gcónaí (*she always greets me*)
bíonn sé i gcónaí ag caint (*he is always talking*)
gléasta go slachtmhar (*neatly dressed*)
gléasta san fhaisean is nua (*dressed in the height of fashion*)
culaith ghalánta éadaigh air (*wearing a fine suit of clothes*)
scaif á caitheamh aici ar a ceann (*wearing a scarf on her head*)
hata donn ar a cheann (*a brown hat on his head*)
caipín píce (*a peaked cap*) air
faoi éide dhúghorm (*in a navy-blue uniform*)
buataisí (*wellington boots*) ar a chosa
snas (*polish*) ar a bhróga
cóta bán á chaitheamh aici (*wearing a white coat*)
scáth báistí/mála cáipéisí/mála láimhe ina lámh aici (*an umbrella/briefcase/handbag in her hand*)
bríste géine (*jeans*)
geansaí (*a jumper*)

Dúlra agus timpeallacht
an dúlra (*nature*)
an tuath (*the countryside*)
áilleacht na tuaithe (*the beauty of the countryside*)
faoin tuath (*in the country*): chuaigh mé faoin tuath
cois farraige (*at the seaside*)

sliabh, sléibhte (*mountain, mountains*)
loch, lochanna (*lake, lakes*)
páirc, páirceanna (*field, fields—grass*)
gort, goirt (*field, fields—cultivated*)
coill, coillte (*wood, woods*)
ainmhithe (*animals*)
éin (*birds*)
éisc (*fish*)
suaimhneas na tuaithe (*the peace of the countryside*)
buarthaí an tsaoil (*the worries of life*)
easpa tráchta ar na bóithre (*lack of traffic on the roads*)
radhairc áille (*beautiful sights*)
áilleacht nádúrtha (*natural beauty*)
saol folláin (*a healthy life*)
forbairt tionsclaíochta (*industrial development*)
ceimiceáin (*chemicals*)
truailliú na timpeallachta (*pollution*)
eisilteach (*effluent*)
maraítear na mílte iasc (*thousands of fish are killed*)
caomhnú (*conservation*)
loiteann sé/milleann sé (*it destroys*)
tá athruithe ag teacht (*changes are coming*)
feirmeoireacht (*farming*)
obair dhian is ea é (*it is hard work*)
innealra nua-aimseartha (*modern machinery*)

Note
In the following pages you will find
—sample answers for *ceist 1, Teastas Sóisearach, 2005*;
—a sample answer for *ceist 2A,* including text;
—a sample answer for *ceist 2B,* including text;
—questions from previous examination papers.

Teastas Sóisearach 2005

ROINN I – PRÓS LITEARTHA **[30 marc]**

Ceist 1. Léigh an sliocht seo agus freagair **tří cinn** de na ceisteanna a ghabhann leis. **(15 mharc)**
Ní mór ceist **amháin** a roghnú as **A** agus ceist **amháin** a roghnú as **B**. Is féidir an **tríú ceist** a roghnú as **A nó B**.)

[*Bíodh na freagraí i d'fhocail féin, chomh fada agus is féidir leat.*]

(Ní gá dul thar leathanach sa fhreagairt uait ar an gCeist seo ar fad.)

Ní Binn Béal ina Thost

Cúlra an Scéil: Bean óg as an Bhoisnia í Marika, a thagann go hÉirinn mar theifeach i gcúl leoraí. Ligtear amach í i mBaile Átha Cliath. Tá sí tuirseach traochta agus tar éis tamaill di ag siúl titeann sí i laige. Tagann sí chuici féin san ospidéal. Diúltaíonn sí labhairt le héinne, fiú leis na haltraí, mar tá eagla uirthi go gcuirfí abhaile í.

1. Lá amháin bhuail fear isteach san ospidéal chun í a fheiceáil. "Tá dea -scéala agam duit," a dúirt an altra le Marika, "tá cuairteoir anseo chun tú a fheiceáil." Cuairteoir! Bhuail taom eagla Marika. Cé a bhí ann? Póilín? Sea, póilín, cinnte. Bhí na póilíní tagtha chun í a chur i bpríosún. Bhí a rún ar eolas acu. Fuair siad amach gur theifeach í. Rinne sí iarracht ar éirí as a leaba ach ní thiocfadh léi. Chonaic an altra go raibh eagla a báis ar Mharika. "Ná bíodh imní ar bith ort. Ní namhaid é; is cara é. Cuideoidh sé leat. Ní dhéanfaidh sé dochar duit. Seo chugainn é."

2. Shiúil fear isteach sa seomra. D'amharc Marika air le hiontas. Ní raibh éide póilín air, ach "níor chiallaigh sé sin rud ar bith", a dúirt sí léi féin. Shiúil sé anonn chuici. Tharraing sé cathaoir chuige féin. "An miste leat má shuím?" ar sé. Níor fhreagair Marika é. "Suífidh mé mar sin," a dúirt sé, "ó tharla nach ndúirt tú a mhalairt."
Shuigh sé síos. "Is mise Colm. Cloisim nach bhfuil caint agat," a dúirt sé, "ach cloisim go dtuigeann tú gach rud a deirtear leat. An dtuigeann tú mise?"

3. Níor fhreagair sí é ach chlaon sí a ceann. "Go maith," a dúirt an fear. Lean sé ag caint. Shílfeá go raibh aithne aige ar Mharika leis na cianta. Bhí sé ar a chompord ag caint léi. "Inseoidh mé scéal duit. Fadó, fadó, bhí bean ann a d'fhág a baile dúchais féin. Bhí eagla mhór uirthi ina baile dúchais agus tháinig sí go hÉirinn. Ní raibh aithne aici ar dhuine ar bith in Éirinn. D'éirigh sí tinn agus tugadh go dtí an t-ospidéal í. Nuair a mhúscail sí, bhí a caint caillte aici toisc nach raibh muinín aici as duine ar bith. Bhí eagla uirthi go gcuirfí abhaile í. Níor thuig sí go raibh cairde nua ag iarraidh cuidiú léi."

4. Stad an fear agus d'amharc sé ar Mharika. Bhí Marika idir dhá chomhairle. Ar chóir di muinín a chur ann? An raibh an fear seo, an strainséir seo, iontaofa? An cara é nó namhaid? Labhair an fear arís. "Ní thig liom cuidiú leatsa mura gcuidíonn tusa liomsa. Cuidím le teifigh. Cuidím le daoine atá i sáinn – daoine cosúil leatsa. Caithfidh tú do mhuinín a chur i nduine éigin luath nó mall. Lig dom cuidiú leat. Cad é an t-ainm atá ort?"

5. Bhí Marika ag éisteacht go géar le gach focal dá ndúirt sé. Go fóill féin ní raibh sí cinnte faoi ach bhí fonn uirthi labhairt le duine éigin. Bhí fonn uirthi a scéal féin a insint. "Marika is ainm dom. Marika Kovac," ar sí i nglór a bhí íseal ach soiléir. Shín Colm a lámh chuici agus miongháire an áthais ar a aghaidh. "Fáilte romhat go hÉirinn, a Mharika," ar sé i nguth a bhí séimh agus macánta. Ar chúis éigin mhothaigh Marika sábháilte i gcuideachta Choilm agus chroith sí a lámh go fonnmhar. Bhí cara nua aici a sheasfadh an fód di.

(Sliocht athchóirithe as an úrscéal 'Teifeach' le **Pól Ó Muirí**)

Ceisteanna (iad ar cómharc)

A (Buntuiscint)

(i) "Bhí a rún ar eolas acu." Luaigh **dhá rud** atá luaite i **gCúlra an Scéil** agus in **Alt 1** faoin rún a bhí ag Marika.
(ii) Cén fáth ar amharc Marika ar an gcuairteoir le hiontas?
Conas a chuir sí in iúl dó gur thuig sí é?
(iii) Breac síos **dhá chúis** a raibh Marika sásta labhairt le Colm sa deireadh.

B (Léirthuiscint Ghinearálta)

(i) Luaigh **dhá thréith** a bhain le Colm mar dhuine, dar leat. I gcás **ceann amháin** den dá thréith sin tabhair píosa eolais as an téacs a léiríonn an tréith sin.
(ii) 'Léiríonn an t-údar imní agus scanradh Mharika go soiléir sa scéal.'
Do thuairim uait faoi seo. (Is leor **dhá phointe** a lua.)
(iii) An teideal maith é **Ní Binn Béal ina Thost**, dar leat? Cuir **dhá fháth** le do thuairim.

Freagraí Samplacha

A (Buntuiscint)

(i) (a) * Teifeach ba ea í.
* Dhiúltaigh sí labhairt le duine ar bith ar eagla go gcuirfí abhaile í.
(ii) Mar cheap sí gur phóilín é.
(iii) * Mar bhí fonn uirthi labhairt le duine éigin.
* Mar theastaigh uaithi a scéal a insint.

B (Léirthuiscint Ghinearálta)

(i) * Duine cineálta ba ea é.
* Duine cabhrach ba ea é.
* Duine cabhrach ba ea é mar dúirt sé (Alt 4) go gcuidíonn sé le daoine a bhíonn i sáinn.
(ii) * Léiríonn an t-údar imní agus scanradh Mharika (Alt 2) mar dúirt sé gur amharc sí ar le hiontas ag ceapadh gur phóilín é.
* Léiríonn sé an imní agus scanradh a bhí uirthi arís(Alt 3) mar chlaon sí a ceann le heagla nuair a labhair sé léi.
(iii) Creidim gur teideal mhaith é mar...
* Ní raibh an ceart aici a bhéal a choinneáil dúnta agus í i gcruachás.
* Ní raibh an ceart aici a bhéal a choinneáil dúnta agus an fear ag iarraidh cúnamh a thabhairt di.

Ceist 2. Freagair **A** nó **B** anseo. **(Ní gá dul thar leathleathanach nó mar sin i do fheagra.)** **(15 mharc)**

A

(i) Ainmnigh gearrscéal Gaeilge nó úrscéal Gaeilge nó dráma Gaeilge (a ndearna tú staidéar air i rith do chúrsa) a bhfuil an cinéal céanna ábhair i gceist ann is atá sa sliocht i **gCeist 1** thuas. Ní mór teideal an tsaothair sin, mar aon le hainm an údair, a scríobh síos go soiléir.

(ii) Tabhair cuntas **gairid** ar a bhfuil sa saothar sin faoin gcineál sin ábhair.

nó

Déan comparáid **ghairid** idir a bhfuil sa sliocht i **gCeist 1** faoin ábhar úd agus a bhfuil faoin ábhar céanna sa saothar atá ainmnithe agat.

B

(i) Maidir le do rogha **ceann amháin** de na *mothúcháin* seo a leanas ainmnigh gearrscéal Gaeilge nó úrscéal Gaeilge nó dráma Gaeilge (a ndearna tú staidéar air i rith do chúrsa) a bhfuil an *mothúchán* sin i gceist ann. Ní mór teideal an tsaothair sin, mar aon le hainm an údair, a scríobh síos go soiléir.

(a) Uaigneas (b) Fearg (c) Fonn díoltais (d) Grá (e) Áthas (f) Díomá

(ii) Tabhair cuntas **gairid** ar a bhfuil sa saothar sin faoin *mothúchán* atá roghnaithe agat.

(**Nóta**: I gcás **A** nó **B** thuas tá cead agat chomh maith dráma Gaeilge a ainmniú ar ghlac tú páirt ann i rith do chúrsa.)

Ceist 2A. *Freagra samplach*
[Note: The text of the story is given below.]

(i) **Ainm an scéil: 'An Bhainirseach is a hÉan'.**
Ainm an údair: Micheál Ó Siochrú.

(ii) Cuntas:
Bhí cónaí ar an mbainirseach istigh i bpluais. Bhí an mháthair an-bhuartha, mar bhí an rón óg a bhí aici an-leisciúil agus an-ramhar. Chaith sí tamall fada ag iarraidh an rón óg a mhúineadh. Sa deireadh d'éirigh an tarbhrón tuirseach de bheith ag tabhairt bia chuici. Mar sin bhí ocras chomh mór sin uirthi go raibh uirthi an rón óg a fhágáil agus dul ag lorg bia. Rug sí ar phollóg, thug sí ar ais don rón óg í, agus d'ith sé í go tapa.

Lean sí ar aghaidh mar sin ag tabhairt bia don rón óg, ach fós bhí imní uirthi, mar bhí na rónta óga go léir imithe chun farraige faoi seo. Ní hamháin sin ach bhí siad in ann fiach a dhéanamh dóibh féin. Lá amháin nuair a bhí an mháthair ag tabhairt éisc dó thit sé de thimpiste isteach san fharraige. Ansin bhris a dhúchas amach agus thosaigh sé ag snámh. Amach leo as an bpluais, agus mhúin a mháthair dó conas breith ar gach saghas éisc.

Bhí sé in am dul abhaile, ach ansin go tobann d'athraigh an saol go léir acu. Chonaic an bhainirseach rud uafásach: bhí siorc os a gcomhair, sa tslí nach raibh siad in ann dul isteach sa phluais. Bhí sí i gcruachás ceart, mar bhí an siorc ró-láidir agus ró-thapa dóibh.

Rith plean leis an mbainirseach. Chonaic sí carraig ag gobadh aníos as an uisce, agus chuaigh sise agus a héan ina treo. D'éirigh léi dul suas ar an gcarraig, ach ní raibh an t-éan ábalta, agus faoin am seo bhí an siorc in aice leis. Léim an bhainirseach isteach san uisce arís chun an siorc a mhealladh, agus lean sé í. D'fhill sí chuig an éan arís, agus tar éis mórchuid trioblóide bhrúigh sí suas ar an gcarraig é. Ach ní raibh an t-am aici féin dul suas ar an gcarraig arís. Tháinig an siorc taobh thiar di, rug sé uirthi ar chúl a cinn, agus bhí sí marbh sular tháinig sí go huachtar uisce.

Thit an dorchadas agus fágadh an t-éan in airde ar an gcarraig ina aonar agus é ag caoineadh a mháthar.

An Bhainirseach is a hÉan

Micheál Ó Siochrú

Istigh sa Phluais Dhomhain a rugadh mac na bainirsí. Pluais fhada chaol dhorcha ba ea an Phluais Dhomhain, agus in airde ar leachtán cloiche istigh ina híochtar a bhí dulóg na bainirsí. Ón lá a rugadh é bhí an t-éan róin ina thromplán ramhar, cé nach raibh sin sa dúchas aige ó aon taobh. Ba mhór ba mhó imní na máthar a mac a bheith ina thromplán mar sin. D'fhan sí in airde ar an leachtán ina theannta níos faide ná mar ba ghnách, á chothú is á fhaire is á theagasc go foighneach. D'fhanfadh sí níos sia ann gan corraí uaidh ach gur éirigh an tarbhrón tuirseach de bheith ag breith éisc chuici. D'fhág sé dhá lá i ndiaidh a chéile í gan breac ar bith. B'éigean di géilleadh don ocras agus dul sa snámh.

Nach uirthi a bhí an imní agus í ar tí imeacht. Sháigh sí a héan siar go híochtar na dulóige agus thug sí sonc dá srón siar dó. Bhí sí chomh fada le faobhar na cloiche agus gúnga uirthi chun tumtha nuair a thosaigh an tromplán ag gnúsail agus ag éirí aniar. D'iompaigh sí anonn air, agus le hiarracht amháin dá gualainn chuir sí ar a dhroim é isteach sa ghnáthóg. Ansin d'imigh d'aon léim isteach san fharraige agus béal na pluaise amach.

Bhí sé ina lá breá gléigeal gréine lasmuigh den phluais dhorcha. Ba bheag ba spéis leis an mbainirseach an ní sin nuair a chuir sí a ceann aníos as an uisce agus d'fhéach sí thairsti, ach bhraith sí an taoide ag tuilleadh. Bheadh na héisc ag druidim faoi dhéin na gcarraigeacha anois. Thum sí faoi chun fiaigh. Pollóg, faoitín, ballach—aon, dó, trí cinn acu—slogtha siar ina craos aici in aon sciuird amháin.

Chuir sí a ceann aníos agus ghlac sí anáil. Síos léi arís, agus nuair a chuir sí a soc aníos arís bhí sí leath slí an phluais isteach agus greim droma aici ar phollóg bhráid-gheal a bhí ag cur creathanna cinn agus eireabaill di.

Má thug an tromplán cúl le dúchas ina chruth is ina dhéanamh, níorbh amhlaidh sin dó ina dhil in amh-iasc. Chuir sé caolghnúsa mífhoighne de agus a mháthair ag lapadaíl de dhroim na cloiche aníos chuige, ach ní luaithe a d'fháisc sé na fiacla sa phollóg ná gur athraigh sé go dtí gruthaíl mhúchta sásaimh. Tar éis na fleá do ní raibh fágtha den phollóg ach blaosc an chinn agus eití an eireabaill.

Ní mar sin don bhainirseach is dá mac ar an leachtán cloiche, ise ag soláthar is ag dáileadh bia airsean agus eisean ina lao biata ag éirí siar ar a lapaí is a eireaball agus ag cur scrogaill air féin.

Ach bhí a mháthair imníoch. Gach éan róin eile sa phluais a bhí comhaois lena mac féin—agus cuid níos óige—bhí siad imithe chun farraige cheana féin, iad múinte chun fiaigh agus ag soláthar dóibh féin. Níor chuir a mac féin ucht le farraige fós. Níor locht uirthi féin sin. D'imir sí mealladh agus bagairt agus bualadh air, ach chuaigh dá dícheall.

Lá amháin agus na rónta go léir imithe amach as an bpluais, réitíodh an scéal go léir gan coinne ar bith. Bhí an tromplán ina sheasamh ar fhaobhar na cloiche agus a mháthair ag síneadh éisc suas chuige nuair a thit sé i ndiaidh a chinn síos isteach sa taoide.

An teagmháil sin leis an sáile a mhúscail a dhúchas i gceart ann. D'éirigh leis feidhm chóir a bhaint as a bhaill snámha ar an gcéad iarracht dó. Nuair a bhraith sé cumas snámha agus gluaiseachta ann féin, d'imigh an eagla agus an imní de. Bhuail taom áthais agus gliondair é. Thosaigh sé ag tarraingt buillí snámha leis na lapaí, rad sé uisce uaidh lena eireaball, thum sé faoi, d'iompaigh sé ar a dhroim, agus ghluais sé béal na pluaise amach chun farraige. Bhí sé i seilbh a dhúchais: bhí sé ina rón mara.

Lean a mháthair amach é agus í ag déanamh iontais de.

Bhí an tráthnóna ann nuair a tháinig an bhainirseach is a mac as an bpluais amach, tráthnóna suanmhar buíghréine. Ní raibh corraí ar uachtar na farraige ach bog-ólaithe leasca leathana á n-ardú agus á síneadh féin i dtreo na tíre isteach. Chonaic an rón óg an fharraige uchtfhairsing uaidh amach, aillte dubha os a chionn, spéir laomtha thiar agus leirg ghlas tíre thoir. Leath iontas air. Tháinig baois áthais air. B'éigean dá mháthair teacht idir é agus gabháil chun farraige amach.

Thug sí an tráthnóna á mhúineadh is á theagasc siar cois na n-aillte, amach go dtí Carraig an Stuacáin agus as sin arís go dtí an Fhochais, mar is flúirsí a bhíonn iasc ar fáil. Mhúin sí fiach agus tóraíocht mionéisc dó. Mheas sé nach bhfaigheadh sé a dhóthain de go deo. Gach uair a chonaic sé scáth beag bán ag imeacht thairis ina splanc faoi uisce, thum sé agus lean is lúb is thug leis go huachtar iasc geal úr. Nárbh aoibhinn bheith beo!

D'ith siad araon a sáith amuigh ag an bhFochais. Bhí an ghrian ag ísliú thiar agus an taoide ag trá. Bhí sé in am dul abhaile. An bhainirseach a bhí ar tosach anois, an sách mic ina diaidh aniar ach é níos socra agus níos tuirsí. Ghluais siad leo go breá réidh neamhbhrostaithe; ach ansin, go tobann, d'athraigh an saol go léir acu. Stad an bhainirseach. Sheas sí san uisce. Shín sí a muineál agus dhírigh sí a súile ar rud éigin a bhí idir í agus an talamh. Ansin shearg an muineál agus chuir sí seitreach íseal di mar a dhéanann caora a bhíonn i dteannta. Ní mealladh ná bagairt a bhí ina glór ach eagla—uamhan—sceimhle. Níor chuala a mac a leithéid de ghlór riamh aisti, agus chuir sé cúpla sceamh bheag mífhoighne as. D'ionsaigh sí láithreach é. Bhuail sí buille eiteoige air agus shín sí a muineál thairis anonn chun a ghlórtha a mhúchadh. Ach bhí sé déanach aici. Cheana féin bhí an siorc ag déanamh fúthu amach—liamhán gréine den chineál a thagann á iomlasc féin sna farraigí grianmhara i ndeireadh an tsamhraidh.

Bhí an liamhán idir iad agus an phluais; ní raibh lasmuigh díobh ach an mhuir mhór mhaol. Níorbh aon mhaith teitheadh, níorbh aon mhaith troid, níorbh aon mhaith dul in iomaíocht snámha leis an míol mear mórfharraige seo. Bhí siad teanntaithe, gafa, slogtha—mura mbeadh amháin go bhféadfaidís áis éalaithe a dhéanamh den Stuacán, a bhí leath slí idir iad agus an namhaid. Bhí dhá throigh de mhullach maol cothrom na carraige sin os cionn uisce agus a himeall timpeall go bearnach fiaclach. Faoi dhéin na carraige sin is ea a dhein an bhanrón agus a mac sna buillí tréana snámha agus sceimhle ina gcroí. Dhein an liamhán ina dtreo go seolta so-ghluaiste agus bior na sainte ina dhá shúil.

Na rónta is túisce a bhain ciumhhais na carraige amach. Bhrúigh an bhainirseach a héan roimpi isteach i logán idir dhá speir. Thug an mac tréaniarracht ar í a leanúint in airde ar an gcarraig, ach shleamhnaigh sé i ndiaidh a chúil siar síos sa logán arís. Nach uirthi a bhí an t-uafás! Shín sí a ceann síos agus rug sí greim muiníl ar an tromplán chun é a tharraingt aníos, ach shleamhnaigh sé uaithi arís ina ailp gan lúth. Ní raibh aga aici aon iarracht eile a thabhairt: bhí an liamhán ag déanamh timpeall na carraige chucu i leith, imeacht sleamhain seolta faoi agus eite a dhroma ina cíor fhiaclach os cionn uisce. Léim an bhainirseach síos isteach sa logán arís agus sháigh sí a mac faoi chab na carraige. Ansin, chun an liamhán a mhealladh ón áit, steall sí scaird uisce os a cionn agus í ag tumadh faoi. Lean an liamhán í ina shaighead leabhair seanga, ach d'éirigh léi dul i bhfolach san fheamainn fhada. Lig sí thairis soir é agus ar chrapadh na súl bhí sí féin ar ais go dtí an logán arís. Bhí a mac ansiúd roimpi ina ailp eagla faoi chab na carraige. Tháinig sí laistiar de chun é a shá in airde. Níor éirigh léi. An raibh an liamhán ag filleadh? Ní raibh—fós. Thum sí faoina lao biata agus thóg sí in airde ar a droim féin é. Ansin chuir sí dronn uirthi féin isteach i gcoinne na carraige agus d'éirigh lena mac muirneach dul ó bhaol a shlogtha in airde ar mhullach sábháilte an Stuacáin.

Nuair a d'fhéach an bhainirseach thairisti bhí an liamhán ag béal an logáin, a cheann os cionn uisce is a chraos ar leathadh. Bhí faghairt ina shúil agus colg ina chíor ach é ciúin socair ullamh. Stealladh scairdeanna sáile san aer arís nuair a thum siad araon. Thug an bhainirseach cor agus casadh agus lúb, ach níor chuir sí an liamhán di an turas seo. Bhí sé chomh leabhair le heascann, chomh seolta le saighead. Bhraith sí ag teacht inti é, beag ar mbeag. Theagmhaigh rud éigin lena heireaball anois díreach, dar léi. Bhí fuaim agus feadaíl na gluaiseachta ag teacht níos cóngaraí, níos léire, níos ...

Ar chúl an chinn a rug sé uirthi, agus bhí sí marbh sular tháinig sí go huachtar uisce.

In airde ar lom an Stuacáin bhí mac na bainirsí ag cnáimhseán is ag éagaoin ag lorg a mháthar. Thráigh an taoide, diaidh ar ndiaidh. Mhúscail leoithne bheag de ghaoth aneas. Beag ar mbeag dhein an dorchacht comhdhath de thír is de mhuir is de charraig, agus den éanrón aonarach tréigthe ar mhullach an Stuacáin.

Ceist 2B. ***Freagra samplach***
[Note: The text of the story is given below.]

(i) **Ainm an scéil: Díoltas an Mhada Rua**
Ainm an údair: Seán Ó Dálaigh
(ii) (g) **Cuntas (fearg, díoltas)**

Bhí fear ina chónaí sa Ghaeltacht agus bhí sé bocht. Bhí feirm aige agus rinne sé iascaireacht. Lá amháin chuaigh sé go dtí an portach chun móin a bhaint agus lig sé a scíth ar an tslí. Chonaic sé mada rua ag rith sa tóir ar ghiorria. Bhí an giorria i mbéal an mhada rua. Lig an fear béic as agus scanraigh sé an mada rua. Thit an giorria amach as béal an mhada rua mar bhí eagla air. Thóg an fear an giorria abhaile leis.

Bhí an mada rua ag faire air. Ar aon nós bhí an giorria acu don dinnéar agus bhí béile breá acu. D'éirigh an fear ar maidin agus chuaigh sé amach. Bhí ionadh an domhain air nuair a chonaic sé cad a tharla. Mharaigh an mada rua na cearca agus na géanna. B'shin an chaoi ar bhain an mada rua díoltas amach ar an bhfeirmeoir. Cé go raibh fearg ar an mada rua bhí sé soiléir go raibh sé cliste chomh maith.

Díoltas an Mhada Rua

Séan Ó Dálaigh

Seanfhocal is ea é – chomh glic le mada rua. Agus i dteannta é a bheith glic bíonn sé díoltasach. Thaispeáin sé d'fhear ó Dhún Chaoin go raibh sé díoltasach mar b'air féin a d'imir sé an díoltas.

Iascaire ba ea an fear seo. Bhí féar bó de thalamh aige, ach ar an iascach is mó a mhaireadh sé. Choimeádadh sé aon bhó amháin i gcónaí chun braon bainne a bheith aige sa séasúr a liathfadh an braon tae dó nuair a bhíodh sé ar an bhfarraige ag iascach. Bhíodh an-chuid cearc agus lachan agus géanna ag a bhean.

Thug sé an bhó leis abhaile ón ngort luath go maith maidin. Chrúigh a bhean í láithreach baill. Sháigh said ansin chun cuigeann a dhéanamh agus nuair a bhí sí déanta acu d'imigh sé air chun an chnoic go gcríochnódh sé leis an móin a bhí ann aige á cnuchairt. Nuair a bhí sé trí nó ceathair de pháirceanna suas ón tigh bhí saothar air, agus bhí brat allais tríd amach mar fuair sé beagán dua ón gcuigeann a dhéanamh. Shuigh sé síos tamall dó féin i mbun a shuaimhnis agus bhí sé ag féachaint amach ar an bhfarraige mar a bhí sí chomh ciúin le linn abhann.

Pé casadh súl a thug sé síos ar pháirc a bhí faoina bhun chonaic sé fámaire mada rua agus é ag léim thall is abhus in aice le coill mhór ard sceach. D'fhair sé an mada rua go maith ach níor thug sé é féin le feiscint in aon chor dó.

Níorbh fhada dó gur chuala sé cúpla scréach uafásach timpeall na sceach agus ba ghearr go bhfaca sé an mada rua ag cur de suas ar a shuaimhneas chun an chnoic, agus a fhámaire breá giorria marbh ina bhéal aige. Is amhlaidh a bhraith an mada rua an giorria ina chodladh istigh sa choill sceach, agus níor dhein sé ach na sceacha a chorraí lena lapa agus ansan nuair a léim an giorria bocht amach as na toir sceach, ghreamaigh an mada rua ar sciúch é, agus mhairbh sé láithreach baill é.

Nuair a chonaic fear na móna an mada rua ag cur de suas chun an chnoic agus fámaire giorria ina bhéal aige, dúirt sé ina aigne féin gurbh ait agus gur lánait an cúrsa é – fámaire giorria a bheith le n-ithe ag an mada rua agus gan aon ghiorria aige féin.

Bhí claí mór ard trasna ar bharr na páirce, ach bhí bearna i gceann den chlaí. Bhí an bhearna díreach faoi bhun na háite a raibh an fear ina shuí ann. D'éalaigh sé leis síos go dtí an bhearna, agus dhein sé cuchaire de féin chun ná feicfeadh an mada rua é.

Nuair a tháinig an mada rua go dtí béal na bearna phreab an fear de gheit ina shuí, agus chuir sé béic uafásach as, agus dhein sé glam ag rá: 'Hula! Hula! Hula!'

Bhain sé an oiread sin de phreab as an mada rua, gur scaoil sé uaidh an giorria.

Agus thug sé féin, i ndeireadh an anama, suas fén gcnoc.

Ach ní fada suas a chuaigh sé nuair a shuigh sé síos ar a chosa deiridh agus d'fhéach sé le fána, agus chonaic sé an fear agus an giorria greamaithe aige.

Thóg an fear an giorria chun dul abhaile leis. Nuair a ghluais sé anuas le fána an chnoic agus an giorria aige bhí an mada rua á thabhairt fé ndeara, agus d'fhan sé ag faire air riamh is choíche go dtí go bhfaca sé ag bualadh doras a thí féin isteach é. D'imigh an mada rua an cnoc amach ansan.

D'fhéachadh an mada rua an fear anois is arís, nuair a bhí sé ag tabhairt an ghiorria abhaile leis, chun go mbeadh a fhios aige ar fhág an mada rua an áit a raibh sé ina stad ann, agus chíodh sé ann i gcónaí é. Fiú amháin nuair a bhí sé ag déanamh ar an doras thug sé sracfhéachaint suas ar an áit, agus chonaic sé sa phaiste céanna é.

Bhain sé preab as a bhean, nuair a bhuail sé chuici an doras isteach, agus seibineach mór de ghiorria aige, ach nuair a d'inis sé di conas a fuair sé an giorria chomh sonaoideach agus an bob a bhuail sé ar an mada rua bhí sí ag briseadh a croí ag gáire. Dúirt sé léi nár thóg an mada rua an dá shúil de féin go dtí gur chuir sé an doras isteach de.

Chuaigh sé amach go dtí an doras ansan féachaint an raibh an mada rua ann ach ní raibh. B'ait leis ar fad cad ina thaobh ar fhair an mada rua é féin riamh is choíche go dtí gur bhuail sé an doras isteach. Ní raibh an mada rua gan a réasún féin a bheith aige leis an bhfear a fhaire.

Chuaigh an fear suas ar an gcnoc ansan. Chnucharaigh sé deireadh a chuid móna, agus ansan shín sé siar go breá dó féin ar feadh tamaill in airde ar dhroim portaigh. Ach ní fhéadfadh sé é a chaitheamh amach as a cheann in aon chor cad ina thaobh ar fhair an mada rua é féin go dtí gur chuaigh sé isteach don tigh; agus nuair a bhí an t-eolas faighte aige, cad ina thaobh ar bhailigh sé leis ansan? Ach ní raibh sé i bhfad ina mhearbhall. Níorbh fhada dó gur chuir an mada rua in iúl dó cad ina thaobh.

Nuair a bhí sé tamall sínte siar ar an bportach d'éirigh sé ina shuí, agus tháinig sé abhaile. Bhí an giorria beirithe ag a bhean roimhe agus d'itheadar araon a leor dhóthain de.

Chuaigh sé ag iascach deargán ansan tráthnóna, agus nuair a tháinig sé abhaile tar éis na hoíche, bhí leathchéad deargán aige. Nuair a bhí a shuipéar caite aige, thosnaigh sé féin agus a bhean ar na deargán a ghlanadh, agus iad a chur ar salann, agus bhí sé cuibheasach deireanach siar san oíche san am ar chuaigh siad a chodladh.

Bhí smut maith den mhaidin caite sarar éiríodar mar bhíodar leathmharbh ag na deargán aréir roimhe sin.

Ach nuair a d'oscail an fear an doras ní mór ná gur thit sé as a sheasamh le huafás. Ní raibh aon ní le feiscint aige ach clúmh is cleití! Clúmh géanna, clúmh lachan agus clúmh cearc! Níor fhág an mada rua gé ná lacha ná cearc beo ag a bhean!

Bhí a fhios aige go maith ansan gur chun díoltais a dhéanamh air i dtaobh an ghiorria a bhaint de a mhairbh an mada rua a raibh de chearca agus de lachain agus de ghéanna sa tslánchruinne ag a bhean.

Gluais

á cnuchairt: footing it (turf)

lánait: an-ait go deo

Obair Duitse

Déan **Ceist 1 agus 2** ó scrúduithe an **Teastais Shóisearaigh, 2004, 2003, 2002, 2001, agus 2000.** Bain úsáid as na **freagraí samplacha thuas.**

Teastas Sóisearach 2004

ROINN I – PRÓS LITEARTHA	**[30 marc]**

Ceist 1. Léigh an sliocht seo agus freagair **trí cinn** de na ceisteanna a ghabhann leis. **(15 mharc)**
Ní mór ceist **amháin** a roghnú as **A** agus ceist **amháin** a roghnú as **B**. Is féidir an **tríú ceist** a roghnú as **A nó B**.)

[*Bíodh na freagraí i d'fhocail féin, chomh fada agus is féidir leat.*]

(Ní gá dul thar leathanach sa fhreagairt uait ar an gCeist seo ar fad.)

*An Cháis sa Ghaiste**

(Tá Sorcha ag obair i nGailearaí na Cathrach i mBaile Átha Cliath. I ngan fhios di tá an stiúrthóir, Dáithí, a raibh sí mór leis uair amháin, agus an preasoifigeach, Nicola, ag obair lámh ar láimh le ciorcal coirpeach idirnáisiúnta a ghoideann agus a dhíolann pictiúir luachmhara. Imíonn Dáithí agus Nicola ar ghnó agus ar saoire thar sáile.

Tamall gearr ina dhiaidh sin maraítear Nicola i gCaireo. Ceapann na póilíní agus na Gardaí go raibh lámh ag Dáithí sa dúnmharú. Téann siad ar a thóir. Filleann Dáithí abhaile agus déanann socrú chun bualadh le Sorcha ina teach féin. Úsáideann na Gardaí an deis seo chun é a ghabháil. Is bleachtaire Dúitseach é Hans atá ag cabhrú leis na Gardaí.)

1. D'fhan Sorcha ina suí sa chistin, bhí a fhios aici go raibh na Gardaí mórthimpeall uirthi. Bhí siad i bhfolach sa ghairdín, thuas staighre agus faoin staighre. Bhí Hans ann chomh maith ach ní raibh a fhios aici cá raibh sé. Bhí éadaí dubha orthu go léir. Bhí an téipthaifeadán ar siúl cheana féin mar bhí gach aon seans ann go labhródh Dáithí go hoscailte léi faoi gach rud.

2. Bhí sí ag caitheamh gúna bhuí. Bhí smideadh ar a haghaidh aici. Bhí sí réidh do Dháithí. D'oscail sí cúldoras na cistine agus d'fhéach sí amach. Oíche gheal a bhí ann, bhí an ghealach lán. 'Staic-staic-staic,' a chuala sí ón ngléas éisteachta a bhí á iompar ag duine de na Gardaí. Tháinig fothram ard as a mála ar an mbord sa chistin. D'imigh sí isteach arís agus labhair sí isteach ann. 'Cloisim sibh. Tá mé ceart go leor.' 'Staic-staic-

staic,' a chuala sí ag teacht anuas an staighre. Thóg sí a gléas féin amach. Hans a bhí ann. 'Hans, níl éinne anseo. Tá mé ceart go leor. Tá mé ag fanacht,' a dúirt sí i gcogar. 'Tá mé in ann gach rud a chloisteáil. Ná bí buartha,' a dúirt Hans go séimh tuisceanach léi.

3. De réir a chéile, stop na gléasanna. Bhí siad go léir ciúin. Stop Sorcha os comhair fhuinneog na cistine. Cheap sí go bhfaca sí rud éigin ag bogadh in aice an chrainn bhig sa ghairdín lasmuigh. Chonaic sí géaga an chrainn ag luascadh. Bhí a croí ag preabadh. Bhí sí ag éirí neirbhíseach. Chuala sí duine éigin ag déanamh casachta. Chas sí timpeall agus d'fhéach sí go géar ar an gcúldoras. Bhí duine éigin ag breathnú isteach tríd an ngloine uirthi. 'Lig isteach mé agus ná déan moill.' Shiúil sí trasna go dtí an doras agus d'oscail é. Bhí Dáithí ina sheasamh sa dorchadas. 'Tar isteach agus brostaigh ort mar tá go leor strainséirí thart anocht,' a dúirt sí. Chuaigh siad isteach go dtí an seomra suite. 'Bhí a fhios agam go bhféadfainn brath ort, go mbeifeá mar chara buan agam. Abair liom nach gcreideann tú na ráflaí,' a duirt Dáithí. 'Ní chreidim, ach d'imigh tú ar saoire le Nicola, agus maraíodh í,' a d'fhreagair Sorcha. 'Bhuel, sin scéal casta agus níl an t-am agam chun é a mhíniú duit anois,' arsa Dáithí.

4. Leis sin thit rud éigin thuas staighre agus léim Dáithí. D'fhéach sé go fíochmhar ar Shorcha, rug greim uirthi go dtí gur ghortaigh sé í. 'Cheap mé go raibh tú dílis,' a dúirt sé. 'Stad, stad,' a d'iarr Sorcha air. 'Bhí mé dílis duit, fiú nuair a d'imigh tú le Nicola', ar sí agus crith ina glór le heagla 'Dún do chlab a óinseach,' a dúirt Dáithí. 'Tá tusa ag teacht liomsa,' agus thóg scian as a phóca.

5. Leis sin léim Hans anuas ó bharr an staighre síos ar Dháithí. Rug sé greim air. Rinne Dáithí iarracht Hans a shá leis an scian. Chuala Sorcha urchar. Thit an scian ar an urlár. Bhí gunna ina láimh ag Hans. Shleamhnaigh Dáithí síos ar an urlár. Bhí a lámh ag cur fola. Thosaigh sé ag caoineadh. 'Tusa,' a dúirt sé ag féachaint ar Shorcha, 'bhí a fhios agam go ligfeá síos mé,' a bhéic sé. 'Tá mé gafa anois acu,' a dúirt sé, 'gafa.'

(Sliocht athchóirithe as an úrscéal ***Sorcha sa Ghailearaí*** le **Catherine Foley**)

*Cuirtear cáis sa **ghaiste** chun an luch a mhealladh agus chun breith air.

Ceisteanna (iad ar cómharc)

A (Buntuiscint)

(i) Luaigh **dhá rud**, atá luaite in **Alt 1**, a thabharfadh le fios don léitheoir go raibh gnó éigin as an ngnáth ar siúl i dteach Shorcha.

(ii) Deirtear go raibh Sorcha 'ag éirí neirbhíseach.' Breac síos **dhá phointe** eolais ó **Alt 3** a léiríonn an méid sin.

(iii) Conas a fuair Hans an lámh in uachtar ar Dháithí?
(Is leor **dhá phointe** eolais ó **Alt 5**.)

B (Léirthuiscint Ghinearálta)

(i) Luaigh **dhá thréith** a bhain le Dáithí mar dhuine, dar leat. I gcás **ceann amháin** den dá thréith sin tabhair píosa eolais as an téacs a léiríonn an tréith sin.
(ii) Bhí Sorcha mór le Dáithí uair amháin. An dóigh leat go léirítear é sin sa phíosa?
(Is leor **dhá phointe** a lua.)
(iii) An teideal maith é **An Cháis sa Ghaiste**, dar leat? Cuir **dhá fháth** le do thuairim.

Ceist 2. Freagair **A** nó **B** anseo. **(Ní gá dul thar leathleathanach nó mar sin i do fheagra.)** **(15 mharc)**

A

(i) Ainmnigh gearrscéal Gaeilge nó úrscéal Gaeilge nó dráma Gaeilge (a ndearna tú staidéar air i rith do chúrsa) a bhfuil an cineál céanna ábhair i gceist ann is atá sa sliocht i **gCeist 1** thuas. Ní mór teideal an tsaothair sin, mar aon le hainm an údair, a scríobh síos go soiléir.
(ii) Tabhair cuntas **gairid** ar a bhfuil sa saothar sin faoin gcineál sin ábhair.

nó

Déan comparáid **ghairid** idir a bhfuil sa sliocht i **gCeist 1** faoin ábhar úd agus a bhfuil faoin ábhar céanna sa saothar atá ainmnithe agat.

B

(i) Maidir le do rogha **ceann amháin** de na téamaí seo a leanas ainmnigh gearrscéal Gaeilge nó úrscéal Gaeilge nó dráma Gaeilge (a ndearna tú staidéar air i rith do chúrsa) a bhfuil an *téama* sin i gceist ann. Ní mór teideal an tsaothair sin, mar aon le hainm an údair, a scríobh síos go soiléir.
(a) Greann (b) Brón (c) Misneach (d) Eagla (e) Éad (f) Grá
(ii) Tabhair cuntas **gairid** ar a bhfuil sa saothar sin faoin *téama* atá roghnaithe agat.

(**Nóta**: I gcás **A** nó **B** thuas tá cead agat chomh maith dráma Gaeilge a ainmniú ar ghlac tú páirt ann i rith do chúrsa.)

Teastas Sóisearach 2003

ROINN I – PRÓS LITEARTHA	[30 marc]

Ceist 1. Léigh an sliocht seo agus freagair **tri cinn** de na ceisteanna a ghabhann leis. **(15 mharc)**
Ní mór ceist **amháin** a roghnú as **A** agus ceist **amháin** a roghnú as **B**. Is féidir an **tríú ceist** a roghnú as **A nó B**.)

[*Bíodh na freagraí i d'fhocail féin, chomh fada agus is féidir leat.*]

(Ní gá dul thar leathanach sa fhreagairt uait ar an gCeist seo ar fad.)

MISNEACH AN GHRÁ

(Tháinig ceo spáis idir an ghrian agus an domhan. Diaidh ar ndiaidh d'éirigh an domhan go léir fuar, chomh fuar sin nach raibh aon rogha ag na daoine ach an domhan a fhágáil agus aghaidh a thabhairt ar an spás. Chaith said céad bliain ag tógáil na spáslong, gach long acu chomh mór le cathair. I ngach long bhí ainmhithe, éin, éisc, crainn, míoltóga, cré agus bláthanna. Shocraigh siad ar dhul go dtí an pláinéad ***Sirius***, turas fada a thógfadh caoga bliain orthu. Nuair a d'fhág siad an domhan seo bhí siad go léir ina gcodladh go sámh, gach duine acu ina chófra gloine féin).

1. Nuair a bhí caoga bliain caite dhúisigh na daoine. Labhair guth ar an *intercom*. 'Seo é bhur dTaoiseach, Idí Ó Dónaill, ag caint libh. Fáilte romhaibh go Sirius! Tá deich bpláinéad anseo. Tá beatha ar phláinéad a cúig cé nach bhfuil aon scéal ag teacht ar an raidió uaidh go fóill. Pé scéal é rachaimid ag féachaint air inniu.

2. Nuair a bhí siad ag teacht in aice le pláinéad a cúig bhéic Idí amach go tobann: 'Feicim farraige ann agus talamh.' Bhí sé ar mire le háthas; 'agus feicim coillte, coillte glasa agus, agus....' Stop sé. 'Cathracha!' arsa Idí de scread. Bhí na deora lena bhean. Chuaigh siad timpeall an phláinéid cúpla uair. Chonaic siad na céadta cathracha agus ina measc ceann amháin a bhí an-mhór ar fad. Istigh i lár na cathrach seo bhí caisleán a bhí chomh mór le sliabh. Thuirling Idí agus a chlann féin in aice leis an gcaisleán sin.

3. Shiúil siad ar an bpláinéad. Líon siad a scamhóga le haer. Bhí an t-aer go maith ach bhí sé difriúil. D'fhéach siad suas ar an dá ghrian. Bhí siad ait. Bhí gach rud a bhain leis an áit ait agus mór... na crainn, na bláthanna, na tithe agus fiú an tsráid ar a raibh siad ag siúl, bhí sí chomh leathan le páirc. Níos aistí fós ní raibh duine ná deoraí le feiceáil. Tháinig siad go dtí an caisleán mór. Leath na súile orthu mar thosaigh an doras á oscailt. Shiúil siad isteach. Dúnadh an doras ina ndiaidh. 'Fáilte romhaibh go Slardic!' Bhain an guth geit astu. 'Cé a labhair?' arsa Idí. Ansin chonaic siad solas beag dearg ar lasadh ar an mbord a bhí i lár an halla. Chuaigh siad ina threo.

4. 'Cé thusa?' arsa Idí, 'a labhraíonn ár dteanga?' 'Is róbó mé. Tá tú ag éisteacht le téip. Labhraím gach teanga sa ghalacsaí.' 'Cá bhfuil muintir Slardic?' a d'fhiafraigh Idí. 'Marbh. Mharaigh na Gargaigh iad,' arsa an guth. 'Cén fáth a bhfuil sibh anseo?' a d'fhiafraigh sé. 'Ceo spáis. D'éirigh ár ndomhan fuar,' arsa Idí. 'Tuigim,' arsa an guth. 'Bhíomar féin ann cúig mhíle bliain ó shin. Agus ba mhaith libh cur fúibh anois ar Slardic,' ar sé. 'Ba mhaith linn, le do thoil,' arsa Idí. 'Tá go maith,' arsa an guth le hIdí, 'ach caithfidh tusa scrúdú a dhéanamh ar dtús. Caithfidh tú suí sa chathaoir sin agus caithfidh do chlann, a thuirling leat, dul an doras thall isteach.' Rinne Idí agus a chlann mar a dúradh leo.

5. 'Tá go maith,' arsa an guth. 'Tá dhá chnaipe ar an mbord sin os do chomhair amach, ceann dearg agus ceann bán. Má bhrúnn tú an cnaipe dearg sábhálfaidh tú an tríocha milliún duine de do mhuintir atá amuigh sa spás fós mar beidh fáilte rompu anseo agus beidh an pláinéad seo oiriúnach dóibh. Ach gheobhaidh do chlann féin bás an nóiméad a bhrúnn tú an cnaipe dearg. Os a choinne sin má bhrúnn tú an cnaipe bán beidh cead ag do chlann dul ar ais go dtí na spáslonga agus ní bheidh cead ag do mhuintir teacht anseo. Ach an nóiméad a bhrúnn tú an cnaipe bán gheobhaidh tú féin bás. Déan do rogha anois. Tá trí nóiméad agat,' arsa an guth.

6. Bhí Idí bán san aghaidh. Thosaigh sé ag cur allais. 'Nóiméad amháin!' arsa an guth. Bhraith Idí an bás ar a chroí. Thóg sé a lámh os cionn an chnaipe dheirg. Stop sé. Ansin bhrúigh sé an cnaipe bán. Níor tharla aon rud. Labhair an guth arís. 'Rinne tú an rud ceart, a mhic. Cheap mé ar dtús gur Ghargach thú. Ach tuigim anois nach ea. Bhuailfeadh Gargach an cnaipe dearg. Ní thuigeann an Gargach an grá. Tá sibh go léir saor. Fáilte romhaibh go Slardic!'

(Sliocht athchóirithe as an ngearrscéal 'Ceo Spáis' ón leabhar *Ráfla* le Seán Mac Mathúna)

A (Buntuiscint)

(i) In **Alt 2** deirtear go raibh Idí 'ar mire le háthas'. Cén fáth? (Is leor **dhá phointe** eolais.)

(ii) Luaigh **dhá rud**, atá luaite in **Alt 3**, a chuir ionadh ar Idí agus ar a chlann maidir leis an bpláinéad Slardic.

(iii) Breac síos **dhá phointe** eolais ón sliocht faoi na Gargaigh.

B (Léirthuiscint Ghinearálta)

(i) Luaigh **dhá thréith** a bhain le hIdí mar dhuine, dar leat. I gcás **ceann** amháin den dá thréith sin tabhair píosa eolais as an téacs a léiríonn an tréith sin.

(ii) 'Déan do rogha anois. Tá trí nóiméad agat.' Breac síos an **dá** dhrochthoradh atá luaite in **Alt 5** maidir leis an rogha a bhí le déanamh ag Idí.

(iii) An dtaitníonn críoch (**Alt 5 agus Alt 6**) an scéil leat? (Is leor **dhá chúis** a lua).

Ceist 2. Freagair **A** nó **B** anseo. **(Ní gá dul thar leathleathanach nó mar sin i do fheagra.)** **(15 mharc)**

A

(i) Ainmnigh gearrscéal Gaeilge nó úrscéal Gaeilge nó dráma Gaeilge (a ndearna tú staidéar air i rith do chúrsa) a bhfuil an cineál céanna ábhair i gceist ann is atá sa sliocht i **gCeist 1** thuas. Ní mór teideal an tsaothair sin, mar aon le hainm an údair, a scríobh síos go soiléir.
(ii) Tabhair cuntas **gairid** ar a bhfuil sa saothar sin faoin gcineál sin ábhair.

nó

Déan comparáid **ghairid** idir a bhfuil sa sliocht i **gCeist 1** faoin ábhar úd agus a bhfuil faoin ábhar céanna sa saothar atá ainmnithe agat.

B

(i) Maidir le do rogha **ceann** amháin de na *téamaí* seo a leanas ainmnigh gearrscéal Gaeilge nó úrscéal Gaeilge nó dráma Gaeilge (a ndearna tú staidéar air i rith do chúrsa) a bhfuil an *téama* sin i gceist ann. Ní mór teideal an tsaothair sin, mar aon le hainm an údair, a scríobh síos go soiléir.
(a) Gliceas (b) Bród (c) Éad (d) Misneach (e) Díoltas (f) Greann
(ii) Tabhair cuntas **gairid** ar a bhfuil sa saothar sin faoin *téama* atá roghnaithe agat.

(**Nóta**: I gcás **A** nó **B** thuas tá cead agat chomh maith dráma Gaeilge a ainmniú ar ghlac tú páirt ann i rith do chúrsa.)

Teastas Sóisearach 2002

ROINN I – PRÓS LITEARTHA **[30 marc]**

Ceist 1. Léigh an sliocht seo agus freagair **trí cinn** de na ceisteanna a ghabhann leis. **(15 mharc)**
Ní mór ceist **amháin** a roghnú as **A** agus ceist **amháin** a roghnú as **B**. Is féidir an **tríú ceist** a roghnú as **A nó B**.)

[*Bíodh na freagraí i d'fhocail féin, chomh fada agus is féidir leat.*]

(Ní gá dul thar leathanach sa fhreagairt uait ar an gCeist seo ar fad.)

FIOSRACHT NA HÓIGE

(Tá saoire an tsamhraidh á chaitheamh ag Órlaith agus Peadar i dteach a seanmháthar. Trasna ón teach tá seanchaisleán, áit a bhfuil seandálaí darb ainm Proinsias Ó Beacháin ag déanamh tochailte. Éiríonn Órlaith agus Peadar amhrasach agus fiosrach faoin a bhfuil ar siúl ann nuair a fheiceann siad solas sa chaisleán go déanach oíche i ndiaidh oíche. Beartaíonn said ar an scéal a fhiosrú dóibh féin.)

'Cad atá ar siúl agaibhse? Ní ceart daoibh a bheith ag fánaíocht timpeall na háite seo i lár na hoíche!' D'iompaigh an bheirt acu. An *seandálaí! An seandálaí ar chas siad leis tráthnóna! Lig Órlaith osna aistí le háthas. Bhí faitíos uirthi go raibh an bheirt fhear tar éis teacht orthu.

'Chonaiceamar an carr,' ar sise go tapa. 'Agus tá beirt fhear istigh sa chaisleán ansin! Féach isteach más mian leat! Tá **brathadóir miotail acu agus iad ag lorg rud éigin.' 'Tá an ceart aici,' arsa Peadar. 'Breathnaigh tú féin go bhfeicfidh tú!' 'Déanfaidh mé sin i gceann cúpla nóiméad,' arsa Proinsias Ó Beacháin, an seandálaí, go mífhoighneach leo. 'Ach abhaile libhse! Ní theastaíonn uaim sibh a fheiceáil istigh anseo go deo arís.' 'Fiú i rith an lae?' arsa Órlaith go díomách. D'fhéach sí sna súile ar an seandálaí. 'Níl a fhios agam go fóill. Feicfimid! Anois imígí libh ar an bpointe nó beidh ormsa sibh a thabhairt ar ais mé féin. Teastaíonn uaim na fir seo a fheiceáil! Bígí ciúin. Cloisfear sibh,' ar seisean.

Leis sin rith an bheirt fhear a bhí istigh sa túr tharstu. Ní raibh seans ag éinne faic a dhéanamh. Rith siad i dtreo an chairr, léim siad isteach ann agus d'imigh leo ar nós na gaoithe. 'Anois féach cad atá déanta agaibh!' arsa Proinsias Ó Beacháin go fíochmhar. 'Ná habair focal eile liom! Imígí libh!'

D'imigh Órlaith agus Peadar gan focal eile astu. Níor labhair siad go dtí gur shroich siad an teach. 'Cén saghas seandálaí é sin?' arsa Órlaith. Cad a bhí ar bun aige ag fánaíocht timpeall i lár na hoíche? 'Níl a fhios agam,' a d'fhreagair Peadar.

Go tobann rug Órlaith greim ar láimh a dearthár. 'Cogar a Pheadair, cén chaoi a rachaimid isteach sa teach? Níl aon eochair againn,' ar sise agus crith ina glór. 'Marófar sinn má bheirtear orainn.' Bhain an chaint preab as Peadar. Bhí an ceart aici. Bheadh a seanmháthair ar buile leo dá mbeadh orthu í a dhúiseacht chun iad a ligean isteach nó dá mbéarfadh sí orthu agus iad ag éalú isteach trí fhuinneog i ngan fhios di. Thosaigh an bheirt acu ag argóint faoin gcaoi ab fhearr le dul isteach.

Ar deireadh d'imigh Peadar leis ar feadh tamaill féachaint an raibh fuinneog ar chúl an tí ar oscailt. D'fhan Órlaith mar a raibh sí os comhair ar dorais tosaigh, ag stánadh ar an gcaisleán. Ní raibh an seandálaí imithe fós. Nárbh ait an rud é sin? Bhí a charr páirceáilte faoi rún aige thuas an bóthar. Cad a bhí ar bun aige?

Bhí an t-ádh leo mar bhí fuinneog ar oscailt ar chúl an tí agus dhreap siad isteach tríthi i ngan fhios dá seanmháthair. Chuaigh Órlaith go dtí a seomra codlata. Ach ní fhéadfadh sí codladh. Ar deireadh d'éirigh sí agus shuigh cois na fuinneoige ag féachaint trasna ar an gcaisleán. Bhí sé ciúin agus diamhair faoi sholas na gealaí.

(Sliocht athchóirithe as an úrscéal ***An Solas sa Chaisleán*** le **Muireann Ní Bhrolcháin**)

Gluais

* *seandálaí*: duine a bhíonn ag obair (ag tochailt) ar láithreacha stairiúla.

** *brathadóir miotail*: gléas chun rudaí déanta as miotal a aimsiú.

Ceisteanna (iad ar cómharc)

A (Buntuiscint)

(i) Cén fáth a ndeachaigh Órlaith agus Peadar amach go dtí an seanchaisleán i lár na hoíche? (Is leor **dhá phointe** eolais.)
(ii) "Anois féach cad atá déanta agaibh!" arsa Proinsias Ó Beacháin go fiochmhar. Mínigh an chúis ar labhair sé mar seo le hÓrlaith agus le Peadar. (Is leor **dhá phointe** eolais.)
(iii) "Go tobann rug Órlaith greim ar láimh a dearthár." Breac síos **dhá chúis** a ndearna Órlaith é seo.

B (Léirthuiscint Ghinearálta)

(i) Luaigh **dhá thréith** a bhain le Proinsias Ó Beacháin, an seandálaí, dar leat. I gcás **ceann** amháin den dá thréith sin tabhair píosa eolais as an téacs a léiríonn an tréith sin.
(ii) An dóigh leat go raibh rud éigin rúnda (nó faoi cheilt) ar siúl sa seanchaisleán? Tabhair **dhá chúis** mar thaca le do fhreagra.
(iii) "Bhí sé ciúin agus diamhair faoi sholas na gealaí." Mínigh a bhfuil i gceist san abairt seo, dar leat. Is leor **dhá phointe** eolais.

Ceist 2. Freagair **A** nó **B** anseo. **(Ní gá dul thar leathleathanach nó mar sin i do fheagra.)** **(15 mharc)**

A

(i) Ainmnigh gearrscéal Gaeilge nó úrscéal Gaeilge nó dráma Gaeilge (a ndearna tú staidéar air i rith do chúrsa) a bhfuil an cineál céanna ábhair i gceist ann is atá sa sliocht i **gCeist 1** thuas. Ní mór teideal an tsaothair sin, mar aon le hainm an údair, a scríobh síos go soiléir.

(ii) Tabhair cuntas **gairid** ar a bhfuil sa saothar sin faoin gcineál sin ábhair.

nó

Déan comparáid **ghairid** idir a bhfuil sa sliocht i **gCeist 1** faoin ábhar úd agus a bhfuil faoin ábhar céanna sa saothar atá ainmnithe agat.

B

(i) Maidir le do rogha **ceann** amháin de na cineálacha daoine seo a leanas ainmnigh gearrscéal Gaeilge nó úrscéal Gaeilge nó dráma Gaeilge (a ndearna tú staidéar air i rith do chúrsa) a bhfuil an cineál sin duine i gceist ann. Ní mór teideal an tsaothair sin, mar aon le hainm an údair, a scríobh síos go soiléir.

(a) Duine uaigneach (b) Duine glic (c) Duine amaideach (d) Duine fiosrach (e) Duine deas (f) Drochdhuine

(ii) Tabhair cuntas **gairid** ar a bhfuil sa saothar sin faoin gcineál duine atá roghnaithe agat.

(**Nóta**: I gcás **A** nó **B** thuas tá cead agat chomh maith dráma Gaeilge a ainmniú ar ghlac tú páirt ann i rith do chúrsa.)

Teastas Sóisearach 2001

ROINN I – PRÓS LITEARTHA **[30 marc]**

Ceist 1. Léigh an sliocht seo agus freagair **trí cinn** de na ceisteanna a ghabhann leis. **(15 mharc)**

Ní mór ceist **amháin** a roghnú as **A** agus ceist **amháin** a roghnú as **B**. Is féidir an **tríú ceist** a roghnú as **A nó B**.)

[*Bíodh na freagraí i d'fhocail féin, chomh fada agus is féidir leat.*]

(Ní gá dul thar leathanach sa fhreagairt uait ar an gCeist seo ar fad.)

SUAIMHNEAS SCRIOSTA

(Is sliocht athchóirithe é seo as an úrscéal **Ríocht na hAbhann** le **Séamas Céitinn.** San úrscéal seo déantar cur síos ar theaghlach ealaí: **Lorc, Caoimhe** agus a gclann. Bhí ord agus eagar ar a saol go dtí gur tharla an eachtra seo.)

Bhí deifir ar thiománaí an tancaeir bhuí. Chomh luath agus a bheadh an lasta díosail seachadta aige agus an tancaer ar ais i gclós an stóir bheadh sé ar saoire. Ach bhí sé na mílte ó Bhaile an Inbhir go fóill, agus ansin bheadh an turas ar ais go dtí an stór roimhe. Ba chuma leis mura mbeadh sé le bheith ar eitleán chun na Spáinne an tráthnóna sin.

Ag teacht anuas an fhána chun an droichid dó bhrúigh sé ar throitheán an choscáin. Níor maolaíodh luas an tancaeir. Bhrúigh sé ar an troitheán arís. Níor tharla a dhath. Bhí an troitheán bog faoina chois. Chonaic sé roimh balla an droichid agus an casadh beag sa bhóthar sula sroichfeadh sé é. Chas sé an roth stiúrtha. Bhí an t-allas ag teacht amach ar a lámha air. Dá mbeadh an t-ádh leis thabharfadh sé an tancaer thar an chasadh. Bhí an bóthar ag éirí beagán ar an taobh eile den droichead. Stadfadh sé an tancaer ansin.

Ach theip air: bhuail an cábán balla an droichid agus caitheadh na clocha síos ar an sruthan. Óna shuíochán ard chonaic an tiománaí barr an bhalla ag síneadh amach roimhe. Threabh an tancaer ar aghaidh ag réabadh na gcloch amach. Ansin chonaic an tiománaí an taobh eile den bhalla agus mhothaigh sé greim docht an chreasa sábhála trasna a choirp — bhí an tancaer ag titim. Fuair sé spléachadh ar ealaí thíos ar bharr an uisce. Ansin bhí bruach thall an tsrutháin ag éirí aníos chuige go mear . . .

Tormán millteanach os a gcionn, clocha ag titim ón spéir agus suaitheadh mór san uisce — baineadh preab as na healaí. Leath na héin óga a sciatháin. Shios Lorc agus Caoimhe go colgach agus chuir gothaí troda orthu féin. Bhíothas ag bagairt ar a gclann, ach cá raibh an namhaid? I dtobainne bhí ciúnas arís ann. Shíothlaigh fearg na n-ealaí. D'fhéach siad ar an tancaer mór buí a bhí tite trasna an tsrutháin. Bhí na rothaí cúil ar thaobh amháin agus ar an taobh eile bhí an cábán a raibh a dhíon agus na doirse brúite le chéile mar a bheadh blaosc uibhe ann. Bhí an ghrian á frithchaitheamh ó thaobh an tancaeir, áit a raibh díosal ag sileadh anuas. Thosaigh na healaí óga ag itheadh na bplandaí uisce arís.

Níor fágadh faoi shuaimhneas iad. Stad gluaisteán ar an bhóthar agus tháinig fear anuas go dtí an cábán. Chualathas é ag iarraidh an doras a oscailt, ag glaoch ar an tiománaí. Ansin bhí tost ann. Streachail sé suas go dtí a ghluaisteán arís agus as go brách leis. I ndiaidh leathuaire thosaigh na feithiclí ag teacht — otharcharr, an bhriogáid dóiteáin agus cuid mhór gluaisteán. Le dua mór tógadh an tiománaí as an chábán. Iomlán an ama bhí an díosal ag sileadh isteach sa sruthán.

Gluais Lasta: ualach; seachadta: tugtha amach; a dhath: aon rud; spléachadh: radharc; tormán: torann; colgach: feargach.

Ceisteanna (iad ar cómharc)

A (Buntuiscint)

(i) 'Bhí deifir ar thiománaí an tancaeir bhuí.' Cén fáth? Luaigh **rud amháin** a bhí le déanamh aige sula mbeadh sé críochnaithe.

(ii) 'Bhí an t-allas ag teacht amach ar a lámha air.' Breac síos **dhá phointe** eolais as **Alt a Dó** a mhíníonn dúinn an chúis a bhí leis seo.

(iii) 'Baineadh preab as na healaí.' Déan cur síos ar **dhá rud** a rinne na healaí a thabharfadh le fios duit gur baineadh preab astu.

B (Léirthuiscint Ghinearálta)

(i) Luaigh **dhá thréith** a bhain leis an tiománaí mar dhuine, dar leat. I gcás **ceann amháin** den dá thréith sin tabhair píosa eolais as an téacs a léiríonn an tréith sin.

(ii) An dóigh leat gur gortaíodh an tiománaí go dona? Tabhair **dhá chúis** mar thaca le do fhreagra.

(iii) Ar thaitin an sliocht seo leat? Cuir **dhá chúis** le do fhreagra.

Ceist 2. Freagair **A** nó **B** anseo. **(Ní gá dul thar leathleathanach nó mar sin i do fheagra.)** **(15 mharc)**

A

(i) Ainmnigh gearrscéal Gaeilge nó úrscéal Gaeilge nó dráma Gaeilge (a ndearna tú staidéar air i rith do chúrsa) a bhfuil an cineál céanna ábhair i gceist ann is atá sa sliocht i **gCeist 1** thuas. Ní mór teideal an tsaothair sin, mar aon le hainm an údair, a scríobh síos go soiléir.

(ii) Tabhair cuntas **gairid** ar a bhfuil sa saothar sin faoin gcineál sin ábhair.

nó

Déan comparáid **ghairid** idir a bhfuil sa sliocht i **gCeist 1** faoin ábhar úd agus a bhfuil faoin ábhar céanna sa saothar atá ainmnithe agat.

B

(i) Maidir le do rogha ceann amháin de na téamaí seo a leanas ainmnigh gearrscéal Gaeilge nó úrscéal Gaeilge nó dráma Gaeilge (a ndearna tú staidéar air i rith do chúrsa) a bhfuil an téama sin i gceist ann. Ní mór teideal an tsaothair sin, mar aon le hainm an údair, a scríobh síos go soiléir.
(a) Éad (b) Áthas (c) Fearg (d) Díomá (e) Grá (f) Dóchas.

(ii) Tabhair cuntas **gairid** ar a bhfuil sa saothar sin faoin téama atá roghnaithe agat.

(**Nóta**: I gcás **A** nó **B** thuas tá cead agat chomh maith dráma Gaeilge a ainmniú ar ghlac tú páirt ann i rith do chúrsa.)

Teastas Sóisearach 2000

ROINN I – PRÓS LITEARTHA [30 marc]

Ceist 1. Léigh an sliocht seo agus freagair **trí cinn** de na ceisteanna a ghabhann leis. **(15 mharc)**
Ní mór ceist **amháin** a roghnú as **A** agus ceist **amháin** a roghnú as **B**. Is féidir an **tríú ceist** a roghnú as **A nó B**.)

[*Bíodh na freagraí i d'fhocail féin, chomh fada agus is féidir leat.*]

(Ní gá dul thar leathanach sa fhreagairt uait ar an gCeist seo ar fad.)

TRIAIL AISTEOIREACHTA

(Scéal é seo faoin gcéad triail aisteoireachta a bhí ag an aisteoir Ingrid Bergman.)

Bhí sciorta bréidín uirthi agus geansaí a chniotáil sí féin. Bhí sí beagnach ocht mbliana déag d'aois agus an mhaidin áirithe seo bhí sí an-neirbhíseach ar fad. Ba é seo an lá ba thábhachtaí ina saol.

Bhí Ingrid Bergman ar a bealach chuig an gColáiste Ríoga Drámaíochta. Mura n-éireodh léi sa triail aisteoireachta seo ní bhfaigheadh sí ionad sa choláiste. Mura n-éireodh léi ionad a fháil sa choláiste, bheadh uirthi glacadh le post mar fhreastalaí siopa nó mar rúnaí in oifig éigin.

Bhí Ingrid tar éis gealltanas a thabhairt dá huncail Otto go ndéanfadh sí dearmad iomlán ar an aisteoireacht dá dteipfeadh uirthi inniu. Bhí a fhios ag Otto go raibh spéis ag Ingrid i gcúrsaí drámaíochta ach ní raibh sé róshásta nuair a chuala sé gur theastaigh uaithi a saol ar fad a chaitheamh ar an stáitse.

Thuig sé freisin, áfach, go raibh Ingrid ceanndána agus dá bhrí sin rinne sé margadh léi.

"Ceart go leor," a dúirt sé, "íocfaidh mise as na ranganna aisteoireachta. Déan pé trialacha aisteoireachta a chaithfidh tú a dhéanamh. Ach má theipeann ort, sin deireadh leis."

Gheall Ingrid go mbeadh deireadh leis 'an tseafóid aisteoireachta seo' mura nglacfaí léi sa Choláiste Ríoga Drámaíochta.

Bhí cúigear is seachtó istigh ar na trialacha. Ní ghlacfaí ach le fhíorbheagán díobh. Bhí ar Ingrid a bheith ar dhuine den fhíorbheagán sin. Shroich sí doras stáitse na hamharclainne. Shiúil sí isteach san oifig...

Cúpla seachtain roimhe sin shiúil sí isteach san oifig chéanna lena clúdach litreach mór donn. Istigh sa chlúdach, bhí na trí shliocht a bhí roghnaithe aici féin don triail. Roghnódh na moltóirí dhá cheann díobh sin. Mura mbeidís sásta léi thabharfaí a clúdach donn féin ar ais di. Ach dá mbeidís sásta gheobhadh Ingrid clúdach litreach bán agus data a céad trialach eile istigh ann...

Bhí póirtéir san oifig roimpi. D'fhéach sé ar a liosta. "Uimhir a sé déag," a dúirt sé. "Ní ghlaofar ort go ceann tamaill eile."

Shiúil Ingrid amach arís, trasna an bhóthair agus isteach i bpáirc bheag in aice na farraige. Ina haigne thosaigh sí ag cleachtadh, ag dul siar ar a céad línte.

Tar éis tamaill, d'fhill sí ar an amharclann. Bhí cúig nóiméad déag le spáráil aici fós. Sa deireadh, glaodh a hainm...

Píosa éadrom bríomhar a bhí i gcéad rogha na moltóirí. Sliocht as dráma Ungárach faoi chailín óg dathúil atá ag magadh faoi bhuachaill óg atá ag suirí léi. Léimeann an cailín trasna na habhann. Seasann sí ansiúd agus í ag gáire faoin mbuachaill...

Léim Ingrid amach ar an stáitse. Sheas sí agus rinne gáire. Dúirt sí a céad líne agus stop sí. Go tobann, tuigeadh di nach raibh aon duine ag tabhairt aird uirthi. Bhí na moltóirí go léir ag caint. Ní raibh duine ar bith ag féachaint uirthi ná ag éisteacht léi. Chuir sé seo isteach chomh mór sin ar Ingrid go ndearna sí dearmad ar an gcéad líne eile. Sula raibh am aici breith uirthi féin chuala sí glór an chathaoirligh.

"Is leor sin. Go raibh maith agat... An chéad duine eile." Shiúil Ingrid den stáitse. Shiúil sí amach an doras. Níor fhéach sí ar aon duine. Níor labhair sí le haon duine.

Chas sí ar a sála agus shiúil sí abhaile go mall. Bhí a col ceathracha sa bhaile roimpi. Ní raibh fonn ar Ingrid labhairt leo. Ach bhí fonn cainte orthu siúd...

Cá raibh sí? ... Cén fáth ar thóg sé chomh fada sin uirthi teacht abhaile? ... Bhí a cara Lars Seligman ar an teileafón ... Fuair seisean clúdach bán ... agus dúirt sé go bhfuair Ingrid ceann bán freisin ... Ní fhéadfadh sí an scéal a chreidiúint. Arís chas sí ar a sála. An uair seo níor shiúil sí. Rith sí ar nós na gaoithe. Síos an staighre, amach an doras, síos an bóthar i dtreo na hamharclainne.

Sa deireadh shroich sí oifig an phóirtéara. Thug an póirtéir clúdach litreach bán di. D'oscail sí é ... "Beidh do chéad triail eile ar an ..." Fós, ní fhéadfadh sí é a chreidiúint.

Na blianta ina dhiaidh sin casadh duine de na moltóirí uirthi agus chuir Ingrid an cheist sin air. "Níor ghá dúinn éisteacht leat," a dúirt sé. "Ba léir ón gcaoi ar léim tú amach ar an stáitse go raibh féith na haisteoireachta ionat!"

(as: "Mná as an nGnáth" le **Áine Ní Ghlinn**)

Ceisteanna (iad ar cómharc)

A (Buntuiscint)

(i) Cén áit a raibh Ingrid Bergman ag dul "an mhaidin áirithe seo"? Cén fáth a raibh sí ag dul ann?

(ii) Luaigh **dhá** phointe eolais ón scéal mar gheall ar an "margadh" a rinne Ingrid lena huncail Otto.

(iii) "Léim Ingrid amach ar an stáitse. Sheas sí agus rinne gáire." Luaigh **dhá** chúis gur thosaigh sí an triail aisteoireachta mar seo.

B (Léirthuiscint Ghinearálta)

(i) "Is leor sin. Go raibh maith agat ... An chéad duine eile." Conas a mhothaigh Ingrid nuair a chuala sí na focail seo? Cuir **fáth** amháin le do thuairim.

(ii) Déan cur síos gairid ar an tábhacht a bhain leis na clúdaigh litreach sa scéal seo.

(iii) Luaigh **dhá** thréith a bhaineann le Ingrid sa scéal seo. I gcás ceann amháin den dá thréith sin, déan cur síos ar rud amháin a thugann léiriú ar an tréith sin.

Ceist 2. Freagair **A** nó **B** anseo. **(Ní gá dul thar leathleathanach nó mar sin i do fheagra.)** **(15 mharc)**

A

(i) Ainmnigh gearrscéal Gaeilge nó úrscéal Gaeilge nó dráma Gaeilge (a ndearna tú staidéar air i rith do chúrsa) a bhfuil an cineál céanna ábhair i gceist ann is atá sa sliocht i **gCeist 1** thuas. Ní mór teideal an tsaothair sin, mar aon le hainm an údair, a scríobh síos go soiléir.

(ii) Tabhair cuntas **gairid** ar a bhfuil sa saothar sin faoin gcineál sin ábhair.

nó

Déan comparáid **ghairid** idir a bhfuil sa sliocht i **gCeist 1** faoin ábhar úd agus a bhfuil faoin ábhar céanna sa saothar atá ainmnithe agat.

B

(i) Maidir le do rogha ceann amháin de na ábhair seo a leanas ainmnigh gearrscéal Gaeilge nó úrscéal Gaeilge nó dráma Gaeilge (a ndearna tú staidéar air i rith do chúrsa) a bhfuil an t-ábhar sin i gceist ann. Ní mór teideal an tsaothair sin, mar aon le hainm an údair, a scríobh síos go soiléir.
(a) Spórt (b) Ceol (c) An Chlann (d) An Scoil (e) Éin **nó** Ainmhithe (f) Ól **nó** Drugaí

(ii) Tabhair cuntas **gairid** ar a bhfuil sa saothar sin faoin ábhar atá roghnaithe agat.

(Nóta: I gcás **A** nó **B** thuas tá céad agat chomh maith dráma Gaeilge a ainmniú ar ghlac tú páirt ann i rith do chúrsa.)

PÁIPÉAR II FILÍOCHT

Treoracha

1 *Fad:* Is leor leathanach amháin chun ceist 1 a fhreagairt agus leath-leathanach chun ceist 2 a fhreagairt.
2 *Rogha* (ceist 1): Trí cheist as sé cinn:
- ceann amháin as A (buntuiscint)
- ceann amháin as B (léirthuiscint ghinearálta)
- ceann eile as A *nó* B.

3 Maidir le ceist 2, bí cinnte gur féidir leat
—teideal an dáin a litriú i gceart;
—ainm an fhile a litriú i gceart.
4 Bain úsáid as an ngluais.
5 Cuir an uimhir cheart ar gach freagra, m.sh. (i) (*a*), (iii) (*b*), srl.

Téamaí (Themes)

Tá trí mhórthéama anseo:
(*a*) na mothúcháin;
(*b*) saol an duine;
(*c*) dúlra agus timpeallacht.

Note: Revise the vocabulary given for *prós liteartha* on page 85–7.

Pointí breise

Spreagadh nó inspioráid (Inspiration)
'Spreag an t-uaigneas [*loneliness*] an file sa dán seo ...'

Samplaí eile

brón (*sorrow*)
grá (*love*)
aoibhneas (*delight*)
áilleacht (*beauty*)
tnúth (*expectation*)
tírghrá (*patriotism*)
saoirse (*freedom*)
neamhspleáchas (*independence*)
ionracas (*integrity*)
fuath (*hatred*)
dóchas (*hope*)
éadóchas (*despair*)

Friotal (Language)

- Tá an roghnú focal [*word choice*] go maith ...
- Tá an friotal lom gonta [*unadorned and concise*] sa dán seo.
- Tá an friotal ornáideach [*ornate*] sa dán seo.
- Is breá liom an tslí ina gcuireann an file ... os ár gcomhair.
- Tá stíl [*style*] an fhile simplí soiléir [*simple and clear*].

Teicníochtaí (Techniques)

- **codarsnacht** (*contrast*)—Déanann an file codarsnacht idir … agus …
- **meafar** (*a metaphor*)
- **samhail** (*a simile*)
- **uaim** (*alliteration*)
- **comhfhocail** (*compound words*)
- **onamataipé** (*onomatopoeia*)—Cloisimid fuaim na farraige, na gaoithe srl. sna focail a úsáideann an file.
- **an fallás truamhéalach** (*the pathetic fallacy*)—nuair a bhíonn an nádúr nó an dúlra [*nature*] agus mothúcháin an fhile i dtiúin [*in tune*] le chéile

Ar thaitin an dán leat?

Useful phrases

- thaitin an dán seo go mór liom (*I really enjoyed this poem*)
- bhí tionchar mór ag an dán orm (*the poem had a great effect on me*)
- chuaigh an dán i bhfeidhm go mór orm (*the poem really impressed me*)
- mhúscail an dán áthas/brón srl. ionam (*the poem aroused happiness/sorrow etc. in me*)

> *Note*
> In the following pages you will find
> —sample answers for *ceist 1,* Teastas Sóisearach, 1996;
> —a sample answer for *ceist 2A,* including text of poem;
> —a sample answer for *ceist 2B,* including text of poem;
> —questions from previous examination papers.

Teastas Sóisearach, 1996

Ceist 1

Léigh an dá dhán atá anseo thíos agus freagair *trí cinn* de na ceisteanna a ghabhann leo. (Ní mór ceist amháin a roghnú as 'A' agus ceist amháin a roghnú as 'B'. Is féidir an tríú ceist a roghnú as 'A' *nó* 'B'.)

(Bíodh na freagraí i d'fhocail féin chomh fada agus is féidir leat.)

NB. Ní gá dul thar leathanach sa fhreagairt uait ar an gceist seo ar fad.

Seomra na Ríomhairí (2.45 p.m.)

Déaglán Collinge

1
Sáite sa ghnó
Tá na daltaí
Ag oibriú cnaipí:
Ar na scáileáin ghlasa
Nochtar litreacha
Ár n-aoise.

2
Ní minic pleidhcíocht
I seomra na ríomhairí,
Is teampall beannaithe é
Mar a dtugtar urraim
Do dhia na huaire.

3 Tá blianta
De bhuntáiste
Ag mo dhaltaí orm,
Agus is duine gan aird mé
I saol na n-earraí crua
Is na n-earraí boga.

4 Fanaim amuigh
Ar eagla mo shéidte,
Ó nach bhfuilim cláraithe.
Is ionróir spáis mé.

Subh Milis
Séamas Ó Néill

Bhí subh milis
Ar bhaschrann an dorais,
Ach mhúch mé an corraí
Ionam a d'éirigh,
Mar smaoinigh mé ar an lá
A bheas an baschrann glan,
Agus an lámh bheag
Ar iarraidh.

Gluais
mar a: in which
urraim: honour
gan aird: insignificant
ionróir spáis: space invader
baschrann [boschrann]: doorknocker
corraí: vexation
ar iarraidh: missing

Ceisteanna
A (Buntuiscint)
(i) 'Ar na scáileáin ghlasa/Nochtar litreacha ár n-aoise.' Cad tá i gceist sna línte sin in 'Seomra na Ríomhairí'?
(ii) Sa cheathrú véarsa de 'Seomra na Ríomhairí' tugann an file an fáth a bhfanann sé féin taobh amuigh den seomra úd. Déan cur síos ar an bhfáth sin.
(iii) 'Ach mhúch mé an corraí/Ionam a d'éirigh.' Cad tá i gceist sna línte sin in 'Subh Milis'?

B (Léirthuiscint ghinearálta)
(i) Sa chéad agus sa dara véarsa de 'Seomra na Ríomhairí' cuireann an file pictiúr áirithe den seomra sin os ár gcomhair. Luaigh *trí* phointe a bhaineann leis an bpictiúr sin.
(ii) Sa tríú agus sa cheathrú véarsa de 'Seomra na Ríomhairí' déanann an file comparáid idir é féin agus na daltaí. Luaigh *trí* phointe faoin gcomparáid sin.
(iii) Sa dán 'Subh Milis' déanann an file comparáid idir rud áirithe a tharla le déanaí agus rud níos measa ná sin a tharlóidh san am atá le teacht. Luaigh *trí* phointe faoin gcomparáid sin.

Freagraí samplacha

A (Buntuiscint)

(i) Is é atá i gceist ag an bhfile sna línte seo ná go bhfuil rudaí ar na scáileáin i seomra na ríomhairí a thaispeánann dúinn go bhfuilimid san fhichiú haois. Is rud nua-aoiseach [*modern*] an ríomhaire, agus feictear don fhile [*it seems to the poet*] go bhfuil gach rud ar na scáileáin ceangailte leis an nua-aois [*the modern age*].

(ii) Is mian leis an bhfile fanacht taobh amuigh de sheomra na ríomhairí, mar braitheann sé [*he feels*] gur duine é nach mbaineann leis an áit sin. Is dócha go bhfeiceann sé go bhfuil an saol nua-aoiseach ag gluaiseacht go han-tapa agus nach bhfuil sé féin 'suas chun dáta' [*up to date*]. Dá bhrí sin b'fhearr leis fanacht lasmuigh san áit ina bhfuil sé compordach.

(iii) Bhí fearg ar an bhfile sa dán seo nuair a chonaic sé salachar ar an mboschrann, ach níor mhair an fhearg rófhada. Is é atá i gceist ag an bhfile ná gur chuir sé stop leis an bhfearg a tháinig air.

B (Léirthuiscint ghinearálta)

(i) Is é an chéad phointe faoin bpictiúr ná go bhfuil na daltaí tógtha suas ar fad leis an obair atá ar siúl acu leis na ríomhairí:

Sáite sa ghnó
Tá na daltaí

Is é an dara pointe ná go bhfuil na daltaí go léir dea-iomprach [*well-behaved*] agus nach mbíonn pleidhcíocht ar bith ar siúl acu:

Ní minic pleidhcíocht
I seomra na ríomhairí

Baineann an tríú pointe leis an áit freisin: tá atmaisféar naofa ann, an seomra cosúil le séipéal:

Is teampall beannaithe é.

(ii) I dtosach deireann sé linn go bhfuil na daltaí níos fearr ná é féin ag plé leis [*dealing with*] na ríomhairí:

Tá blianta
De bhuntáiste
Ag mo dhlataí orm

Sa dara háit ceapann sé nach bhfuil aon tábhacht leis féin sa saol nua-aoiseach atá timpeall air i seomra na ríomhairí. Ní mar sin atá na daltaí, mar tá siad lán d'eolas faoi na ríomhairí,

Agus is duine gan aird mé.

Sa deireadh ceapann sé go bhfuil sé níos fearr fanacht lasmuigh, mar braitheann sé cosúil le duine nach bhfuil ina bhall de chlub. Tá na daltaí sa chás seo cosúil leis na baill chláraithe [*paid-up members*]:

Ó nach bhfuilim cláraithe
Is ionróir spáis mé.

(iii) Bhí fearg ar an bhfile nuair a chonaic sé go raibh an boschrann salach, agus ní raibh sé sásta leis an leanbh a shalaigh é. Sin an rud a tharla le déanaí. Smaoinigh sé ansin ar an am a bheas an boschrann glan, ach ní ró-shásta atá sé. Nuair a thiocfaidh an lá sin beidh gach rud go deas néata sa teach, murab ionann is anois [*unlike now*]. Mar sin féin ní bheidh an file sásta, mar beidh sé uaigneach. Cén fáth? Beidh uaigneas air toisc go bhfuil a pháistí imithe uaidh.

Ceist 2

Freagair A nó B anseo. (Ní gá dul thar leathanach nó mar sin i do fhreagra.)

A

(i) Ainmnigh dán Gaeilge (a ndearna tú staidéar air i rith do chúrsa) a bhfuil an cineál céanna ábhair i gceist ann is atá i do rogha *ceann amháin* den dá dhán i gceist 1 thuas. Ní mór teideal an dáin sin, mar aon le hainm an fhile a chum, a scríobh síos go soiléir.

(ii) Tabhair cuntas *gairid* ar a bhfuil faoin gcineál sin ábhair sa dán atá ainmnithe agat agus ar an gcaoi a gcuireann an file os ár gcomhair é.

nó

Déan comparáid *ghairid* idir a bhfuil faoin ábhar úd sa dán atá roghnaithe agat as ceist 1 agus a bhfuil faoin ábhar céanna sa dán atá ainmnithe agat.

B

(i) Ainmnigh dán Gaeilge (a ndearna tú staidéar air i rith do chúrsa) a bhfuil do rogha *ceann amháin* de na mothúcháin seo thíos i gceist ann. Ní mór teideal an dáin sin, mar aon le hainm an fhile a chum, a scríobh síos go soiléir.

(a) faitíos (eagla);
(b) áthas (nó brón);
(c) uaigneas;
(d) bród (mórtas);
(e) imní;
(f) cinnteacht (nó neamhchinnteacht);
(g) éad.

(ii) Tabhair cuntas *gairid* ar a bhfuil sa dán sin faoin mothúchán atá roghnaithe agat agus ar an gcaoi a gcuireann an file an mothúchán sin os ár gcomhair.

Ceist 2A

Freagra samplach

[The text of the poem is given below.]

(i) **Ainm an dáin: 'Mac Eile ag Imeacht'**
Ainm an fhile: Fionnuala Uí Fhlannagáin

(ii) Cuntas:

Cosúil leis an dán 'Subh Milis', baineann an dán 'Mac Eile ag Imeacht' le daoine óga ag fágáil baile. Sa chéad véarsa den dán tugtar pictiúr dúinn den turas go dtí an t-aerfort. Tá brón ar an teaghlach go léir, go háirithe ar na tuismitheoirí, toisc go bhfuil mac eile ag fágáil. Chun an brón a cheilt [*to hide*] tá siad ag comhrá le chéile go stadach, mar tá siad ag smaoineamh ar an rud brónach, is é sin an mac atá ag imeacht.

Sa dara véarsa feicimid na tuismitheoirí ag an aerfort agus an mac imithe. Chun sólás [*consolation*] a thabhairt dóibh féin beidh siad ag caint faoi na buntáistí a bheas ag a mac i Meiriceá. Is léir fós go bhfuil brón orthu.

Sa tríú véarsa bheadh trua agat do na tuismitheoirí. Tá brón orthu, cé go bhfuil áthas ar na daoine eile timpeall orthu. Siúlann siad go dtí an carr go mall brónach, gan cupán caife a thógáil fiú. Baineann an brón seo go léir le himeacht duine eile den chlann. Tá siad fágtha go haonarach.

Obair duitse

Déan comparáid (leathleathanach) idir an dán 'Subh Milis' agus an dán 'Mac Eile ag Imeacht'.

Mac Eile ag Imeacht
Fionnuala Uí Fhlannagáin

Cuirfimidine chun bóthair arís inniu
Chuig aerfort Bhaile Átha Cliath.
Deireadh an tsamhraidh buailte linn
Mac eile ag imeacht.
Eisean féin a thiománfaidh an carr
Tús curtha ar a thuras fada.
Le mionchomhrá treallach, míloighciúil
Meillfimid an aimsir.

Staidéar ar ríomhtheangacha
A bheidh idir lámha aige
Béarfaidh sé ar an bhfaill
Faoi spalladh gréine i Houston, Texas.
Tar éis slán a chur leis
Agus greim láimhe againn ar a chéile
Pléifimid na buntáistí a bheidh aige thall
Nach mbeadh ar fáil sa bhaile.

Gealgháireach, fuadrach a bheidh
Na strainséirí inár dtimpeall.
Ní bhacfaimid le cupán caife
Siúlfaimid go dtí an carr go mall.
Deireadh an tsamhraidh buailte linn
Mac eile ag imeacht.

Gluais
go treallach: intermittently
ríomhtheangacha: computer languages
faill: opportunity

Ceist 2B
Freagra samplach
[The text of the poem is given below.]

(i) **Ainm an dáin: 'Don Lon Dubh'.**
Ainm an fhile: Seán Ó Leocháin.

(ii) (*c*) Cuntas:
Sa dán seo labhraíonn an file go díreach leis an lon dubh. Ceapann sé go bhfuil uaigneas ar an lon dubh seo, mar tá sé ina aonar ar an gcrann. Chomh maith leis sin tá sé ag ceiliúradh, agus is cosúil nach bhfuil aon duine ag éisteacht leis. Tá sé amuigh leis féin in áit éigin uaigneach in aice leis an tSionainn.

Sa dara cuid den dán deir an file go mbíonn sé féin ag cumadh filíochta chun an t-uaigneas a choimeád uaidh. Sa tslí seo tá sé cosúil leis an lon dubh. Bíonn an lon dubh ag déanamh ceoil; bíonn an file ag cumadh filíochta. Is dóigh leis an bhfile go bhfuil na daoine a bhíonn ag léamh a chuid filíochta chomh fuar leis an tSionainn. Tá comhbhá [*empathy*] idir an file agus an lon dubh, agus tá siad araon uaigneach.

Sa dán seo úsáideann an file an lon dubh chun a uaigneas féin a chur in iúl dúinn. Cruthaíonn sé atmaisféar uaigneach tríd an bpictiúr a thugann sé dúinn den éan beag ag ceiliúradh in aice leis an abhainn mhór. Tá an chomparáid a dhéanann sé idir fuaire an uisce agus mothúcháin a lucht éisteachta an-éifeachtach [*very effective*]. Is dán álainn é seo a léiríonn mothú an uaignis atá i gcroí an fhile. Is fearrde fós an dán toisc an úsáid a bhaineann an file as an nádúr chun dul i bhfeidhm ar [*to impress*] an léitheoir.

Don Lon Dubh
Seán Ó Leocháin

A loin bhig,
i d'aonar

ar ghéag
crainn os cionn na
habhann,

nach uaigneach
atá tú
anocht, ag doirteadh

do ghlóir
anuas ar an tSionainn
ársa.

Bím féin
leis,
ag déanamh rann

á thógáil
cian
de mo chroí feola

nó, do nós tusa,
a loin
ag iarraidh
cumann a mhealladh.
Mothaím gur fuaire
na daoine

ná an tSionainn
fhuar
i dtús an Earraigh seo.

Gluais
ag doirteadh: pouring
ársa: ancient
rann: a verse
cian: melancholy
cumann: friendship

Obair duitse
Déan ceist 1 agus ceist 2 as scrúduithe an Teastais Shóisearaigh, 2003, 2002, 2001 agus 2000. Bain úsáid as na freagraí samplacha thuas.

Teastas Sóisearach 2003

ROINN I – FILÍOCHT [30 marc]

Ceist 1. Léigh an dá dhán thíos agus freagair **trí cinn** de na ceisteanna a ghabhann leo.
Ní mór ceist amháin a roghnú as **A** agus ceist amháin a roghnú as **B**.
Is féidir an **tríú ceist** a roghnú as **A** nó **B**.
[Bíodh na freagraí i d'fhocail féin, chomh fada agus is féidir leat.]
(Ní ga dul thar leathanach sa fhreagairt uait ar an gCeist seo ar fad.)

An Cat Béaldorais

(le **Pilib Ó Brádaigh**)

Mar gheall ar fadhbanna
le cóipcheart níl an dán seo
le fáil sa leabhar seo.

An Blascaod Mór Anois

D'imigh na daoine
Amach chun na míntíre;
Tá'n Blascaod Mór ciúin anois,
4. Leis féin os cionn na taoide.

Is cuimhin leis páistí beaga
Ag súgradh ar an trá,
Is naomhóga ag iascaireacht
8. Amuigh go domhain sa bhá.

Daoine ag insint scéalta
Cois tine, mall san oíche,
Ceol a sheinnt ar veidhlín -
12. Ní chloisfear arís é choíche.

Ach b'fhéidir go bhfuil taibhsí
Ag insint scéal nó dhó
Cois tine ar an mBlascaod,
16. Faoin saol 'bhí ann fadó.

(le **Máire Áine Nic Ghearailt**)

Gluais:

(L.2) míntír: mórthír
(L.7) naomhóga: báid bheaga

Ceisteanna (iad ar cómharc)

A (Buntuiscint)

(i) Cén pictiúr den chat a tharraingítear i **línte 1-8** den dán *An Cat Béaldorais*? (Is leor **dhá phointe** a lua.)
(ii) Cén pictiúr den saol sa Bhlascaod Mór a tharraingítear i **línte 5-11** den dán *An Blascaod Mór Anois*? (Is leor **dhá phointe** a lua.)
(iii) Mínigh a bhfuil i gceist i **línte 13-16**, den dán *An Blascaod Mór Anois*, dar leat.

B (Léirthuiscint)

(i) Cad é an *mothúchán* is láidre, dar leat, atá léirithe sa dán *An Blascaod Mór Anois*? Conas a chuireann an file an *mothúchán* sin os ár gcomhair?
(ii) Mínigh a bhfuil i gceist i **línte 11-12**, den dán *An Cat Béaldorais*, dar leat.
(iii) Cé acu den *dá* dhán is fearr leat? Tabhair fáthanna le do fhreagra. (Is leor **dhá fháth** a lua.)

Ceist 2. Freagair **A** nó **B** anseo. (**Ní gá dul thar leathleathanach i do fhreagra.**) (15 mharc)

A

(i) Ainmnigh dán Gaeilge (a ndearna tú staidéar air i rith do chúrsa) a bhfuil an cineál céanna ábhair i gceist ann is atá i do rogha **ceann** amháin den dá dhán i **gCeist 1** thuas. Ní mór teideal an dáin sin, mar aon le hainm an fhile a chum, a scríobh síos go soiléir.
(ii) Tabhair cuntas **gairid** ar a bhfuil faoin gcineál sin ábhair sa dán atá ainmnithe agat agus ar an gcaoi a gcuireann an file os ár gcomhair é.

nó

Déan comparáid **ghairid** idir a bhfuil faoin ábhar úd sa dán atá roghnaithe agat as **Ceist 1** agus a bhfuil faoin ábhar céanna sa dán atá ainmnithe agat.

B

(i) Ainmnigh dán Gaeilge (a ndearna tú staidéar air i rith do chúrsa) a bhfuil do rogha **ceann** amháin de na *hábhair* seo thíos i gceist ann. Ní mór teideal an dáin mar aon le hainm an fhile a chum, a scríobh síos go soiléir.
(a) Spórt (b) Timpiste (c) An Teach (d) An Dúlra (Nádúr)
(e) Ainmhí (f) An Bás
(ii) Tabhair cuntas **gairid** ar a bhfuil sa dán sin faoin *ábhar* atá roghnaithe agat agus ar an gcaoi a gcuireann an file an *t-ábhar* sin os ár gcomhair.

Teastas Sóisearach 2002

ROINN I – FILÍOCHT	[30 marc]

Ceist 1. Léigh an dá dhán thíos agus freagair **trí cinn** de na ceisteanna a ghabhann leo.
Ní mór ceist amháin a roghnú as **A** agus ceist amháin a roghnú as **B**.
Is féidir an **tríú ceist** a roghnú as **A** nó **B**.
[Bíodh na freagraí i d'fhocail féin, chomh fada agus is féidir leat.]

An Bhean Siúil

Cnag géar
A rap sí ar an doras
Ciseán ina láimh
4. Í ag craitheadh leis an bhfuacht.

Í gléasta
Go giobalach
A gruaig fhada dhubh
8. Go sliobarnach aimhréidh.

Thug mé di cúpla pingin,
Is bhí sí go haerach
Thug dom buíochas 'gus beannacht
12. Agus d'imigh go héasca.

(le **Mícheál Ó Conghaile**)

An Gadaí

Amach i lár na hoíche
Is sinne inár luí
Bhí duine gránna éigin
4. Ag siúl ar fud an tí.

D'fhéach gach rud ceart ar maidin
Is sinne go léir ag ithe
Nuair d'fhéach mo Dhaid faoin teilifíseán
8. Ár bhfíseán nua imithe!

Deir Mam gur maith an rud é
Ach ní aontaímid léi!
Imithe ag an ngadaí –
12. Nach mór an náire é!

(le **Máire Áine Nic Ghearailt**)

Gluais:

(L.2) rap: bhuail
(L.6) go giobalach: i seanéadaí
(L.8) go sliobarnach aimhréidh: gan slacht, gan chíoradh

Ceisteanna (iad ar cómharc)

A (Buntuiscint)

(i) Cén pictiúr den bhean a tharraingítear i **línte 3-8** den dán *An Bhean Siúil*? (Is leor **dhá phointe** a lua.)
(ii) Sa dán *An Gadaí*, cad a tharla ar maidin? (Is leor **dhá phointe** a lua.)
(iii) Cad a thug an file don bhean sa dán *An Bhean Siúil*? Cá bhfios dúinn go raibh sí sona sásta agus í ag imeacht?

B (Léirthuiscint Ghinearálta)

(i) Cad é an mothúchán is láidre, dar leat, atá léirithe sa dán *An Gadaí*? Conas a chuireann an file an mothúchán sin os ár gcomhair?
(ii) Cén fáth nach n-aontaíonn an chlann le Mam sa dán *An Gadaí*, dar leat?
(iii) Tabhair cuntas **gairid** ar chosúlacht amháin nó ar dhifríocht amháin atá idir an dá dhán, dar leat.

Ceist 2. Freagair **A** nó **B** anseo. (**Ní gá dul thar leathleathanach i do fhreagra**.) (15 mharc)

A

(i) Ainmnigh dán Gaeilge (a ndearna tú staidéar air i rith do chúrsa) a bhfuil an cineál céanna ábhair i gceist ann is atá i do rogha **ceann** amháin den dá dhán i **gCeist 1** thuas. Ní mór teideal an dáin sin, mar aon le hainm an fhile a chum, a scríobh síos go soiléir.
(ii) Tabhair cuntas **gairid** ar a bhfuil faoin gcineál sin ábhair sa dán atá ainmnithe agat agus ar an gcaoi a gcuireann an file os ár gcomhair é.

nó

Déan comparáid **ghairid** idir a bhfuil faoin ábhar úd sa dán atá roghnaithe agat as **Ceist 1** agus a bhfuil faoin ábhar céanna sa dán atá ainmnithe agat.

B

(i) Ainmnigh dán Gaeilge (a ndearna tú staidéar air i rith do chúrsa) a bhfuil do rogha **ceann** amháin de na mothúcháin seo thíos i gceist ann. Ní mór teideal an dáin sin, mar aon le hainm an fhile a chum, a scríobh síos go soiléir.
(a) Áthas (b) Díomá (c) Fearg (d) Grá (e) Éad (f) Bród
(ii) Tabhair cuntas **gairid** ar a bhfuil sa dán sin faoin mothúcháin atá roghnaithe agat, agus ar an gcaoi a gcuireann an file an mothúchán sin os ár gcomhair.

Teastas Sóisearach 2001

ROINN I – FILÍOCHT [30 marc]

Ceist 1. Léigh an dá dhán thíos agus freagair **trí cinn** de na ceisteanna a ghabhann leo.
Ní mór ceist amháin a roghnú as **A** agus ceist amháin a roghnú as **B**.
Is féidir an **tríú ceist** a roghnú as **A** nó **B**.
[Bíodh na freagraí i d'fhocail féin, chomh fada agus is féidir leat.]
(Ní ga dul thar leathanach sa fhreagairt uait ar an gCeist seo ar fad.)

Curtha síos

Ná lig dóibh
A mhaicín,
Ná lig dóibh
4 Tú a chur síos.

Iad anois uaibhreach
Ó roghnaíodh iad.
Féach orthu ag geáitsíocht
8 Á mheas gur laochra iad.

Tuig nach roghnú cóir
Gach roghnú.
Tuig go luath
Cumhacht an chara
13 Atá cheana féin sa chúirt.

Buanna eile agatsa,
Bua an cheoil,
Bua na healaíne.
Coinnigh do mheanma,
18 Ná lig dóibh tú a ghortú.

Ceacht é seo duit don saol,
Ná tabhair aon aird orthu
21 Dream an aonleabhair.

(le **Pádraig De Bhál**)

Gluais

(1.5) uaibhreach : bródúil;
(1.9) cóir: cothrom agus ceart;
(1.17) meanma: misneach.

Ardán a hAon

Is fada uaim anois an lá
a sheas tú ar Ardán a hAon
do shúile lán is tú ag insint dom
go bhfeicfeá sar i bhfad mé
's dá mbeadh rud ar bith
de dhíth orm rud ar bith-
7 is tú ag alpadh siar na ndeor.

Dheineas iarracht ar gheallúint duit
go scríobhfainn ach
thachtaíos siar na focail
ar eagla go gcaoinfeá...
d'éirigh do chasóg níos lú
13 's an traein ag tógáil siúil.

Cuimhním ort mar sin
do gháire i gcoimhlint
leis na deora
17 ag brú aníos id scornach.

Ach cé go sínim chugat amach mo lámh
éiríonn tú níos lú níos lú
le luas na traenach
21 is nílim in ann aghaidh a chur ort.

(le **Áine Ní Ghlinn**)

Gluais

(1.7) ag alpadh siar: ag slogadh/ag cosc;
(1.8) Dheineas: rinne mé;
(1.10) thachtaíos siar: stop mé;
(1.15) i gcoimhlint: ag troid.

Ceisteanna (iad ar cómharc)

A (Buntuiscint)

(i) Tabhair cuntas **gairid** ar an ócáid atá i gceist, dar leatsa, sa **chéad** dá véarsa den dán *Curtha síos.*
(ii) Tabhair cuntas **gairid** ar an ócáid atá i gceist, dar leatsa, sa **chéad** véarsa den dán *Ardán a hAon.*
(iii) Mínigh a bhfuil i gceist ag an bhfile i líne 21 (is nílim in ann aghaidh a chur ort) sa dán *Ardán a hAon.*

B (Léirthuiscint)

(i) Cén mothúchán is láidre, dar leat, sa dán *Ardán a hAon*? Céard a spreag an mothúchán sin san fhile?
(ii) Luaigh **dhá phointe** eolais a léiríonn an difríocht atá idir an dá dhán.
(iii) Cé acu den dá dhán is fearr leat? Cuir **dhá chúis** le do fhreagra.

Ceist 2. Freagair **A** nó **B** anseo. (**Ní gá dul thar leathleathanach i do fhreagra.**) (15 mharc)

A

(i) Ainmnigh dán Gaeilge (a ndearna tú staidéar air i rith do chúrsa) a bhfuil an cineál céanna ábhair i gceist ann is atá i do rogha **ceann amháin** den dá dhán i **gCeist 1** thuas. Ní mór teideal an dáin sin, mar aon le hainm an fhile a chum, a scríobh síos go soiléir.
(ii) Tabhair cuntas **gairid** ar a bhfuil faoin gcineál sin ábhair sa dán atá ainmnithe agat agus ar an gcaoi a gcuireann an file os ár gcomhair é.

nó

Déan comparáid **ghairid** idir a bhfuil faoin ábhar úd sa dán atá roghnaithe agat as **Ceist 1** agus a bhfuil faoin ábhar céanna sa dán atá ainmnithe agat.

B

(i) Ainmnigh dán Gaeilge (a ndearna tú staidéar air i rith do chúrsa) a bhfuil do rogha **ceann amháin** de na hábhair seo thíos i gceist ann. Ní mór teideal an dáin sin, mar aon le hainm an fhile a chum, a scríobh síos go soiléir.
(a) Taisteal (b) Spórt nó Caitheamh Aimsire (c) Éadaí (d) Eachtra Stairiúil (e) An Dúlra/Nádúr (f) An Scoil.
(ii) Tabhair cuntas **gairid** ar a bhfuil sa dán sin faoin ábhar atá roghnaithe agat, agus ar an gcaoi a gcuireann an file an t-ábhar sin os ár gcomhair.

Teastas Sóisearach 2000

ROINN I – FILÍOCHT [30 marc]

Ceist 1. Léigh an dá dhán thíos agus freagair **trí cinn** de na ceisteanna a ghabhann leo.
Ní mór ceist amháin a roghnú as **A** agus ceist amháin a roghnú as **B**.
Is féidir an **tríú ceist** a roghnú as **A** nó **B**.
[Bíodh na freagraí i d'fhocail féin, chomh fada agus is féidir leat.]
(Ní ga dul thar leathanach sa fhreagairt uait ar an gCeist seo ar fad.)

Belshade (Béal Séad)

Áitreabhaigh an tí seo romhainn
Bhogadar go Sasana, iad beirt sna hochtóidí.
Scríobhadar chugainn díreach le rá
Go raibh súil acu go mbeimisne chomh sona ann
5 Is a bhí siadsan
Agus Belshade, ainm an tí,
Ar eagla nach ndúradar linn é,
Loch beag i dTír Chonaill atá ann.
Tá fonn orm an t-ainm a fhágáil mar atá
10 B'fhéidir an loch féin a aimsiú lá éigin
Agus smaoineamh ar an tseanlánúin
Iad óg lúfar
Ag suirí cois locha
Nó ag smearadh ime ar cheapaire
15 Ag mionallagar le chéile
Faoin aimsir, na scamaill.
Na bláthanna a chuireadar
Tá cuid díobh nár dhreoigh
Ainneoin an tseaca.
20 Tá lorg strainséirí faram lá agus oíche
Agus uaireanta is léire iad ná cairde cnis.

(le **Gabriel Rosenstock**)

Gluais

(l.1) áitreabhaigh = muintir
(l.15) mionallagar = caint
(l.20) faram = timpeall orm
(l.21) cairde cnis = cairde móra.

An Grá

Baile is ea An Grá
go ngabhann tú thairis ar do thuras.

Ar an mám duit
chíonn tú thíos uait é
5 le hais le loch sáile –

an caidéal glas
ar an gcrosbhóthar taobh thuas de,

na páirceanna is na garraithe thart air
i mbarróga na bhfallaí cloch dá bhfáisceadh,

10 oifig an phoist go mbíonn muintir na háite
istigh ann i mbun gnó is ag cadráil,

an dá thigh tábhairne
ar aghaidh a chéile amach beagnach
go mbíonn ceol i gceann acu oíche Shathairn
15 is sa cheann eile ar an nDomhnach, de ghnáth.

Áit is ea An Grá
ná fuil ar léarscáileanna turasóirí,

go ngabhann tú thairis ar d'aistear
is a fhágann bolaithe na feamainne id pholláirí.

(le **Colm Breathnach**)

Gluais

(l.3) mám = cosán sléibhe
(l.6) caidéal = pumpa uisce
(l.11) cadráil = caint
(l.18) aistear = turas
(l.19) polláirí = srón.

Ceisteanna (iad ar cómharc)

A (Buntuiscint)

(i) Luaigh **dhá** chúis gur scríobh na daoine a bhí i Sasana chuig an bhfile sa dán *Belshade.*
(ii) "Baile is ea An Grá." Déan cur síos **gairid** ar an **timpeallacht** ina bhfuil an baile sin suite sa dán *An Grá.*
(iii) Tabhair cuntas **gairid** ar an mbaile féin sa dán *An Grá.*

B (Léirthuiscint Ghinearálta)

(i) Cén "fonn" atá ar bhfile sa dán Belshade? Tabhair **dhá** phointe eolais.
(ii) Cén pictiúr den "tseanlanúin" a chuirtear os ár gcomhair in *Belshade*?
(iii) Tabhair cuntas gairid ar chosúlacht amháin nó ar dhifríocht amháin atá idir an dá dhán, dar leat.

Ceist 2. Freagair **A** nó **B** anseo. (**Ní gá dul thar leathleathanach i do fhreagra.**) (15 mharc)

A

(i) Ainmnigh dán Gaeilge (a ndearna tú staidéar air i rith do chúrsa) a bhfuil an cineál céanna ábhair i gceist ann is atá i do rogha **ceann** amháin den dá dhán i **gCeist 1** thuas. Ní mór teideal an dáin sin, mar aon le hainm an fhile a chum, a scríobh síos go soiléir.
(ii) Tabhair cuntas **gairid** ar a bhfuil faoin gcineál sin ábhair sa dán atá ainmnithe agat agus ar an gcaoi a gcuireann an file os ár gcomhair é.

nó

Déan comparáid **ghairid** idir a bhfuil faoin ábhar úd sa dán atá roghnaithe agat as **Ceist 1** agus a bhfuil faoin ábhar céanna sa dán atá ainmnithe agat.

B

(i) Ainmnigh dán Gaeilge (a ndearna tú staidéar air i rith do chúrsa) a bhfuil do rogha **ceann** amháin de na téamaí seo thíos i gceist ann. Ní mór teideal an dáin sin, mar aon le hainm an fhile a chum, a scríobh síos go soiléir.
(a) Grá (b) Fearg (c) Éad (d) Dóchas (e) Brón (f) Uaigneas
(ii) Tabhair cuntas **gairid** ar a bhfuil sa dán sin faoin téama atá roghnaithe agat, agus ar an gcaoi a gcuireann an file an téama sin os ár gcomhair.

PÁIPÉAR II LÉAMHTHUISCINT —GIOTAÍ GEARRA

Treoracha

- All the advice given in regard to *léamhthuiscint* on paper I applies here also. Read again the instructions on page 37.
- Almost all the marks in A, B and D are for comprehension.
- In C all the marks are for matching the correct word with the corresponding gap. This will be an authentic piece (news item, advertisement, etc.) with certain gaps. A list of the correct words is supplied.

Note

In the following pages you will find

—the passages from the 2005 and 2004 examination papers, with sample answers given to the questions;

- study the passages, the questions and the sample answers carefully;

—the passages from the 2003, 2002 and 2001 examination papers;

- study these passages and answer the questions.

Teastas Sóisearach 2005

Worked Example

ROINN III – LÉAMHTHUISCINT (GIOTAÍ GEARRA) [30 marc]

Freagair do rogha **trí cinn** de **A, B, C, D** anseo. **(Is leor freagraí gairide i ngach cás.)**

*[I gcás **A, B** agus **C** bíodh na freagraí i d'fhocail féin, chomh fada agus is féidir leat]*

A **(10 marc)**

Léigh an sliocht seo a leanas (as ***w w w.snag.ie***) agus freagair na ceisteanna a ghabhann leis.

Seachtain na Gaeilge Teoranta

Is aonad de chuid Conradh na Gaeilge í Seachtain na Gaeilge Teoranta.

Gach aon bhliain cuireann an t-aonad lámhleabhar ar fáil do scoileanna agus clubanna óige ar fud na tíre.

Sa lámhleabhar seo bíonn réimse leathan de mholtaí luaite chun cabhrú leo siúd, sna scoileanna agus sna clubanna óige, a bhíonn ag eagrú imeachtaí i gcomhair Lá Fhéile Pádraig.

Cuireann Seachtain na Gaeilge Teoranta ábhar tacaíochta ar fáil freisin: póstaeir, lipéid, t-léinte, pinn, fáinní, eochracha soilseacha, sparáin, raidiónna agus rudaí eile. Bíonn na hearraí seo le ceannach ar phraghsanna an-réasúnta.

Téann Foras na Gaeilge agus An Roinn Oideachais agus Eolaíochta in urraíocht ar chuid d'obair Sheachtain na Gaeilge Teoranta. Is féidir tuilleadh eolais a fháil ar an suíomh idirlín www.snag.ie

(i) Luaigh **dhá rud** a dhéanann Seachtain na Gaeilge Teoranta.

(ii) Cén bhaint atá ag Foras na Gaeilge agus An Roinn Oideachais agus Eolaíochta le Seachtain na Gaeilge Teoranta?

B **(10 marc)**

Léigh an sliocht seo a leanas (bunaithe ar alt in **Cúla 4**) agus freagair na ceisteanna a ghabhann leis.

Hillary Duff

Cailín tallanach í Hillary Duff. Is mar aisteoir a bhain sí cáil amach di féin i dtosach. Chuir déagóirí preabacha na cruinne aithne uirthi nuair a ghlac sí páirt Lizzie sa tsraith teilifíse *Lizzie McGuire*. Níorbh fhada, áfach, go raibh Hillary le feiceáil ar scáileáin sna pictiúrlanna freisin. Ó 1998 i leith ghlac Hillary páirteanna i mbreis agus deich gcinn de scannáin.

Ainneoin chruóg na hoibre sin d'eisigh sí a céad albam *Metamorphosis* anuraidh agus bhí an-éileamh air ar fud an domhain. Ní beag san mar ghaisce go dtí seo nuair a chuireann tú san áireamh nach bhfuil Hillary Duff ach seacht mbliana d'éag d'aois go fóill.

Rugadh í ar an 28ú Meán Fómhair 1987 in Texas. Deir sí linn go bhfuil sí cosúil le gach cailín dá haois. Is aoibhinn léi éadaí agus bróga faiseanta.Is fuath léi a bheith ag caitheamh na n-éadaí céanna arís agus arís eile. An caitheamh aimsire is fearr léi ná an tsiopadóireacht. Ceist agam oraibh a chairde! Cá bhfaigheann sí an t-am chuige?

(i) Breac síos **dhá phointe** eolais a léiríonn gur cailín tallannach í Hillary Duff.

(ii) Cén tslí a bhfuil sí cosúil le gach cailín dá haois, dar léi féin? Luaigh **dhá rud**.

C **(10 marc)**

Léigh an sliocht seo a leanas (bunaithe ar **Téacs / Nuacht TG4**) agus freagair na ceisteanna a ghabhann leis.

An tIora Glas agus an tIora Rua i gCoillte Chonamara

An t-earrach seo caite cuireadh tús le tionscnamh fíor-spéisiúil. Bunaíodh tearmann nó ionad dídine don iora rua i gceann de choillte Chonamara agus scaoileadh dosaen péire d'ioraí rua amach ann. Is iad Colin Lawton agus Alan Poole ó Roinn na Zó-eolaíochta in Ollscoil na hÉireann, Gaillimh, atá taobh thiar den tionscnamh misniúil seo.

Tá an t-iora rua i mbaol óna chol ceathrar, an t-iora glas, le tamall de bhlianta anuas. Sa bhliain 1911 tugadh an chéad phéire d'ioraí glasa isteach sa tír ó Shasana. Bronntanas do lánúin nuaphósta i gCaisleán Forbes i gCo an Longfoirt a bhí iontu agus scaoileadh amach ar an eastát ansin iad. Scaip pór na péire sin go tapa trí na coillte sa taobh sin tíre agus ó dheas freisin.

Anois tá laghdú tubaisteach tagtha ar líon na n-ioraí rua in oirthear agus i ndeisceart na tíre. Ganntanas bia is cúis leis seo. Itheann an t-iora glas cnónna coille sula mbíonn na cnónna aibí. Is é an cnó coille céanna bunbhia an iora rua ach ní bhacann seisean leis go dtí go mbíonn sé breá aibí. Ar chúis éigin níor éirigh leis an iora glas dul trasna na Sionainne isteach in iarthar na tíre. Ar an ábhar sin tá an tionscnamh seo i gcoillte Chonamara an-tábhachtach ar fad.

(i) Cén tionscnamh ar cuireadh tús leis i gCoillte Chonamara? Cé a chuir tús leis?

(ii) Luaigh **dhá phointe** eolais i dtaobh an iora rua maidir leis an mbia a itheann sé.

D **(10 marc)**

Déan staidéar ar an sliocht seo a leanas (as **An t-Eolaí** ag: ***http://www.vectorcartoon.com/eolaí/***) a bhfuil bearnaí ann atá uimhrithe ó **(1)** go dtí **(11)**. Ansin líon gach bearna díobh le focal oiriúnach as an liosta thíos.
(Níl aon ord speisialta ar an liosta sin.) Ba cheart an freagra i do fhreagarleabhar a leagan amach mar seo:
Bearna **(1)** = nuair, agus mar sin de. Ní gá an sliocht féin a scríobh.

Scéal an Innealtóra

Bhí innealtóir ag dul síos an bóthar lá **(1)** a labhair frog leis.
"Tabhair dom póg," a dúirt an frog, " agus **(2)** i mo
bhanphrionsa álainn mé."
Chuir an t-innealtóir an frog ina phóca.
Ghlaoigh an frog air in ard a **(3)** is a ghutha. "Má phógann
tú mé agus má athraíonn tú i mo bhanphrionsa mé, fanfaidh
mé leat go **(4)**." Thóg an t-innealtóir an frog as a phóca,
rinne **(5)** leis agus chuir ar ais ina phóca é.
"Cad é atá **(6)** leat? Dúirt mé gur banphrionsa álainn mé agus go bhfanfaidh mé leat
de lá agus d'oíche. Cén fáth **(7)** bpógann tú mé?" a **(8)** an frog.
D'fhreagair an t-innealtóir é. "Féach, is innealtóir mé. Níl an t-am agam **(9)** caitheamh
le grá geal. Ach frog a **(10)** caint aige! Sin **(11)** eile."

Liosta focal: nuair [Bearna (1)]; nach; bhfuil; scéal; athrófar; deo; bhéic; gáire; le; chinn; cearr.

Freagraí Samplacha 2005

A – Seachtain na Gaeilge Teoranta
- (i) *Cuireann sé lámhleabhar ar fáil do scoileanna agus clubanna.
  *Chomh maith leis sin cuireann sé ábhar tacaíochta ar fáil.
- (ii) Tugann said urraíocht d'obair Sheachtain na Gaeilge Teoranta.

B – Hilary Duff
- (i) *Bhí páirt Lizzie aici sa tsraith teilifíse Lizzie McGuire.
  *Bhí páirteanna aici i mbreis is deich scannáin.
- (ii) *Is breá léi bróga faiseanta agus éadaí.
  *Is gráin léi a bheith ag caitheamh na n-éadaí céanna go ró-mhinic.

C – I gCoillte Chonamara
- (i) Cuireadh tús le tearmann nó ionad dídine don iora rua.
  Alan Poole agus Colin Lawton a chuir tús leis.
- (ii) *Itheann an t-iora rua glas cnónna coille sula mbíonn said aibí.
  *Is iad na cnónna coille bunbhia an iora rua nuair a bhíonn siad breá aibí.

D – Scéal Innealtóra

Bearnaí (1) nuair (2) athrófar (3) chinn (4) deo (5) gáire (6) cearr (7) nach (8) bhéic (9) le (10) bhfuil (11) scéal

Teastas Sóisearach 2004

Worked Example

ROINN III – LÉAMHTHUISCINT (GIOTAÍ GEARRA) [30 marc]

Freagair do rogha **trí cinn** de **A, B, C, D** anseo. **(Is leor freagraí gairide i ngach cás.)**

*[I gcás **A**, **B** agus **C** bíodh na freagraí i d'fhocail féin, chomh fada agus is féidir leat]*

A **(10 marc)**

Léigh an sliocht seo a leanas (as *The Irish Times*) agus freagair na ceisteanna a ghabhann leis.

Reibiliúnach óg a bhfuil rud éigin le rá aici

Chonaic an pobal mór Amy Studt den chéad uair in 2002 nuair a bhí sí ar *Top of the Pops* agus gan í ach sé bliana déag d'aois. Ó shin i leith tá cáil bainte amach aici di féin leis an singil *Misfit* agus leis an albam *False Smiles*.

Scríobhann sí a cuid amhrán féin, iad bunaithe ar a taithí ar an saol. Ar an albam *False Smiles* labhraíonn sí faoi bhulaíocht, an bhulaíocht a d'fhulaing sí féin ó scaifte de chailíní nuair a bhí sí ag freastal ar scoil chónaithe.

Admhaíonn Amy go raibh sí trioblóideach mar dhéagóir óg ach tháinig sí as. Tugann sí comhairle do dhéagóirí labhairt le daoine fásta go macánta faoina gcuid fadhbanna. Má dhéanann siad é seo féachfar orthu mar dhaoine fásta seachas mar pháistí. Cinnte is reibiliúnach óg í Amy Studt a bhfuil rud éigin le rá aici leis an saol mór agus cúis mhaith aici leis, dar léi féin.

(i) Deirtear go bhfuil amhráin Amy bunaithe ar a taithí ar an saol. Cén sampla de seo a luaitear?

(ii) Cén chomhairle a thugann Amy do dhaoine óga?

B **(10 marc)**

Léigh an fógra seo a leanas (de chuid **eircom.net**) agus freagair na ceisteanna a ghabhann leis.

Ag Scimeáil ar an Idirlíon

Má tá tú ag smaoineamh ar dhul ar laethanta saoire níor mhiste dul ar-líne roimh ré ag www.eircom.net/travel, á thiomáint ag *go-hop.ie*. Gheobhaidh tú gach eolas ansin faoi na cinn scríbe móra, na táillí, na hamanna agus faoin a bhfuil ar fáil sula ndéanann tú d'intinn suas faoi do chéad sos eile.

Ag www.eircom.net/travel is féidir eitiltí agus óstáin a chur in áirithe. Ag www.eircom.net/travel is féidir eolas a fháil mar gheall ar cén saghas aimsire atá ag an gceann scríbe agus cad iad na háiseanna atá ar fáil ann agus na himeachtaí a bheidh ar siúl le linn do shaoire.

Is ciallmhaire go mór an t-eolas seo a fháil roimh ré ionas nach mbeidh díomá ort nuair a bhainfidh tú do cheann scríbe amach. Le cabhair ó www.eircom.net/travel braithfidh tú go bhfuil do cheann scríbe bainte amach agat cheana féin.

(i) Cén uair a bhainfeá úsáid as www.eircom.net/travel?
(ii) Cé fáth gur ciallmhaire go mór an t-eolas a fháil roimh ré?

C **(10 marc)**

Léigh an sliocht seo a leanas (as *Foinse*) agus freagair na ceisteanna a ghabhann leis.

Téacsteachtaireachtaí

Tá fón póca ag breis agus trí mhilliún duine sa tír seo faoi láthair. Cuirimid seachtó hocht téacs-teachtaireachtaí, ar an meán, chuig a chéile in aghaidh na míosa. Is daoine san aoisghrúpa 15-24 bliana is mó a bhaineann úsáid as an meán cumarsáide seo.

Is ag díriú ar an margadh sin a bhí *Bus Átha Cliath* nuair a sheol siad an tseirbhís *BusText* an bhliain seo caite. Anois is féidir le paisinéirí gach eolas faoi chlár ama na mbusanna ar bhealaí uile *Bhus Átha Cliath* a fháil tríd an gcóras téacs-teachtaireachta ar a bhfóin phóca.

Scríobhann tú uimhir an bhus agus an t-am a bhfuil bus uait (m.sh *Bus 19A 1830*) agus cuireann tú é chuig *53503* agus faigheann tú freagra ar ais ag tabhairt amanna imeachta an chéad thrí bhus eile thart faoi *1830* ó lár na cathrach. Má chuireann tú *tmrw* leis an teachtaireacht (m.sh *Bus 11A 2030 tmrw*) gheobhaidh tú eolas faoin tseirbhís a bhaineann leis an lá dár gcionn.

(i) Cén margadh a raibh *Bús Átha Cliath* ag díriú air nuair a sheol siad *BusText* anuraidh?
(ii) Cén t-eolas a gheobhaidh an paisinéir má chuireann sé *tmrw* lena theachtaireacht?

D (10 marc)

Déan staidéar ar an sliocht athchóirithe seo a leanas (as alt in *Lá*) a bhfuil bearnaí ann atá uimhrithe ó **(1)** go dtí **(11)**. Ansin líon gach bearna díobh le focal oiriúnach as an liosta thíos. (Níl aon ord speisialta ar an liosta sin.) Ba cheart an freagra i do fhreagarleabhar a leagan amach mar seo: Bearna **(1)** = craobh, agus mar sin de. Ní gá an sliocht féin a scríobh.

Roger agus Juliette

An dóigh leat go mbuafaidh Roger Federer **(1)** Wimbledon arís i mbliana? Má bhuann sé cad é a bhronnfaidh a **(2)** féin air san Eilbhéis? An bhliain seo caite, nuair a d'imigh sé abhaile agus é **(3)** churadh úr ó Wimbledon, baineadh **(4)** as le linn dó bheith ag glacadh páirte i gcomórtas oscailte Gstaad ina thír **(5)** féin. Ag deireadh chluiche an chéad bhabhta **(6)** bó ar Roger, díreach ansin ar an gcúirt leadóige. Ní raibh sé ag dréim leis sin.

Tá tábhacht nach **(7)** ag baint le ba san Eilbhéis. Bíonn a hainm féin ar gach bó agus tugtar clog do gach bó ar theacht ar an **(8)** di. Juliette an t-ainm atá ar bhó Roger ach ní **(9)** go bhfeicfear í ag cogaint na círe i mboscaí na **(10)** ar thaobh lárchúirt Wimbledon i mbliana agus a haoire Roger ag iarraidh an chraobh a bhuachaint den **(11)** bliain as chéile.

Liosta focal: craobh [Bearna (1)]; dara; siar; dhúchais; dócha; bronnadh; ina; beag; n-aíonna; saol; mhuintir.

Freagraí Samplacha 2004

A –Reibiliúnach óg a bhfuil rud éigin le rá aici.
- (i) An bhulaíocht a tharla di nuair a bhí sí ag freastal ar scoil chónaithe.
- (ii) Labhairt go macánta le daoine fásta i dtaobh a gcuid fadhbanna.

B – Ag Scimeáil ar an idirlíon.
- (i) Má tá sé ar intinn agat dul ar laethanta saoire.
- (ii) I gcaoi is nach mbeidh díomá ort nuair a bhaineann tú ceann scribe amach.

C – Roger agus Juliette

C – Téacs-teachtaireachtaí
- (i) Daoine san aoisghrúpa 15-24 bliana.
- (ii) eolas faoin tseirbhís a bhaineann leis an lá ina dhiaidh sin.

D – Roger agus Juliette

Bearnaí (1) craobh (2) mhuintir (3) ina (4) siar (5) dhúchais (6) bronnadh (7) beag (8) saol (9) dócha (10) n-aíonna (11) dara

Teastas Sóisearach 2003

ROINN III – LÉAMHTHUISCINT (GIOTAÍ GEARRA) [30 marc]

Freagair do rogha **trí cinn** de **A, B, C, D** anseo. **(Is leor freagraí gairide i ngach cás.)**

*[I gcás **A, B** agus **C** bíodh na freagraí i d'fhocail féin, chomh fada agus is féidir leat]*

A **(10 marc)**

Léigh an sliocht seo a leanas (as bróisiúr) agus freagair na ceisteanna a ghabhann leis.

SIANSA COMÓRTAS THRAIDISIÚNTA GAEL-LINN (le tacaíocht ó Raidió na Gaeltachta)

Bronnfar príomhdhuais **2000** agus **Trófaí Gael-Linn** ar an ngrúpa a dhéanann, i dtuairim na moltóirí, an cur i láthair is snasta ag Craobhchomórtas **SIANSA**. Bronnfar trófaithe cuimhneacháin ar na grúpaí eile.

Is ar bhaill an ghrúpa bhuacaigh a bhronnfar an duais **2000** agus ní ar an scoil ná ar an gclub lena mbaineann siad.

Íocfar costais taistil agus lóistín leis na grúpaí a roghnófar don Chraobh i nGaillimh.

Féachfar ar na féidearthachtaí dlúthdhiosca de na grúpaí is fearr sa chomórtas **SIANSA** a dhéanamh mar aon leis na grúpaí amhránaíochta ón gcomórtas **SEOID**, comórtas do ghrúpaí amhránaíochta atá á reáchtáil ag **GAEL-LINN** freisin. Beidh Craobh **SEOID** ar siúl ar an oíche chéanna le Craobh **SIANSA**.

(i) Cad í an phríomhdhuais agus cé air a mbronnfar í?

(ii) Cén saghas comórtais é **Seoid**?

B (10 marc)

Léigh an sliocht seo a leanas (as ***Count Down***) agus freagair na ceisteanna a ghabhann leis.

Cluichí Samhraidh Domhanda na nOilimpeach Speisialta

Tá suíomh idirlín oifigiúil na gcluichí seo, ww.2003specialolympics.com ar fáil i nGaeilge agus i naoi dteanga eile, a bhuíochas sin do **Berlitz GlobalNET**. Chomh maith leis seo tá nuachtlitir oifigiúil na gCluichí, *Count Down*, ar fáil i nGaeilge freisin ar an idirlíon. Grúpa oibre a roinneann a gcuid ama, saineolas agus tacaíocht saor in aisce a chuireann an leagan Gaeilge den nuachtlitir ar fáil.

Tá suíomh idirlín na gCluichí Domhanda 2003 ag dul i méid i gcónaí. Ba iad **MediaOne** a dhear an suíomh agus anuraidh bronnadh gradam speisialta orthu – *An 2002 ESAT Golden Spider Award.* Is féidir gach eolas i dtaobh na gCluichí a léamh ar an suíomh seo. Admhaíonn an Coiste Eagrúcháin gur chabhraigh an suíomh idirlín go mór leo san fheachtas *Bí id' Urra ar Lúthchleasaí* a bhí ar bun acu ó mhí Eanáir seo caite.

(i) Breac síos **dhá** phointe eolais i dtaobh shuíomh idirlín oifigiúil na gCluichí Domhanda 2003.
(ii) Cé a dhear an suíomh idirlín agus cén gradam a bronnadh orthu anuraidh?

C (10 marc)

Léigh an sliocht seo a leanas (as ***Foinse***) agus freagair na ceisteanna a ghabhann leis.

Robbie ag Réabadh Arís

Chuir sé as do dhaoine áirithe nuair a rinne Robbie Williams réabadh ar amhráin leithéidí Frank Sinatra ar an albam marbhánta *Swing when you're Winning.* Cé gur thug na criticeoirí ceoil drochíde cheart do Robbie, níor chuir sé as don ghnáthphobal mórán mar thuig siad dó. Bhí boic mhóra an cheoil tar éis na blianta a chaitheamh ag baint sochair as Robbie bocht. Anois bhí Robbie ag déanamh a ruda féin agus ag baint taitnimh as. In ainneoin ar cheapamar bhí tallann áirithe ag Robbie. Féach sin mar dhílseacht, a chairde! Ach an maithfear dó é an dara huair má dhéanann sé *Swing 2*? Ní dóigh liom é. Ní fhéachfar air mar thimpiste nó botún an babhta seo ach mar thubaist. Ní mór do Robbie a bheith níos cúramaí agus gan géilleadh arís do mhianta phiarda móra thionscal an cheoil. Má dhéanann sé amhlaidh tá an baol ann go mbeidh sé ina cheap magaidh ar nós a sheanchara Gary Barlow. Glac leis sin mar chomhairle uainn a Robbie ghroí!

(i) Luaigh fáth amháin nár chuir ***Swing when you're Winning*** as don ghnáthphobal mórán.
(ii) Cén chomhairle a chuireann údar an tsleachta ar Robbie Williams?

D **(10 marc)**

Déan staidéar ar an sliocht athchóirithe seo a leanas (as ailt in ***Lá*** agus ***Foinse***) a bhfuil bearnaí ann atá uimhrithe ó (1) go dtí (11). Ansin líon gach bearna díobh le focal oiriúnach as an liosta thíos. (Níl aon ord speisialta ar an liosta sin.) Ba cheart an freagra i do fhreagarleabhar a leagan amach mar seo: Bearna (1) = aidhm, agus mar sin de. Ní gá an sliocht féin a scríobh.

Bí gaelach @ craiceáilte.com

Is í **(1)** an tsuímh nua *www.craiceáilte.com* ná siamsaíocht agus pléisiúr a chur **(2)** fáil do Ghaeil chraiceáilte na cruinne. Seoladh go hoifigiúil é anuraidh le **(3)** an Oireachtais. Tá an chéad seomra **(4)** bheo i nGaeilge le fáil ar an suíomh seo. Is é an Ciorcal Craiceáilte a **(5)** in 1993 atá taobh thiar den tionscnamh seo.

AN BHFUIL SAOL NA GAEILGE RÉIDH?

Cuireadh an chéad Fhéile Chraiceáilte ar **(6)** i Ráth Cairn i Samhain na bliana sin. Bhí an Ciorcal ina thost ar feadh tamaill.

Ba léir, áfach, nach raibh sé **(7)** sular tháinig sé aníos arís le haghaidh aeir i nGaoth Dobhair mí na Samhna seo caite. Ná cuireadh sé iontas ar **(8)** ort má thagann tú ar ghimicí nua ar *www.craiceáilte.com* nár **(9)** triail astu go dtí seo chun pobal na hÉireann agus pobail nach iad a mhealladh i **(10)** na Gaeilge. Ní bheadh a fhios agat cad é an leagan craiceáilte a **(11)** acu ar an sean-nath nár chaill fear nó bean an mhisnigh ariamh é.

Liosta focal: aidhm [Bearna (1)]; linn; dtreo; díomhaoin; siúl; baineadh; bheadh; chomhrá; ar; bunaíodh; bith.

Teastas Sóisearach 2002

ROINN III – LÉAMHTHUISCINT (GIOTAÍ GEARRA) [30 marc]

Freagair do rogha **trí cinn** de **A, B, C, D** anseo. **(Is leor freagraí gairide i ngach cás.)**

[I gcás ***A, B*** *agus* ***C*** *bíodh na freagraí i d'fhocail féin, chomh fada agus is féidir leat]*

A **(10 marc)**

Léigh an sliocht seo a leanas (as **www.beo.ie**) agus freagair na ceisteanna a ghabhann leis.

Seal ar Reachlainn

Oileán is ea Reachlainn ar chósta Aontroma: mar a bheadh domhan eile ar snámh idir Eire agus Alba. Níl ach ochtó duine ar fad ina gcónaí ar an oileán.

Tá sí an-taitneamhach mar áit, más maith leat áit chiúin agus siúlóidí breátha. Tá radhairc iontacha ann trasna na farraige go hoileáin na hAlban agus dúlra iontach ann fosta. In aice leis an teach solais tá áit shábháilte do na héin. Is féidir seasamh ar ardán agus amharc ar na mílte éan mara.

Nuair a bhíonn an taoide amuigh ligeann na róin a scíth ar na carraigeacha ach caithfear fanacht amach uathu, nó imíonn said leo isteach san fharraige.

(i) Cé mhéad duine a chónaíonn ar an oileán?
(ii) Breac síos **dhá shampla** den dúlra iontach atá ar an oileán.

B **(10 marc)**

Léigh an sliocht seo a leanas (as *Foinse*) agus freagair na ceisteanna a ghabhann leis.

SEIMINEÁR EARRAIGH

"Tá méadú leanúnach ar an éileamh ar leabhair i nGaeilge do pháistí le tamall de bhlianta anuas agus caithfear tógáil air sin chun déagóirí a choinneáil ag léamh agus chun deimhin a dhéanamh den chéad ghlúin eile de léitheoirí Gaeilge."

Sin mar a dúirt Colmán Ó Raghallaigh, an scríbhneoir agus an foilsitheoir as Co. Mhaigh Eo, agus é ag labhairt ag Seimineár Earraigh Leabhair Pháistí Éireann in Ionad Ealaíne an Belltable i Luimneach an deireadh seachtaine seo caite.

D'fháiltigh sé roimh an gCuraclam nua Gaeilge do bhunscoileanna, mar a bhfuil an béim anois ar an léitheoireacht mar rud taitneamhach agus ina mbeidh leabhair seachas téacsanna scoile mar ábhar léitheoireachta ag na scoláirí, rud a rachaidh chun tairbhe na múinteoirí agus na scoláirí araon.

(i) Cad atá tarlaithe le tamall de bhlianta anuas?
(ii) Cén fáth ar fháiltigh Colmán roimh an gCuraclam nua Gaeilge do bhunscoileanna? Luaigh **dhá phointe** eolais.

C **(10 marc)**

Léigh an sliocht seo a leanas (as **An tEolaí**) agus freagair na ceisteanna a ghabhann leis.

Tá sé ag Teacht

I Mí Mheán Fómhair na bliana 2000 tháinig réalteolaithe ar astaróideach réasúnta mór. Ceapann na réalteolaithe go sroichfidh an t-astaróideach comharsanacht an domhain i Mí Mheán Fómhair na bliana 2030.

Meastar go bhfuil sé chomh mór le hárasán, idir 30m agus 70m ar fad. Ní fios an oighear, nó gairbhéal, nó carraigeacha móra nó iarann atá ann.

Más oighear nó gairbhéal atá ann brisfidh sé suas go hiomlán san atmaisféar sula sroichfidh sé dromchla an domhain agus ní dhéanfaidh sé dochar ar bith. Más carraig nó miotal atá ann agus má bhuaileann sé i gcoinne an domhain (tá seans amháin as 500 go dtarlóidh sé sin) beidh sé cosúil leis an astaróideach a bhuail Tunguska na Sibéire in 1908. Ar ámharaí an tsaoil ní raibh duine ar bith ina chónaí in Tunguska an uair sin.

(i) Cathain a shroichfidh an t-astaróideach comharsanacht an domhain, de réir na réalteolaithe?
(ii) Cén fáth nár maraíodh aon duine nuair a bhuail an t-astaróideach Tunguska sa bhliain 1908?

D **(10 marc)**

Déan staidéar ar an sliocht seo a leanas (as **www.beo.ie**) a bhfuil bearnaí ann atá uimhrithe ó (1) go dtí (11). Ansin líon gach bearna díobh le focal oiriúnach as an liosta thíos. (Níl aon ord speisialta ar an liosta sin.)
Ba cheart an freagra i do fhreagarleabhar a leagan amach mar seo: Bearna (5) = maithe, agus mar sin de. Ní gá an sliocht féin a scríobh.

Éire ar an Léarscáil

Má tá tú caillte sa chibearspás, is beag suíomh idirlín atá ann **(1)** do shuíomh ar an domhain a chinntiú, go **(2)** má tá tú **(3)** Éirinn. Tá athrú ag teacht ar an scéal seo de **(4)** a chéile agus tá léarscáileanna **(5)** de Bhaile Átha Cliath curtha ar fáil anois ag comhlachtaí bogearraí. Anuas air sin, tá **(6)** ildaite saitilíte d'Éirinn ar fáil freisin. Is féidir seoladh foirgnimh a chlóscríobh **(7)** agus a shuíomh a fheiceáil **(8)** léarscáil. Má tá an foirgneamh i gcathair mhór, **(9)** féidir grianghraf breá den fhoirgneamh sin a fheiceáil freisin, léiriú breá ar **(10)** atá suimiúil agus **(11)** ag an am céanna.

Liosta focal: maithe [Bearna (5)]; réir; isteach; chun; is; ar; háirithe; in; pictiúir; theicneolaíocht; scanrúil.

Teastas Sóisearach 2001

ROINN III – LÉAMHTHUISCINT (GIOTAÍ GEARRA)	[30 marc]

Freagair do rogha **trí cinn** de **A, B, C, D** anseo. **(Is leor freagraí gairide i ngach cás.)**
*[I gcás **A, B** agus **C** bíodh na freagraí i d'fhocail féin, chomh fada agus is féidir leat]*

A **(10 marc)**

Léigh an sliocht seo a leanas (as bróisiúr) agus freagair na ceisteanna a ghabhann leis.

Tagaigí le bhur gcairde go dtí **Sult,** Club Gaelach na Cathrach. Bíonn sé ar siúl in airde staighre sa Castle Inn in aice le hArdeaglais Chríost. Bíonn ceol beo bríomhar ann idir 9.00 p.m. agus am dúnta. Buaileann aíonna speisialta isteach ó am go chéile chun páirt a ghlacadh sna himeachtaí. Cead isteach £3 nó £2 do mhic léinn.

Club sóisialta neamhfhoirmeálta atá i **Sult** agus tá sé dírithe ar lucht labhartha na Gaeilge, ar lucht foghlamtha na teanga agus ar dhaoine ar spéis leo ceol, amhránaíocht, damhsa agus an cultúr Gaelach. Deis iontach atá ann chun an Ghaeilge a chleachtadh agus chun bualadh le daoine ar spéis leo **Sult** a bhaint as cultúr na Gaeilge.

(i) Breac síos **dhá phointe** eolais, ón **gcéad** alt, i dtaobh **Sult**.
(ii) Cén 'deis iontach' a thugann **Sult** do dhaoine?

B **(10 marc)**

Léigh an sliocht seo a leanas (bunaithe ar alt in Comhar) agus freagair na ceisteanna a ghabhann leis.

SIAMSAÍOCHT OIDEACHASÚIL

I measc na gcláracha a bhíonn ar **TG4** i gcomhair páistí caithfidh sé gurb é an ceann is éifeachtaí díobh ná **Teletubbies,** an clár de chuid an Ragdoll agus BBC atá tar éis Twinky Winkie, Po, La La agus Dipsy a chur in aithne don domhan ar fad. Déantar fuaimeanna aisteacha a mheascadh le huimhreacha, amhráin bheaga agus beannachtaí. Is modh foirfe atá anseo chun siamsaíocht a chur ar fáil do pháistí óga ach is siamsaíocht í a bhfuil taobh oideachasúil léi freisin.

Ba é an rud ba mhó a tharraing aird ar **Teletubbies** na Gaeilge ná na míreanna beaga físe ina mbeadh seans ag páiste óg foghlaim faoin dúlra nó faoi rud éigin timpeall uirthi/air agus é ar fad trí Ghaeilge. Clár Gaeilge ach clár idirnáisiúnta freisin! Má tá deartháir óg nó deirfiúr óg sa bhaile agat is féidir leat bábóga ar aon dul le Twinky Winkie, Po, La La agus Dipsy a cheannach sna siopaí bréagán dó nó di. Nár dheas an smaoineamh é?

(i) Breac síos **dhá phointe** eolais, ón **gcéad** alt, i dtaobh na **Teletubbies.**
(ii) Deirtear go bhfuil 'taobh oideachasúil' leis na **Teletubbies** mar chlár.
Conas a léirítear é sin sa sliocht?

C (10 marc)

Léigh an fógra seo a leanas agus freagair na ceisteanna a ghabhann leis.

carraigcheol

Má tá dúil agat sa rac-cheol nó sa cheol beo, beidh dúil agat i *Carraigcheol*. An aidhm atá ag *Carraigcheol* ná aird an phobail a tharraingt ar bhannaí atá ag iarraidh a gcosa a chur i dtaca i margaí ceoil an lae inniu.

Go dtí seo is iad **Luka Bloom**, na **Mary James**, na **Frames**, na **Plague Monkeys**, na **Marbles** agus **Manor** na bannaí a ghlac páirt sna seisiúin bheo, agus beidh **Blink, Jack L, Dr Millar**, na **Walls, Mark Dignam** (ar an 12 Aibreán) agus **The Prayer Boat** (ar an 26 Aibreán) ar *Carraigcheol* amach anseo.

(i) Cén aidhm atá ag an gclár **Carraigcheol**?

(ii) Ainmnigh an duine a chuireann an clár i láthair. Luaigh an lá agus an t-am a bhíonn sé ar siúl.

D (10 marc)

Déan staidéar ar an sliocht seo a leanas (bunaithe ar alt in Foinse) a bhfuil bearnaí ann atá uimhrithe ó (1) go dtí (11).
Ansin líon gach bearna díobh le focal oiriúnach as an liosta thíos. (Níl aon ord speisialta ar an liosta sin.) Ba cheart an freagra i do fhreagarleabhar a leagan amach mar seo: Bearna (1) = ndaoine, agus mar sin de. Ní gá an sliocht féin a athscríobh.

Aistear Hector

I measc na (1) ar labhair Hector leo le linn an (2) bhí beirt phóilíní de chuid an NYPD a labhrann Gaeilge, cailín as Gaillimh atá (3) chabhlach linn agus Búdaíoch Meiriceánach a bhfuil an Ghaeilge go (4) aige. Ós rud é go bhfuil Meiriceá (5) anois aige, an bhfuil aon phlean (6) Hector tabhairt faoin gcuid eile den domhan? 'Bheadh an-suim agam (7) taistil a dhéanamh,' ar sé. Tá cúpla (8) a bhfuil mé ag obair orthu (9) láthair ach tá brón orm nach (10) liom an t-eolas sin a (11) libh go fóill.

Liosta Focal: ndaoine [Bearna (1)]; féidir; ag; siúlta; líofa; ligean; rud; turais; tuilleadh; sa; faoi.

PÁIPÉAR II — AN LITIR

Treoracha

Bí cinnte go bhfuil leagan amach (*format*) litreach ar eolas agat:

(*a*) seoladh an tseoltóra (*the sender's address*);
(*b*) an dáta;
(*c*) beannú oiriúnach (*a suitable greeting*);
(*d*) croí nó ábhar na litreach (*the content of the letter*);
(*e*) críoch oiriúnach (*a suitable conclusion*).

- Foghlaim leaganacha (*formats*) don litir phearsanta (*personal letter*) agus don litir fhoirmiúil (*formal letter*).
- *Fad:* timpeall 130 focal i gcroí na litreach.
- Tá an chuid is mó de na marcanna (timpeall 90 faoin gcéad) ag dul don ábhar agus do chumas na Gaeilge.
- Caithfidh tú gach treoir a thugtar a leanúint go cúramach (*follow the instructions for each letter carefully*): feic na ceisteanna scrúdaithe thíos.
- Léigh arís na treoracha a bhaineann leis an aiste (leathanach 2).

> *Nóta*
> In the following pages you will find
> —the principal elements in letters, together with an essential vocabulary for each element;
> —samples showing the format of the letter;
> —samples of personal and formal letters with specific vocabulary;
> —a list of letters from examination papers.

Príomhghnéithe na litreach (Principal elements of the letter)

1 **Seoladh an tseoltóra** (The sender's address)
Bí cinnte gur féidir leat an seoladh a litriú i gceart. Ná húsáid do sheoladh féin anseo (*don't use your own address*).

Samplaí

25 Sráid Uí Luasaigh
Port Láirge

37 Sráid Phádraig
Dún Laoghaire
Co. Bhaile Átha Cliath

An Corrán
Co. Chiarraí

2 **An dáta**
Scríobh ainm na míosa ina iomláine.

Samplaí

9 Samhain 2007
3 Bealtaine 2008

Le foghlaim: míonna na bliana

Eanáir	Iúil
Feabhra	Lúnasa
Márta	Meán Fómhair
Aibreán	Deireadh Fómhair
Bealtaine	Samhain
Meitheamh	Nollaig

3 Beannú (Greeting)

Samplaí—litir phearsanta

A Sheáin, a chara,
A Phádraig, a ghrá,
A Shiobhán, a chara,
A Úna, a chara mo chroí,
A athair dhil,
A mháthair dhil,

Samplaí—litir fhoirmiúil

A chara,
A Mhic Uí Murchú, a chara,

4 Croí na litreach

Litir phearsanta

Bíodh an litir seo cairdiúil nádúrtha. Smaoinigh go bhfuil aithne mhaith agat ar an duine atá i gceist (feic na samplaí thíos).

Abairtí agus nathanna úsáideacha

bhí áthas orm do litir a fháil cúpla lá ó shin (*I was glad to get your letter a few days ago*)
fuair mé do litir Dé hAoine seo caite
bhí áthas orm nuair a tháinig fear an phoist le do litir
tá brón orm nár scríobh mé níos luaithe (*I'm sorry I didn't write sooner*)
bhí sé ar intinn agam litir a scríobh (*I had intended writing*)
tá súil agam (*I hope*)
táim ag súil le (*I'm expecting*)
táim ag tnúth le (*I'm looking forward to*)
tá súil agam go bhfuil gach rud ar fónamh sa bhaile (*I hope everything is all right at home*)
tá ag éirí go maith liom (*I'm getting on well*)
an-saol (*a great time*)
tá saol breá againn anseo (*we're having a great time here*)
nach méanar dom! (*isn't it well for me!*)
beidh mé ag tnúth le litir uait (*I'll be looking forward to a letter from you*)
roimh i bhfad/sula i bhfad (*before long*)
níl a thuilleadh nuachta agam an babhta seo (*I have no more news this time*)
inseoidh mé an nuacht go léir duit nuair a fheicfidh mé thú (*I'll tell you all the news when I see you*)
abair le hÉamann go raibh mé ag cur a thuairisce (*tell Éamann I was asking for him*)
is fada an lá ó chuala mé uait (*it's a long time since I heard from you*)
bhí áthas orm an dea-scéala a chloisteáil (*I was delighted to hear the good news*)
bhí brón orm an drochscéala a chloisteáil (*I was sorry to hear the bad news*)
tá sé tuillte go maith agat (*you well deserve it*)
molaim thú/tréaslaím leat/comhghairdeas leat! (*congratulations!*)

is oth liom a rá (*I'm sorry to say*)
tá súil agam go bhfuil tú i mbarr na sláinte (*I hope you are well*)
is maith is cuimhin liom (*I well remember*)
gabhaim pardún agat/caithfidh mé leithscéal a ghabháil leat (*I ask your pardon, I must apologise to you*)
táim fíorbhuíoch díot (*I'm very grateful to you*)
ní raibh am agam scríobh go dtí seo (*I hadn't got time to write until now*)
thaitin sé go mór liom (*I enjoyed it greatly*)
bhain an scéala geit asam (*the news gave me a fright*)
níl a thuilleadh le rá agam (*I have nothing else to say*)
slán go fóill (*goodbye for the present*)
táim ag tnúth le litir uait (*I'm looking forward to a letter from you*)
bhí gach duine anseo ag cur do thuairisce (*everyone here was asking for you*)
tá súil agam go bhfeicfidh mé go luath thú (*I hope I see you soon*)
ná déan moill (*don't delay*)

Litir fhoirmiúil

Cuimhnigh nach bhfuil aithne mhaith agat ar an duine atá i gceist. Caithfidh cuma fhoirmiúil a bheith ar an litir seo (feic na samplaí thíos).

Abairtí agus nathanna úsáideacha

is mian liom gearán a dhéanamh (*I wish to complain*)
is oth liom a rá (*I'm sorry to say*)
chuir sé as dom (*it upset me*)
tá a fhios agam go dteastóidh uait an díobháil a leigheas (*I know that you will wish to redress the injury*)
a luaithe a bheas caoi agat (*as soon as it is convenient*)
níl a thuilleadh le rá agam (*I have nothing more to say*)
beidh mé ag súil le freagra go luath (*I expect an early reply*)
gabh mo leithscéal as trioblóid a chur ort (*I'm sorry to bother you*)
is mian liom iarratas a chur isteach ar an bpost (*I wish to apply for the job*)
bheinn buíoch díot ach an litir seo a fhoilsiú (*I would be grateful if you would publish this letter*)
maidir le d'fhógra i nuachtán an lae inniu (*with regard to your advertisement in today's paper*)
airgead ar ais (*a refund*)
rachaidh mé i gcomhaile le haturnae (*I will consult a solicitor*)
tá súil agam go bhfaighidh mé sásamh (*I hope to get satisfaction*)
ba mhaith liom seomra a chur in áirithe (*I would like to book a room*)
lóistín (*bed and breakfast*)
le seomra folctha (*with a bathroom*)
singil, dúbailte (*single, double*)
is oth liom a rá (*I regret to say*)
tugadh le fios dom (*I was given to understand*)
éarlais (*a deposit*)
bheinn faoi chomaoin agat (*I would be obliged to you*)

chomh luath agus is féidir (*as soon as possible*)
teistiméireacht (*a reference*)
cáilíochtaí (*qualifications*)
taithí (*experience*)
bhí sé lochtach (*it was faulty*)
é a dheimhniú (*to confirm it*)

5 Críoch (Conclusion)

Samplaí—litir phearsanta

Mise do chara,
Méabh

Mise do chara buan,
Siobhán

Mise do bhuanchara,
Donncha

Do dheirfiúr ceanúil,
Cáit

Do mhac ceanúil,
Dónall

Do nia ceanúil,
Pádraig

Do neacht ceanúil,
Eibhlín

Nuair a bhíonn buíochas i gceist, úsáidtear nathanna mar seo go minic:
rath Dé ort
go rathaí Dia thú
go soirbhí Dia thú

Samplaí—litir fhoirmiúil

Mise le meas,
Seán Ó Broin

Mise le dea-mhéin,
Micheál Ó Brádaigh

Nóta

Sa litir fhoirmiúil is ceart ainm agus sloinne [*name and surname*] a chur leis an litir.

Leagan amach samplach (Sample format)
Litir phearsanta
D'fhreastail tú ar choláiste samhraidh sa Ghaeltacht ach ní raibh do chara in ann dul in éineacht leat. D'iarr sí ort litir a scríobh chuici.

I do litir luaigh:
—rud éigin faoi na ranganna Gaeilge;
—an caitheamh aimsire i rith an lae;
—an spórt a bhíonn agaibh san oíche;
—rud éigin faoi bhualadh le do chara arís.

Seoladh .... Cill Mhic an Domhnaigh
Ceann Trá
Co. Chiarraí

Dáta .... 6 Feabhra, 2007

Beannú ...... A Phádraigín, a chroí,

Réamhrá ...... Aon scéal ó shin? Conas atá gach aon duine i mBaile Mhistéala? Cad tá ar siúl agat féin ó chonaic mé thú coicís ó shin?

Croí na litreach ...... Nach ormsa atá an gliondar gur tháinig mé anseo! Bíonn an-spórt go deo againn. Ní bhíonn ach dhá uair an chloig de ranganna Gaeilge againn ar maidin. Is aoibhinn liom an ceol agus an spórt, agus tá an t-ádh linn go bhfuil an aimsir go hiontach le seachtain anuas. Ligeadh ag snámh inné sinn, agus beimid ag déanamh turais timpeall ar Cheann Sléibhe amárach. Bíonn céilí fiáin gach oíche.

Bhuaigh mé féin agus Ruairí 'Rince na Deilbhe' aréir. Inseoidh mé a thuilleadh duit faoi Ruairí nuair a fhillfidh mé, ach is duine an-deas as Luimneach é. Tá Scoraíocht na dTithe le bheith ar siúl anocht, ach níl ceol ag duine ar bith i mo theachsa. Beimid chun deiridh, measaim.

Ba cheart duit teacht anseo an samhradh seo chugainn. Bheadh an-saol agat, geallaimse duit! Feicfidh mé thú Dé Sathairn seo chugainn.

Críoch ...... Mise do chara buan,

D'ainmse ...... Máire

Litir fhoirmiúil
Fógraíodh post páirtaimseartha i dteach tábhairne. Ba mhaith leat cur isteach air. Scríobh litir ghearr chuig bainisteoir an tí tábhairne ag cur isteach ar an bpost.

Seoladh — Bóthar na hAbhann
Cathair na Mart
Co. Mhaigh Eo

Dáta — 15 Eanáir, 2007

Beannú — A chara,

Ábhar na litreach — Léigh mé d'fhógra ar an nuachtán faoi phost páirtaimseartha, agus ba mhaith liom cur isteach ar an bpost.

Eolas fút féin — Tá mé fós ag freastal ar scoil, agus táim sa chúigiú bliain. Chaith mé seal ag obair in óstán an samhradh seo caite. Tá taithí mhaith agam mar sin ar obair an óstáin, agus táim sásta obair go dícheallach.

Tuilleadh eolais — Beidh mé le fáil ó lár mhí an Mheithimh go deireadh mhí Lúnasa. Is féidir scríobh chugam nó glao teileafóin a chur orm ag an uimhir 26251. Beidh mé ag súil le freagra uait go luath.

Críoch — Mise le meas,

Ainm & sloinne — Pádraig Ó Baoill

LITIR SHAMPLACH 1 (PEARSANTA)

Éiríonn duine óg as scoil Ghaeltachta agus duine óg as scoil lasmuigh den Ghaeltacht cairdiúil lena chéile. Is duine den bheirt sin tusa, agus ba mhaith leat litir don Nollaig a chur chuig do chara.

I do litir luaigh:

—rud éigin faoin gcéad uair a casadh ar a chéile sibh;
—rud éigin a bheas ar siúl agat i rith na Nollag;
—rud éigin faoin mbronntanas a gheobhaidh tú dó nó di;
—rud éigin faoin gcaitheamh aimsire is maith libh beirt;
—rud éigin faoin gcéad uair eile a bhuailfidh sibh le chéile.

[Teastas Sóisearach, 1995]

13 Ascaill an Chaisleáin
An Teampall Mór
Co. Thiobraid Árann

9 Lúnasa, 2007

A Eoin,

Go raibh maith agat as an gcárta a chuir tú chugam ó Pháras ag an sos lárthéarma. Tá súil agam gur labhair tú Fraincis an t-am go léir!

Is fada anois é ón samhradh iontach i gCamas. Nárbh aoibhinn an áit agus an aimsir i mí Iúil nuair a bhíomar ar an gcúrsa? Abair le do mháthair go *raibh mé ag cur a tuairisce. Molaim í mar bhean tí. Conas atá d'athair? An bhfuil sé ag iascaireacht fós?*

Beidh laethanta saoire na Nollag againne go dtí Luan 6 Eanáir. Ar mhaith leat teacht chugainn an tseachtain roimhe sin? Bheadh fáilte agus fiche romhat! Tá a fhios agam go dtaitníonn an sacar leat. Is féidir linn cluiche a imirt leis an bhfoireann anseo againn ar an mbaile. Tá mé féin agus cara eile liom inár mbaill den chlub i mbliana.

Táim ag baint taitnimh as an nGaeilge san idirbhliain. Bímid ag labhairt Gaeilge i gcónaí sa rang agus sa chlub Gaelach atá againn. Cuirfidh sé ionadh ort an feabhas atá tagtha uirthi!

Beidh mé ag súil le litir a fháil uait go luath. Ná cuir ar an méar fhada é!

Le gach dea-ghuí,

Liam

Stór focal

tá súil agam: I hope
ag cur a tuairisce: asking for her
ná cuir ar an méar fhada é: don't put it off
beidh mé ag súil le: I'll be expecting

Obair duitse

Tá cara leat ag freastal ar an Scoil Eorpach sa Bhruiséil anois agus an Ghaeilge ar siúl aige nó aici mar ábhar ann. Is múinteoir a athair (nó a hathair) sa scoil. D'iarr sé nó sí ort litir i nGaeilge a chur chuige nó chuici ó am go chéile. Scríobh litir chuig do chara.

I do litir luaigh:

—rud éigin a bhí sa litir dheireanach ó do chara;
—rud éigin i dtaobh cúrsaí spóirt in Éirinn;
—rud éigin faoi do shaol scoile féin;
—rud éigin i dtaobh an cheoil is rogha libh beirt.

LITIR SHAMPLACH 2 (PEARSANTA)

Tá cara leat ina cónaí faoin tuath. Ba mhaith leat go dtiocfadh sí ar saoire chugat i mBaile Átha Cliath. Scríobh an litir a chuirfeá chuici.

26 Sráid an Mhargaidh
Baile Átha Cliath 9

20 Aibreán 2007

A Mháire, a chroí,

Cén chaoi a bhfuil sibh go léir thíos ansin i gciúnas álainn na tuaithe? Ní foláir nó tá na crainn ag eascair faoi seo agus gach áit go maisiúil. Is minic a bhím in éad libh agus mé anseo sa chathair ghlórach!

Cad déarfá, a chailín, le seachtain (nó dhá cheann, nó trí cinn?) anseo i mBaile Átha Cliath? Tá cuimhne fós agam ar an tsaoire iontach a thug sibh dom anuraidh agus ar an láchas a thaispeáin tú féin agus do mhuintir dom fad a bhí mé libh. Dúirt mo mháthair agus m'athair go ndearna an tsaoire sin an-mhaitheas dom, agus bhí an ceart acu!

Téigh i gcomhairle le do thuismitheoirí agus tar aníos a luaithe a dhúnfaidh an scoil. Beidh mo dheartháir Páid saor an dara leath de mhí an Mheithimh, agus tá geallta aige go dtiomáinfidh sé sinn cibé áit is mian linn dul. (Níl agam féin go fóill ach ceadúnas sealadach!) Beidh sult againn ag siopadóireacht, agus beidh cúpla seó maith ar siúl sna hamharclanna. Ná cuir ar an méar fhada é ach inis dom chomh luath agus a bheas socair agat cén lá a thiocfaidh tú. Beidh mé ag Stáisiún Heuston ag fanacht leat.

Conas atá d'athair, do mháthair, agus an teaghlach ar fad? Abair leo go raibh mé ag cur a dtuairisce. Táimid go léir anseo ar fheabhas na sláinte, a bhuí le Dia.

Ag tnúth le freagra uait gan mhoill,

Do chara buan,

Treasa

Stór focal

ag eascair: sprouting, budding
maisiúil: decorative, beautiful
in éad libh: envious of you
a luaithe: as soon as
sealadach: temporary, provisional; **ceadúnas sealadach:** provisional licence
teaghlach: household, family
ag tnúth le: looking forward to

Obair duitse

Tá cara leat i mBéal Feirste agus Gaeilge mhaith aige nó aici. Ba mhaith leat go dtiocfadh an cara sin ar saoire chugat i rith an tsamhraidh. Scríobh an litir a chuirfeá chuige nó chuici.

LITIR SHAMPLACH 3 (FOIRMIÚIL)

Tá múinteoir Gaeilge do rangasa san ospidéal de thoradh timpiste a bhain dó nó di. Iarrtar ortsa litir a chur chuige nó chuici thar ceann an ranga ar fad.

Sa litir sin luaigh:

—mar a mhothaíonn sibh uile faoin scéal;
—rud éigin faoin timpiste a bhain don mhúinteoir;
—rud éigin faoin múinteoir nua Gaeilge atá agaibh;
—rud éigin greannmhar a tharla sa scoil;
—pointe éigin faoi chaitheamh aimsire áirithe is maith leis an múinteoir.

Scoil Cholm Cille
Baile an Róba
Co. Mhaigh Eo

18 Meitheamh, 2007

A Iníon Uí Laoire,

Táimse ag scríobh chugat thar ceann an ranga. Bhí an-bhrón orainn nuair a chualamar an drochscéala faoin timpiste agus go háirithe faoi do chos bhriste. (Deir daltaí áirithe go bhfuil áthas ort toisc go mbeidh sos agat ón rang seo go ceann tamaill!)

Beidh tú ar ais linn ar do mhaidí croise go luath, is dócha. Ach ní bheidh tú ag imirt peile linn tar éis na scoile! Níl an múinteoir nua róshásta linn. Ní maith leis bheith ag caint faoi pheil ná faoi shacar sa rang Gaeilge. Tá sé an-dáiríre ar fad. Gramadach, gramadach, agus tuilleadh gramadaí—sin a bhíonn ar siúl againn.

Bhí spórt againn sa rang inné. Bhí an múinteoir Béarla déanach. Bhí Seán Ó Néill agus Caitríona Ní Bheoláin ag déanamh aithrise ar an bpríomhoide agus ar mhúinteoir eile (ní inseoidh mé a hainm duit!) nuair a shiúil an príomhoide féin isteach. Bhí sé ina raic cheart! Ach rinne sé gáire tar éis dó íde béil a thabhairt dúinn.

Ar chuala tú gur bhuamar an comórtas díospóireachta ar an Máirt? Bhí Caitríona ar fheabhas, agus bhíomar an-bhródúil aisti. Tá súil againn uile go mbeidh tú ar ais don chéad bhabhta eile agus go mbeidh tú i dtogha na sláinte arís.

Slán agus beannacht.

Sinéad de Paor
Ar son na tríú bliana

Stór focal

thar ceann an ranga: on behalf of the class
an-dáiríre: very serious
ag déanamh aithrise: imitating
bhí sé ina raic cheart: there was a rumpus
íde béil: a telling off
don chéad bhabhta eile: for the next round
i dtogha na sláinte: in the best of health

Obair duitse

Scríobh an litir is dóigh leat a chuirfeadh an múinteoir ar ais chuig an rang.

LITIR SHAMPLACH 4 (FOIRMIÚIL)

Scríobh litir chuig eagarthóir nuachtáin ag gearán nach bhfuil go leor post ann do dhéagóirí.

17 Bóthar an Teampaill
Eochaill
Co. Chorcaí

3 Aibreán 2007

An tEagarthóir
"Cork Examiner"
Sráid an Acadaimh
Corcaigh

A chara,

Is mian liom a rá go bhfuil an-díomá orm na laethanta seo. Is dalta scoile mé, tá mé sé bliana déag d'aois, agus theastaigh uaim post samhraidh a fháil i mbliana. Ba bhreá liom mo chuid airgid féin a bheith agam. Ach theip glan orm post a fháil. Tá na mílte siúlta agam, ó shiopa go siopa, ar an mbaile mór. Níorbh fhiú dul go dtí an mhonarcha éadaigh: tá a fhios ag an saol nach fada uainn an lá go ligfear an lucht oibre chun siúil agus go mbeidh tuilleadh daoine ar an deol anseo sa bhaile mór.

Is trua nach dtugtar seans do dhaoine óga. Níl aon taithí oibre agamsa; ach ní féidir liom post a fháil gan taithí. Cad is féidir liom a dhéanamh mar sin?

Tá a lán déagóirí ag lorg post, ach, níos tábhachtaí ná sin, tá lucht fágtha scoile gan obair. Níl sé ceart ná cóir go mbíonn ar na hógánaigh sin an bád bán a thógáil. Cén fáth nach bhfuil polaiteoirí agus fostóirí ag obair ar a ndícheall chun tuilleadh post a chruthú dár ndaoine óga?

An fhadhb is mó atá ann ná nach bhfuil siad dáiríre faoina gcuid dualgas. Agus tá an scéal anseo i gCorcaigh chomh holc le háit ar bith eile sa tír, is oth liom a rá. Buíochas le Dia nach mbeidh orm féin dul ar an deol faoi láthair, ach cad a tharlóidh amach anseo? Níl mórán dóchais agam, caithfidh mé a rá.

Tá súil agam go léifidh fostóir nó polaiteoir éigin an litir seo agus go dtuigfidh siad conas mar atá ag aos óg na tíre. Táimid ag brath orthu. Seo Corcaíoch amháin a choimeádfaidh súil ghéar orthu!

Mise le meas,

Mícheál Ó Buachalla

Stór focal

is mian liom a rá: I wish to say
díomá: disappointment
tá a fhios ag an saol: everybody knows
taithí oibre: work experience
lucht fágtha scoile: school leavers
níl sé ceart ná cóir: it's not right or proper
an bád bán: the emigrant ship
dualgas: duty
mórán dóchais: much hope
ag brath orthu: depending on them

Obair duitse

Tá a lán daoine óga dífhostaithe i do cheantar féin. Scríobh an litir a chuirfeá chuig teachta Dála áitiúil ag gearán faoi sin agus ag iarraidh air nó uirthi rud éigin a dhéanamh faoi.

Teastas Sóisearach 2005

ROINN IV – LITIR A SCRÍOBH **[30 marc]**

Freagair **A** nó **B** nó **C** anseo. (**Ná gá dul thar leathleathanach i do fhreagra.**)

A

Tá cara leat ar scoil i dtír eile. Tá a t(h)uismitheoirí ag obair ansin. Fuair tú litir uaithi/uaidh.
Scríobh an litir a chuirfeá chuici/chuige mar fhreagra.

I do litir luaigh

- do fhreagra ar cheist éigin a bhí sa litir ó do chara
- scéal mór éigin atá i mbéal an phobail in Éirinn faoi láthair

- scéal éigin i dtaobh do shaoil féin ar scoil
- an caitheamh aimsire nua atá agat
- mar a chaithfidh tú an samhradh

B

Léigh tú alt in *Foinse* faoin ábhar *Foireann amháin sacair don tír seo, thuaidh agus theas.*
Scríobh an litir a chuirfeá chuig eagarthóir na hirise i dtaobh an ailt.

I do litir luaigh
- **dhá rud** a bhí san alt i bhfábhar an smaoinimh
- **dhá rud** a bhí san alt i gcoinne an smaoinimh
- do thuairim féin ar an ábhar

C

Bhí ócáid speisialta san Halla Pobail i do cheantar féin le déanaí.
Scríobh an litir a chuirfeá chuig cara leat ag insint dó / di i dtaobh na hócáide.

I do litir luaigh
- an fáth a raibh an ócáid ar siúl
- **dhá rud** faoin ócáid a thaitin go mór leat
- **dhá rud** faoin ócáid nár thaitin leat

Teastas Sóisearach 2004

ROINN IV – LITIR A SCRÍOBH	**[30 marc]**

Freagair **A** nó **B** nó **C** anseo. (**Ná gá dul thar leathleathanach i do fhreagra.**)

A

Bhí do bhreithlá ann le déanaí. Scríobh **litir** chuig peannchara leat ag insint dó/di i dtaobh na hócáide.

I do litir luaigh
- dáta do bhreithlae agus d'aois anois
- **dhá** rud a rinne tú ar an lá
- na bronntanais a fuair tú
- cuntas ar ghrianghraf, a tógadh ar an lá, agus atá istigh leis an litir.

B

Bhí tú i dtrioblóid ar scoil fad a bhí do thuismitheoirí as baile. Scríobh **litir** chucu ag insint dóibh cad a tharla.

I do litir luaigh
- an fáth go raibh tú i dtrioblóid
- an pionós a cuireadh ort
- **dhá chúis** nach raibh tú róshásta leis an bpionós
- pointe ar bith eile i dtaobh na trioblóide.

C

Léigh tú léirmheas nó cuntas in *Lá* ar albam nua leis an mbanna ceoil is fearr leat. Scríobh **litir** chuig eagarthóir an nuachtáin sin i dtaobh a raibh san léirmheas sin.

I do litir luaigh
- ainm an albaim agus ainm an bhanna cheoil
- **dhá** mhórphointe a bhí sa léirmheas ar aontaigh tú leo
- **dhá** mhórphointe a bhí sa léirmheas nár aontaigh tú leo.

Teastas Sóisearach 2003

ROINN IV – LITIR A SCRÍOBH	[30 marc]

Freagair **A** nó **B** nó **C** anseo. (**Ná gá dul thar leathleathanach i do fhreagra.**)

A

Is ball de bhanna ceoil tú. Bhí do chéad cheolchoirm agat le déanaí. Scríobh **an litir** a chuirfeá chuig cara leat ag insint dó/di ina thaobh.

I do litir luaigh
- an saghas banna cheoil atá i gceist
- cén fáth ar roghnaigh sibh an t-ainm atá ar an mbanna
- an réamhchleachtadh a rinne sibh
- conas a tharla sé go raibh sibh páirteach sa cheolchoirm
- pointe amháin faoin gceolchoirm féin.

B

Bhí timpiste agat agus tá tú san ospidéal. Scríobh **an litir** a chuirfeá chuig cara leat ag insint di(dó) ina thaobh.

I do litir luaigh
- **dhá** phointe eolais i dtaobh na timpiste
- **dhá** phointe eolais i dtaobh cúrsaí san ospidéal
- pointe amháin faoi na rudaí a dhéanfaidh tú nuair a rachaidh tú abhaile.

C

Léigh tú alt i nuachtán Gaeilge faoin ábhar ***Níl Dia ar Bith ag Déagóirí an Lae Inniu.*** Scríobh **an litir** a chuirfeá chuig eagarthóir an nuachtáin i dtaobh a raibh san alt sin.

I do litir luaigh
- **dhá** mhórphointe a bhí san alt ar an ábhar
- **dhá** thuairim uait féin ar an ábhar
- pointe amháin eile faoin alt.

Teastas Sóisearach 2002

ROINN IV – LITIR A SCRÍOBH	**[30 marc]**

Freagair **A** nó **B** nó **C** anseo. (**Ná gá dul thar leathleathanach i do fhreagra.**)

A

Tá post samhraidh agat agus tá tú ag fanacht i dteach d'uncail. Scríobh **an litir** a chuirfeá chuig do thuismitheoirí ag insint dóibh i dtaobh a bhfuil ar siúl agat ann.

I do litir luaigh
- an saghas poist atá agat
- rud amháin faoi na daoine atá ag obair leat
- rud amháin faoin bpost nach maith leat
- pointe amháin faoi do shaol sóisialta ann
- rud amháin faoin saol i dteach d'uncail

B

Bhí tú ag cluiche mór le déanaí. Shíl tú go raibh an réiteoir go maith cé go raibh go leor daoine eile ag gearán faoi/fúithi. Scríobh **an litir** a chuirfeá chuig clár spóirt TG4 ag cur do thuairimí faoin scéal ar fad in iúl.

I do litir luaigh
- na foirne a bhí ag imirt sa chluiche agus an áit a raibh sé ar siúl
- **dhá** chúis a raibh tú sásta leis an réiteoir
- gearán amháin a bhí ag daoine eile faoin réiteoir
- moladh amháin uait a chabhródh le réiteoirí, dar leat

C

Léigh tú alt i nuachtán Gaeilge faoin ábhar **Tá an Óige Imithe ó Smacht**. Scríobh **an litir** a chuirfeá chuig eagarthóir an nuachtáin i dtaobh a raibh san alt sin.

I do litir luaigh
- **dhá** mhórphointe a bhí san alt ar an ábhar
- **dhá** thuairim uait féin ar an ábhar
- pointe amháin **eile** faoin alt

Teastas Sóisearach 2001

ROINN IV – LITIR A SCRÍOBH	**[30 marc]**

Freagair **A** nó **B** nó **C** anseo. (**Ná gá dul thar leathleathanach i do fhreagra.**)

A

Bhí do thuismitheoirí as baile ar laethanta saoire nuair a tháinig do thuarascáil scoile go dtí do theach. Bhí torthaí scrúduithe na Nollag mar aon le tuairimí na múinteoirí agus an phríomhoide fút sa tuarascáil. Scríobh **an litir** a chuirfeá chuig do thuismitheoirí ag insint dóibh i dtaobh a raibh sa tuarascáil.

I do litir luaigh
- conas a bhí na torthaí i gcoitinne agat
- ábhar amháin a ndearna tú go maith ann agus tuairim an mhúinteora fút san ábhar sin
- ábhar amháin nach ndearna tú go maith ann agus leithscéal éigin atá agat
- tuairim an phríomhoide fút mar dhalta scoile
- pointe ar bith **eile** faoin tuarascáil

B

Tá an trácht ar na bóithre go dona i do cheantar féin agus tá sé ag cur as go mór do mhuintir na háite, tú féin ina measc. Scríobh **an litir** a chuirfeá chuig eagarthóir nuachtáin Ghaeilge faoin ábhar seo.

I do litir luaigh
- conas a chuireann an trácht as duit féin mar dhalta scoile
- **dhá** shlí **eile** ina gcuireann an trácht as do mhuintir na háite
- cúis amháin go bhfuil an trácht go dona sa cheantar, dar leatsa
- an réiteach a mholfá féin chun feabhas a chur ar an scéal

C

Chonaic tú scannán sa phictiúrlann le déanaí a thaitin go mór leat. Scríobh **an litir** a chuirfeá chuig peannchara leat ag insint di/dó i dtaobh an scannáin.

I do litir luaigh
- ainm an scannáin agus an áit a raibh sé ar siúl ann
- cuntas **gairid** ar an scéal atá á insint sa scannán agus ar na carachtair/aisteoirí atá ann. (**Is leor ceithre phointe a lua.**)

Na briathra rialta—an chéad réimniú

Aimsir láithreach	*Aimsir chaite*	*Aimsir fháistineach*	*Modh coinníollach*
		dún	
dúnaim	dhún mé	dúnfaidh mé	dhúnfainn
dúnann tú	dhún tú	dúnfaidh tú	dhúnfá
dúnann sé, sí	dhún sé, sí	dúnfaidh sé, sí	dhúnfadh sé, sí
dúnaimid	dhúnamar	dúnfaimid	dhúnfaimis
dúnann sibh	dhún sibh	dúnfaidh sibh	dhúnfadh sibh
dúnann siad	dhún siad	dúnfaidh siad	dhúnfaidís
(ní dhúnaim)	(níor dhún mé)	(ní dhúnfaidh mé)	(ní dhúnfainn)
dúntar	dúnadh	dúnfar	dhúnfaí
		cuir	
cuirim	chuir mé	cuirfidh mé	chuirfinn
cuireann tú	chuir tú	cuirfidh tú	chuirfeá
cuireann sé, sí	chuir sé, sí	cuirfidh sé, sí	chuirfeadh sé, sí
cuirimid	chuireamar	cuirfimid	chuirfimis
cuireann sibh	chuir sibh	cuirfidh sibh	chuirfeadh sibh
cuireann siad	chuir siad	cuirfidh siad	chuirfidís
cuirtear	cuireadh	cuirfear	chuirfí
		ól	
ólaim	d'ól mé	ólfaidh mé	d'ólfainn
ólann tú	d'ól tú	ólfaidh tú	d'ólfá
ólann sé, sí	d'ól sé, sí	ólfaidh sé, sí	d'ólfadh sé, sí
ólaimid	d'ólamar	ólfaimid	d'ólfaimis
ólann sibh	d'ól sibh	ólfaidh sibh	d'ólfadh sibh
ólann siad	d'ól siad	ólfaidh siad	d'ólfaidís
óltar	óladh	ólfar	d'ólfaí
		fág	
fágaim	d'fhág mé	fágfaidh mé	d'fhágfainn
fágann tú	d'fhág tú	fágfaidh tú	d'fhágfá
fágann sé, sí	d'fhág sé, sí	fágfaidh sé, sí	d'fhágfadh sé, sí
fágaimid	d'fhágamar	fágfaimid	d'fhágfaimis
fágann sibh	d'fhág sibh	fágfaidh sibh	d'fhágfadh sibh
fágann siad	d'fhág siad	fágfaidh siad	d'fhágfaidís
fágtar	fágadh	fágfar	d'fhágfaí

siúil

siúlaim	shiúil mé	siúlfaidh mé	shiúlfainn
siúlann tú	shiúil tú	siúlfaidh tú	shiúlfá
siúlann sé, sí	shiúil sé, sí	siúlfaidh sé, sí	shiúlfadh sé, sí
siúlaimid	shiúlamar	siúlfaimid	shiúlfaimis
siúlann sibh	shiúil sibh	siúlfaidh sibh	shiúlfadh sibh
siúlann siad	shiúil siad	siúlfaidh siad	shiúlfaidís
siúltar	siúladh	siúlfar	shiúlfaí

nigh

ním	nigh mé	nífidh mé	nífinn
níonn tú	nigh tú	nífidh tú	nífeá
níonn sé, sí	nigh sé, sí	nífidh sé, sí	nífeadh sé, sí
nímid	níomar	nífimid	nífimis
níonn sibh	nigh sibh	nífidh sibh	nífeadh sibh
níonn siad	nigh siad	nífidh siad	nífidís
nítear	níodh	nífear	nífí

Na briathra rialta—an dara réimniú

Aimsir láithreach	*Aimsir chaite*	*Aimsir fháistineach*	*Modh coinníollach*

ceannaigh

ceannaím	cheannaigh mé	ceannóidh mé	cheannóinn
ceannaíonn tú	cheannaigh tú	ceannóidh tú	cheannófá
ceannaíonn sé, sí	cheannaigh sé, sí	ceannóidh sé, sí	cheannódh sé, sí
ceannaímid	cheannaíomar	ceannóimid	cheannóimis
ceannaíonn sibh	cheannaigh sibh	ceannóidh sibh	cheannódh sibh
ceannaíonn siad	cheannaigh siad	ceannóidh siad	cheannóidís
ceannaítear	ceannaíodh	ceannófar	cheannófaí

éirigh

éirím	d'éirigh mé	éireoidh mé	d'éireoinn
éiríonn tú	d'éirigh tú	éireoidh tú	d'éireofá
éiríonn sé, sí	d'éirigh sé, sí	éireoidh sé, sí	d'éireodh sé, sí
éirímid	d' éiríomar	éireoimid	d'éireoimis
éiríonn sibh	d'éirigh sibh	éireoidh sibh	d'éireodh sibh
éiríonn siad	d'éirigh siad	éireoidh siad	d'éireoidís
éirítear	éiríodh	éireofar	d'éireofaí

oscail

osclaím	d'oscail mé	osclóidh mé	d'osclóinn
osclaíonn tú	d'oscail tú	osclóidh tú	d'osclófá
osclaíonn sé, sí	d'oscail sé, sí	osclóidh sé, sí	d'osclódh sé, sí
osclaímid	d'osclaíomar	osclóimid	d'osclóimis
osclaíonn sibh	d'oscail sibh	osclóidh sibh	d'osclódh sibh
osclaíonn siad	d'oscail siad	osclóidh siad	d'osclóidís
osclaítear	osclaíodh	osclófar	d'osclófaí

Na briathra neamhrialta

Aimsir láithreach	*Aimsir chaite*	*Aimsir fháistineach*	*Modh coinníollach*
		téigh	
téim	chuaigh mé	rachaidh mé	rachainn
téann tú	chuaigh tú	rachaidh tú	rachfá
téann sé, sí	chuaigh sé, sí	rachaidh sé, sí	rachadh sé, sí
téimid	chuamar	rachaimid	rachaimis
téann sibh	chuaigh sibh	rachaidh sibh	rachadh sibh
téann siad	chuaigh siad	rachaidh siad	rachaidís
	(ní dheachaigh mé)		
téitear	chuathas	rachfar	rachfaí
		ith	
ithim	d'ith mé	íosfaidh mé	d'íosfainn
itheann tú	d'ith tú	íosfaidh tú	d'íosfá
itheann sé, sí	d'ith sé, sí	íosfaidh sé, sí	d'íosfadh sé, sí
ithimid	d'itheamar	íosfaimid	d'íosfaimis
itheann sibh	d'ith sibh	íosfaidh sibh	d'íosfadh sibh
itheann siad	d'ith siad	íosfaidh siad	d'íosfaidís
itear	itheadh	íosfar	d'íosfaí
		tar	
tagaim	tháinig mé	tiocfaidh mé	thiocfainn
tagann tú	tháinig tú	tiocfaidh tú	thiocfá
tagann sé, sí	tháinig sé, sí	tiocfaidh sé, sí	thiocfadh sé, sí
tagaimid	thángamar	tiocfaimid	thiocfaimis
tagann sibh	tháinig sibh	tiocfaidh sibh	thiocfadh sibh
tagann siad	tháinig siad	tiocfaidh siad	thiocfaidís
tagtar	thángthas	tiocfar	thiocfaí
		feic	
feicim	chonaic mé	feicfidh mé	d'fheicfinn
feiceann tú	chonaic tú	feicfidh tú	d'fheicfeá
feiceann sé, sí	chonaic sé, sí	feicfidh sé, sí	d'fheicfeadh sé, sí
feicimid	chonaiceamar	feicfimid	d'fheicfimis
feiceann sibh	chonaic sibh	feicfidh sibh	d'fheicfeadh sibh
feiceann siad	chonaic siad	feicfidh siad	d'fheicfidís
	(ní fhaca mé)		
feictear	chonacthas	feicfear	d'fheicfí
		tabhair	
tugaim	thug mé	tabharfaidh mé	thabharfainn
tugann tú	thug tú	tabharfaidh tú	thabharfá
tugann sé, sí	thug sé, sí	tabharfaidh sé, sí	thabharfadh sé, sí
tugaimid	thugamar	tabharfaimid	thabharfaimis
tugann sibh	thug sibh	tabharfaidh sibh	thabharfadh sibh

tugann siad	thug siad	tabharfaidh siad	thabharfaidís
tugtar	tugadh	tabharfar	thabharfaí

beir

beirim	rug mé	béarfaidh mé	bhéarfainn
beireann tú	rug tú	béarfaidh tú	bhéarfá
beireann sé, sí	rug sé, sí	béarfaidh sé, sí	bhéarfadh sé, sí
beirimid	rugamar	béarfaimid	bhéarfaimis
beireann sibh	rug sibh	béarfaidh sibh	bhéarfadh sibh
beireann siad	rug siad	béarfaidh siad	bhéarfaidís
beirtear	rugadh	béarfar	bhéarfaí

clois

cloisim	chuala mé	cloisfidh mé	chloisfinn
cloiseann tú	chuala tú	cloisfidh tú	chloisfeá
cloiseann sé, sí	chuala sé, sí	cloisfidh sé, sí	chloisfeadh sé, sí
cloisimid	chualamar	cloisfimid	chloisfimis
cloiseann sibh	chuala sibh	cloisfidh sibh	chloisfeadh sibh
cloiseann siad	chuala siad	cloisfidh siad	chloisfidís
cloistear	chualathas	cloisfear	chloisfí

déan

déanaim	rinne mé	déanfaidh mé	dhéanfainn
déanann tú	rinne tú	déanfaidh tú	dhéanfá
déanann sé, sí	rinne sé, sí	déanfaidh sé, sí	dhéanfadh sé, sí
déanaimid	rinneamar	déanfaimid	dhéanfaimis
déanann sibh	rinne sibh	déanfaidh sibh	dhéanfadh sibh
déanann siad	rinne siad	déanfaidh siad	dhéanfaidís
	(ní dhearna mé)		
déantar	rinneadh	déanfar	dhéanfaí

faigh

faighim	fuair mé	gheobhaidh mé	gheobhainn
faigheann tú	fuair tú	gheobhaidh tú	gheofá
faigheann sé, sí	fuair sé, sí	gheobhaidh sé, sí	gheobhadh sé, sí
faighimid	fuaireamar	gheobhaimid	gheobhaimis
faigheann sibh	fuair sibh	gheobhaidh sibh	gheobhadh sibh
faigheann siad	fuair siad	gheobhaidh siad	gheobhaidís
		(ní bhfaighidh mé)	(ní bhfaighinn)
faightear	fuarthas	gheofar	gheofaí

abair

deirim	dúirt mé	déarfaidh mé	déarfainn
deir tú	dúirt tú	déarfaidh tú	déarfá
deir sé, sí	dúirt sé, sí	déarfaidh sé, sí	déarfadh sé, sí
deirimid	dúramar	déarfaimid	déarfaimis

deir sibh	dúirt sibh	déarfaidh sibh	déarfadh sibh
deir siad	dúirt siad	déarfaidh siad	déarfaidís
(ní deirim)	(ní dúirt mé)	(ní déarfaidh mé)	(ní déarfainn)
deirtear	dúradh	déarfar	déarfaí

bí

táim	bhí mé	beidh mé	bheinn
tá tú	bhí tú	beidh tú	bheifeá
tá sé, sí	bhí sé, sí	beidh sé, sí	bheadh sé, sí
táimid	bhíomar	beimid	bheimis
tá sibh	bhí sibh	beidh sibh	bheadh sibh
tá siad	bhí siad	beidh siad	bheidís
(nílim/níl mé)	(ní raibh mé)		
táthar	bhíothas	beifear	bheifí

Na haidiachtaí

fada—níos faide—is faide	gearr—níos giorra—is giorra
ard—níos airde—is airde	íseal—níos ísle—is ísle
mear—níos mire—is mire	mall—níos maille—is maille
sean—níos sine—is sine	óg—níos óige—is óige
maith—níos fearr—is fearr	olc—níos measa—is measa
mór—níos mó—is mó	beag—níos lú—is lú
salach—níos salaí—is salaí	glan—níos glaine—is glaine
díreach—níos dírí—is dírí	cam—níos caime—is caime
láidir—níos láidre—is láidre	lag—níos laige—is laige
saibhir—níos saibhre—is saibhre	bocht—níos boichte—is boichte
deacair—níos deacra—is deacra	furasta—níos fusa—is fusa
fuar—níos fuaire—is fuaire	te—níos teo—is teo
ramhar—níos raimhre—is raimhre	tanaí—níos tanaí—is tanaí
leathan—níos leithne—is leithne	caol—níos caoile—is caoile
searbh—níos seirbhe—is seirbhe	milis—níos milse—is milse
ciallmhar—níos ciallmhaire—is ciallmhaire	fíochmhar—níos fíochmhaire—is fíochmhaire
dathúil—níos dathúla—is dathúla	cáiliúil—níos cáiliúla—is cáiliúla
fearúil—níos fearúla—is fearúla	álainn—níos áille—is áille
geal—níos gile—is gile	trom—níos troime—is troime
tréan—níos tréine—is tréine	breá—níos breátha—is breátha

An aidiacht shealbhach

mé	mo chamán	mo pheann
tú	do chamán	do pheann
sé, sí	a chamán, a camán	a pheann, a peann
muid/sinn	ár gcamáin	ár bpinn

sibh	bhur gcamáin	bhur bpinn
siad	a gcamáin	a bpinn

táim i mo dhúiseacht
tá tú i do dhúiseacht
tá sé ina dhúiseacht, tá sí ina dúiseacht
táimid inár ndúiseacht
tá sibh in bhur ndúiseacht
tá siad ina ndúiseacht

i mo dhiaidh	i mo chodladh	i mo shuí
i do dhiaidh	i do chodladh	i do shuí
ina dhiaidh	ina chodladh	ina shuí
ina diaidh	ina codladh	ina suí
inár ndiaidh	inár gcodladh	inár suí
in bhur ndiaidh	in bhur gcodladh	in bhur suí
ina ndiaidh	ina gcodladh	ina suí

Na réamhfhocail

Cuireann na réamhfhocail seo ***séimhiú*** ar an ainmfhocal de ghnáth:

ar	faoi	roimh	um
de	gan	thar	
do	ó	trí	

Ach **ar ball**, **thar barr**.

Ní chuireann na réamhfhocail seo séimhiú ar an ainmfhocal:

ag	go/go dtí
as	le
chuig	

Cuireann an réamhfhocal seo ***urú*** ar an ainmfhocal:
i
Ach i + an = **sa** (m.sh. 'sa bhaile', 'san uisce')

'ag' agus 'ar'

Tá 'ag' agus 'ar' an-tábhachtach sa Ghaeilge. Mar shampla, níl aon bhriathar sa Ghaeilge arb ionann é agus 'to have': úsáidtear 'tá + ag'; m.sh. 'Tá leabhar agam.' Cuirtear go leor mothúchán in iúl leis na réamhfhocail seo:

Tá áthas *ar* Dhónall

brón	uaigneas	fearg
ionadh	imní	náire
tart	díomá	éad
ocras	gliondar	

Is minic a bhíonn 'ag' agus 'ar' san abairt chéanna:
Tá aithne ag Dónall ar Aoife.
Tá meas ag an múinteoir ar Úna.
Tá taithí ag Liam ar an obair sin.
Tá cion ag Éadaoin ar Dhonncha.

'ag' agus réamhfhocail eile:
Tá muinín [*trust*] ag Liam as Máire.
Tá iontaibh [*trust*] ag Liam as Máire.
Tá suim [*interest*] ag Liam i Máire.
Tá gaol [*relation*] ag Liam le Máire.

'ar' agus réamhfhocail eile:
Tá éad [*envy*] ar Dhónall le Méabh.
Tá fearg ar Dhónall le Méabh.
Tá eagla ar Dhónall roimh Mhéabh.
Tá scáth ar Dhónall roimh Mhéabh.

An forainm réamhfhoclach

ar	do	de	ó	faoi	roimh
orm	dom	díom	uaim	fúm	romham
ort	duit	díot	uait	fút	romhat
air, uirthi	dó, di	de, di	uaidh, uaithi	faoi, fúithi	roimhe, roimpi
orainn	dúinn	dínn	uainn	fúinn	romhainn
oraibh	daoibh	díbh	uaibh	fúibh	romhaibh
orthu	dóibh	díobh	uathu	fúthu	rompu

trí	thar	le	ag	as
tríom	tharam	liom	agam	asam
tríot	tharat	leat	agat	asat
tríd, tríthi	thairis, thairsti	leis, léi	aige, aici	as, aisti
trínn	tharainn	linn	againn	asainn
tríbh	tharaibh	libh	agaibh	asaibh
tríothu	tharstu	leo	acu	astu

chuig	i	idir
chugam	ionam	—
chugat	ionat	—
chuige, chuici	ann, inti	—
chugainn	ionainn	eadrainn
chugaibh	ionaibh	eadraibh
chucu	iontu	eatarthu

SCRÚDÚ AN TEASTAIS SHÓISEARAIGH, 2006
GAEILGE (ARDLEIBHÉAL)
CLUASTUISCINT (100 marc)

[N.B. NÍ MÓR NA FREAGRAÍ AR FAD A SCRÍOBH AS GAEILGE.] (100 marc)

CUID A

Cloisfidh tú giota cainte ó gach duine de ***thriúr*** daoine óga sa Chuid seo. Cloisfidh tú gach giota díobh ***trí huaire.*** Éist go cúramach leo agus líon isteach an t-eolas atá á lorg sna greillí ag **1**, **2** agus **3** thíos.

1. **An Chéad Chainteoir** **Track 73**

Ainm	*Tomás Ó Cuinn*
Cén áit ar rugadh Tomás?	
Cá bhfuil sé ina chónaí anois?	
Cén áit a mbíonn sé ag obair ag an deireadh seachtaine?	
Cén fáth nach maith leis an obair?	
Ainmnigh an banna ceoil is fearr leis.	

2. **An Dara Cainteoir** **Track 74**

Ainm	*Eibhlín Ní Shearcaigh*
Cá fhad ó Leitir Ceanainn atá áit chónaithe Eibhlín?	
Breac síos dhá phointe eolais faoina deartháir.	**(i)**
	(ii)
Cén post atá ag a hathair?	
Cén caitheamh aimsire is fearr léi?	

3. An Tríú Cainteoir — Track 75

Ainm	*Níamh de Brún*
Cén tslí bheatha atá ag a máthair?	
An maith léi a bheith ar scoil?	
Cá raibh sí anuraidh?	
Breac síos pointe eolais amháin mar gheall ar Shéamas.	

CUID B

Cloisfidh tú *trí* fhógra sa Chuid seo. Cloisfidh tú gach fógra díobh ***faoi dhó***. Éist go cúramach leo. Beidh sos tar éis gach casadh chun deis a thabhairt duit na ceisteanna a bhaineann le gach fógra a fhreagairt.

Fógra a hAon — Track 76

1. Cén stáisiún raidió a luaitear san fhógra?

____

2. Cén fáth a mbeidh an trácht an-trom ar na bóithre?

____

3. Cén chomhairle a chuirtear ar an lucht éisteachta?

____

Fógra a Dó — Track 77

1. Cén fáth nach mbeidh siopa na scoile ar oscailt go dtí an Luan?

____

2. Cathain a bheidh cead ag daltaí dul go dtí na siopaí áitiúla?

____

3. Conas a gheobhaidh na tuismitheoirí eolas ón scoil faoi na rudaí seo?

____

Fógra a Trí **Track 78**

1. Cén ócáid atá i gceist anseo?

____

2. Cé mhéad 'clí amach' atá sa halla?

____

3. Cad a bheidh ar siúil i rith an tsosa ag a naoi a chlog?

____

CUID C

Cloisfidh tú *trí cinn* de chomhráite teileafóin sa Chuid seo. Cloisfidh tú gach comhrá díobh ***trí huaire***. Cloisfidh tú an comhrá ó thosach deireadh an chéad uair. Ansin cloisfidh tú é ina 2 mhír. Beidh sos tar éis gach míre díobh chun deis a thabhairt duit an cheist a bhaineann leis an mír sin a fhreagairt. Ina dhiaidh sin cloisfidh tú an comhrá ó thosach deireadh arís.

Comhrá a hAon **Track 79**

An Chéad Mhír

1. Cén fáth a raibh Amy an-ghnóthach le mí anuas?

____

An Dara Mír

2. Cá mbeidh na cailíní ag dul anocht?

____

3. Cad é an rud atá le deanamh ag Amy sula a dtéann sí chuig teach Sandra?

____

Comhrá a Dó **Track 80**

An Chéad Mhír

1. Cén bhliain ina bhfuil Máirtín, mac Thomáis?

2. Cad a bhí ag iarraidh ag Tomás maidir lena mhac Máirtín?

An Dara Mír

3. Luaigh cúis amháin nach raibh an príomhoide róshásta le hiarratas Thomáis.

Comhrá a Trí **Track 81**

An Chéad Mhír

1. Cén fáth nár chuir Bríd scairt ar a Mam roimhe seo?

An Dara Mír

2. Cá bhfuil tuismitheoirí Rachael?

3. Cén socrú a rinne a Mam le Bríd?

CUID D

Cloisfidh tú *trí cinn* de phíosaí ón raidió sa Chuid seo. Cloisfidh tú gach píosa díobh ***faoi dhó.*** Éist go cúramach leo agus freagair na ceisteanna a ghabhann le gach píosa díobh.

Píosa a hAon **Track 82**

1. Conas a bheidh an aimsir i dtuaisceart na tíre maidin amárach?

2. Luaigh pointe eolais **amháin** i dtaobh na haimsire i lár na tíre istoíche amárach.

Píosa a Dó **Track 83**

1. Cén grúpa daltaí a chur tús le pictiúrlann na scoile?

___

2. Cén saghas scannán a thaispeántar i bpictiúrlann na scoile?

___

Píosa a Trí **Track 84**

1. Cén t-ainmhí atá i mbaol?

___

2. Cén fáth nár bhunaigh an grúpa Féile na n-Asal go dtí seo?

___

SCRÚDÚ AN TEASTAIS SHÓISEARAIGH, 2006

GAEILGE — ARDLEIBHÉAL – PÁIPÉAR I
(100 marc)

DÉARDAOIN, 8 MEITHEAMH – TRÁTHNÓNA, 2.15 go dtí 3.45

ROINN I – SCRÍOBH NA TEANGA **[70 marc]**

Ceist 1: Freagair do rogha **ceann amháin** de **A, B, C, D** anseo thíos. **(50 marc)**
(Ní gá dul thar leathanach go leith i do fhreagra.)

A. AISTE

Scríobh aiste ar do rogha **ceann amháin** de na hábhair seo:-

(i) Spórt – an tábhacht a bhaineann leis i saol an duine.
(ii) An banna ceoil nó an ceoltóir is fearr liom.
(iii) Nuair a bhí mé tinn (breoite).

B. SCÉAL/EACHTRA

Freagair do rogha **ceann amháin** díobh seo:-

(i) Ceap scéal a mbeadh an giota seo thíos oiriúnach mar thús leis:-
"Léigh mé an teachtaireacht a bhí ar mo fhón póca: 'Cuir glao orm láithreach. Tá scéal iontach agam duit.' ..."

(ii) Déan cur síos ar eachtra a tharla nuair a bhí tú sa lucht féachana ag cluiche peile le déanaí.

C. DÍOSPÓIREACHT/ÓRÁID

Maidir le do rogha **ceann amháin** de na rúin seo thíos scríobh an chaint a dhéanfá i ndíospóireacht scoile ar son nó in aghaidh an rúin sin:-

(i) "Tá daoine óga an lae inniu ag cur a sláinte i mbaol."

(ii) "Is í Éire an tír is fearr ar domhan."

D. ALT (do nuachtán nó d'iris)

Freagair do rogha **ceann amháin** díobh seo:-

(i) Iarradh ort alt a scríobh d'iris na scoile faoi iarscoláire cáiliúil ó do scoil féin. Scríobh an t-alt a chuirfeá chuig eagarthóir iris na scoile ag cur síos ar an duine sin.

(ii) Ba mhaith le RTÉ Raidió na Gaeltachta tuairimí a fháil ó dhaoine óga faoin saghas ceoil ba mhaith leo a chloisteáil ar an stáisiún sin. Scríobh an t-alt a chuirfeá chuig ceannasaí an stáisiúin faoin ábhar sin.

Ceist 2: Freagair **A** nó **B** anseo **(Ní gá dul thar leathleathanach i do fhreagra.)** **(20 marc)**

A. Chonaic tú scannán sa phictiúrlann le déanaí. Scríobh **an comhrá** a bhí idir tusa agus do chara mar gheall ar an scannán sin.

B. Chuir tú agallamh ar an bpríomhoide i do scoil féin mar gheall ar na rialacha a bhaineann le caitheamh na héide scoile i do scoil féin. Scríobh an t-agallamh a bhí ar an téip agat.

ROINN II – LÉAMHTHUISCINT (SLIOCHT LEANÚNACH) [30 marc]

Léigh an píosa iriseoireachta seo ((bunaithe ar alt in *The Irish Times*) agus freagair na ceisteanna a ghabhann leis. [*Bíodh na freagraí i d'fhocail fein, chomh fada aqus is féidir leat.*]

DEIREADH RÉ

1. Tá an róbat béasach sa tsraith scannán **Star Wars**, C-3PO, in ísle brí le tamall anuas. Chun na fírinne a insint tá cúis mhaith aige leis. Tá Máistir Anakin, an duine a chruthaigh é, tar éis dul trasna go dtí an Taobh Dorcha agus anuas air sin deir George Lucas gurb é **The Revenge of the Sith** an scannán deireanach sa tsraith.

2. Scanraithe ina chraiceann stáin atá C-3PO. Tá faitíos air go gcaithfear ar an gcarn athchúrsála é nó níos measa fós go ndéanfar smidiríní de. Tá taithí mhaith aige ar an drochíde. Uair amháin baineadh an cloigeann de; uair eile bhí sé gan aithne gan urlabhra nuair a tarraingíodh na sreanga as a phróiseálaí lárnach.

3. Dá mbeadh rogha aige bhronnfadh C-3PO a chuid páirteanna ar róbait eile. Thabharfadh sé cúpla sliseog cuimhne dá chara, R2-D2. Tá ocht milliún sórt teangacha ar eolas ag C-3PO agus níl ag R2-D2 ach an ráiméis 'Beep-boop boop....beep.' Ní dócha go nglacfaidh R2-D2 le cineáltas C–3PO mar tá sé chomh ceanndána le folúsghlantóir.

C-3PO agus a chara R2-D2

4. Níl a fhios ag mórán daoine faoi ach tá C-3PO tar éis freastal ar chúrsa féinchabhrach chun é féin a ullmhú don phróiseas athchúrsála. Rinne sé go leor machnaimh ar a chás féin. Ta díomá air nár thug sé aird ar Yoda. Thuig Yoda go raibh Máistir Anakin ag dul ar strae nuair a thosaigh sé ag caitheamh an chlóca dhuibh. Níor bhac C-3PO le míshástacht Yoda. Shíl sé gur ghalar éigin a bhí ag teacht air toisc go bhfuil Yoda breis agus 850 bliain d'aois.

5. Thuas seal, thíos seal a bhíonn C-3PO na laethanta seo. Cé go gcuireann slite aisteacha a sheanchara R2-D2 as dó go minic, tuigeann sé gur cara dílis é a sheasann leis i gcónaí. Sna laethanta deireanacha seo níl a fhios aige cad a dhéanfadh sé gan é.

Ceisteanna (iad ar cómharc)

(i) (a) Luaigh cúis **amháin** a bhfuil C-3PO in ísle brí.
(b) Tabhair sampla **amháin** den drochíde a tugadh do C-3PO.

(ii) (a) Cad a thabharfadh C-3PO do R2-D2 dá mbeadh an rogha aige?
(b) Cé mhéad sórt teangacha atá ar eolas ag C-3PO?

(iii) (a) Cén fáth ar fhreastail C-3PO ar chúrsa féinchabhrach?
(b) Cathain a thuig Yoda go raibh Máistir Anakin ag dul ar strae?

(iv) (a) Cén aois atá ag Yoda?
(b) Cén fáth nár thug C-3PO aon aird ar Yoda?

(v) Breac síos **dhá** phointe eolais ón téacs faoin gcairdeas idir C-3PO agus R2-D2.

SCRÚDÚ AN TEASTAIS SHÓISEARAIGH, 2006

GAEILGE — ARDLEIBHÉAL - PÁIPÉAR II
(120 marc)

AOINE, 9 MEITHEAMH - MAIDIN, 10.15 go dtí 12.15

ROINN I - PRÓS LITEARTHA [30 marc]

Ceist 1. Léigh an sliocht seo agus freagair **trí cinn** de na ceisteanna a ghabhann leis. **(15 mharc)**
Ní mór ceist **amháin** a roghnú as **A** agus ceist **amháin** a roghnú as **B**. Is féidir an **tríú ceist** a roghnú as **A nó B**.)

[*Bíodh na freagraí i d'fhocail féin, chomh fada agus is féidir leat.*]

(Ní gá dul thar leathanach sa fhreagairt uait ar an gCeist seo ar fad.)

FUADACH

(Bhí Uachtarán na hÉireann ag teacht go dtí an scoil. An mhaidin sin bhailigh idir mhúinteoirí agus dhaltaí ar an bhfaiche taobh amuigh. Bhí siad ar bís ag féachaint i dtreo na spéire. Mhothaigh siad slán sábháilte mar bhí na gardaí síochána ina dteannta. Ba é an rud deireanach ar a n-intinn an eachtra a bhí ar tí tarlú.)

1. Bhreathnaigh cuid acu ar a n-uaireadóirí. Sé nóiméad tar éis a naoi. D'fhéach Bean Uí Cheallaigh, an príomhoide, thart uirthi. Bhí gach duine ina líne cheart. Bhí cuma an-neirbhíseach ar an mBleachtaire Ó Broin. Ba léir go raibh sé buartha faoi rud éigin. Bhí sé ag béicíl isteach ina fhón póca. Ba léir, áfach, nach raibh an duine ar an taobh eile den líne in ann é a chloisteáil. Chuir sé an fón isteach ina phóca agus thosaigh sé ar a bhealach a dhéanamh timpeall ar an slua.
2. Díreach ag an bpointe sin thuirling an héileacaptar. Bhí an gleo an-ard. Osclaíodh an doras agus léim beirt fhear amach. Tháinig beirt eile ina ndiaidh. Ceathrar fear cosanta! Ní fhaca na páistí a leithéid cheana ach amháin sna scannáin. Níor rith sé leo go raibh aon rud bun os cionn. Thóg sé cúpla nóiméad orthu na *balaclavas* a thabhairt faoi deara. Thosaigh an Bleachtaire Ó Broin ag tabhairt orduithe in ard a chinn is a ghutha. "Coinnigh an príomhoide agus an cailín siar," a bhéic sé.
3. Bhí sé ródhéanach. I bpreabadh na súl bhí Bean Uí Cheallaigh agus Conchita, an cailín, i ngreim ag na fir a bhí ag caitheamh na *mbalaclavas*. Ansin thosaigh duine de na fir seo, a

raibh meigeafón ina láimh aige, ag labhairt leo. "Lámha suas san aer ag gach uile dhuine. Gardaí agus bleachtairí amach anseo chun tosaigh. Tá a fhios againn cé mhéad agaibh atá anseo. Amach anseo libh le bhur lámha san aer. Má fhanann gach duine socair beidh sibh go breá. Nílimid ag iarraidh aon duine a ghortú." Rinneadh mar a dúradh agus chuaigh duine de na fir timpeall ag bailiú gunnaí na ngardaí. Bhailigh sé na fóin phóca a bhí ag daoine freisin.

4. Nuair a bhí an rud seo go léir ar siúl chuaigh duine de na múinteoirí, an Máistir Ó hEadhra, chomh fada leis na sceimhlitheoirí. D'impigh sé orthu an príomhoide agus an cailín a scaoileadh saor. Dúirt sé leo go raibh sé sásta a n-áit a thógáil. Bhí argóint theasaí idir an Máistir Ó hEadhra agus duine de na sceimhlitheoirí ach faoi dheireadh ligeadh Bean Uí Cheallaigh saor. Rug mo dhuine go garbh ar an Máistir Ó hEadhra agus bhrúigh sé isteach sa héileacaptar é. Lean sé féin é. Ansin na sceimhlitheoirí eile. Duine ar dhuine. Conchita i ngreim ag an duine deireanach. Eisean ar dtús. Ise ar deireadh. A haghaidh i dtreo an tslua, í ina sciath chosanta aige siúd. Sceon agus uafás le feiceáil ina súile dorcha. Go tobann bhí siad imithe. Agus an gleo ag imeacht trasna na spéire bhí na gardaí gnóthach cheana féin.

5. Rinne beirt gharda agus na múinteoirí na páistí go léir a thabhairt isteach sa halla. Shuigh deartháireacha is deirfiúracha móra leis na páistí beaga, a lámha thart timpeall orthu. Thosaigh múinteoirí ag dul thart ag iarraidh compord a thabhairt dóibh. Cé go raibh cuid de na páistí ag caoineadh bhí páistí áirithe chomh suaite is chomh scanraithe sin nach bhféadfaidís deoir a shileadh. Bhí na múinteoirí féin chomh trína chéile agus chomh scanraithe leis na páistí. Bhí gach duine ag smaoineamh ar scéalta a bhí feicthe nó cloiste acu faoin saghas seo ruda cheana – fuadaitheoirí ag fuadach páiste ó theaghlach saibhir agus ag iarraidh airgead fuascailte ansin.

6. Diaidh ar ndiaidh bhí an halla ag éirí ciúin. Tuismitheoirí ag teacht is a gcuid páistí á mbailiú acu. Na gardaí taobh amuigh ag lorg aon bhlúire fianaise a bhí fágtha ina ndiaidh ag na fuadaitheoirí. Bhí ceamaraí teilifíse, iriseoirí agus grianghrafadóirí ag an ngeata, iad ag iarraidh labhairt le pé duine a bhí sásta labhairt leo. Bhí an feitheamh fada tosaithe.

(Sliocht athchóirithe as an úrscéal *Fuadach* le **Áine Ní Ghlinn**)

Ceisteanna (iad ar cómharc)

A (Buntuiscint)

(i) Luaigh **dhá rud** atá luaite in **Alt 1** a léiríonn go raibh an Bleachtaire Ó Broin buartha faoi rud éigin.

(ii) Breac síos **dhá phointe** eolais a thaispeánann go raibh na sceimhlitheoirí (na fir a bhí ag caitheamh na *mbalaclavas*) ullamh don rud a bhí ar siúl acu.

(iii) Tabhair **dhá shampla** ar bith as **Alt 4** agus **Alt 5** den scanradh a bhí ar na daoine.

B (Léirthuiscint Ghinearálta)

(i) Léiríonn an t-údar cúram agus cineáltas na múinteoirí go soiléir sa scéal.' Do thuairim uait faoi sin. (Is leor **dhá phointe** a lua.)

(ii) Bhí an Máistir Ó hEadhra misniúil agus cróga.'
Do thuairim uait faoi sin. (Is leor **dhá phointe** a lua.)
(iii) Ar thaitin an scéal leat? Tabhair **dhá chúis** le do thuairim.

Ceist 2. Freagair **A** nó **B** anseo. **(Ní gá dul thar leathleathanach nó mar sin i do fheagra.)** **(15 mharc)**

A

(i) Ainmnigh gearrscéal Gaeilge nó úrscéal Gaeilge nó dráma Gaeilge (a ndearna tú staidéar air i rith do chúrsa) a bhfuil an cineál céanna ábhair i gceist ann is atá sa sliocht i **gCeist 1** thuas. Ní mór teideal an tsaothair sin, mar aon le hainm an údair, a scríobh síos go soiléir.

(ii) Tabhair cuntas **gairid** ar a bhfuil sa saothar sin faoin gcineál sin ábhair.

nó

Déan comparáid **ghairid** idir a bhfuil sa sliocht i **gCeist 1** faoin ábhar úd agus a bhfuil faoin ábhar céanna sa saothar atá ainmnithe agat.

B

(i) Maidir le do rogha **ceann amháin** de na *hábhair* seo a leanas ainmnigh gearrscéal Gaeilge nó úrscéal Gaeilge nó dráma Gaeilge (a ndearna tú staidéar air i rith do chúrsa) a bhfuil an *t-ábhar* sin i gceist ann. Ní mór teideal an tsaothair sin, mar aon le hainm an údair, a scríobh síos go soiléir.
(a) Tréith láidir i nduine éigin (b) Tuismitheoirí (c) Taibhsí
(d) Eachtra a bhain le hainmhí nó le héan (e) Eachtra i dtír eile
(f) Míthuiscint idir daoine

(ii) Tabhair cuntas **gairid** ar a bhfuil sa saothar sin faoin *ábhar* atá roghnaithe agat.

(**Nóta**: I gcás **A** nó **B** thuas tá cead agat chomh maith dráma Gaeilge a ainmniú ar ghlac tú páirt ann i rith do chúrsa.)

ROINN II – FILÍOCHT [30 marc]

Ceist 1. Léigh an dá dhán thíos agus freagair **trí cinn** de na ceisteanna a ghabhann leo. **(15 mharc)**
Ní mór ceist **amháin** a roghnú as **A** agus ceist **amháin** a roghnú as **B**. Is féidir an **tríú ceist** a roghnú as **A** nó **B**.

[*Bíodh na freagraí i d'fhocail féin, chomh fada agus is féidir leat.*]

(Ní gá dul thar leathanach sa fhreagairt uait ar an gCeist seo ar fad.)

Béal na Scornaí
(le **SE Ó Cearbhall**))

Sráidbhaile
(le **Róise Ní Ghráda**)

Mar gheall ar fadhbanna
le cóipcheart níl na
dánta seo le fáil sa
leabhar seo.

Ceisteanna (iad ar cómharc)

A (Buntuiscint)

(i) Cén sórt aimsire atá ann anois i mBéal na Scornaí? Conas a bhí sí uair? (**Línte 1–12** as *Béal na Scornaí*)
(ii) Luaigh **dhá rud** a léiríonn go raibh an sráidbhaile 'sciomartha'. (**Línte 1–8** as *An Sráidbhaile*)
(iii) Cén fáth a bhfuil an file 'go brónach' sa dán *Béal na Scornaí*? Cén saghas duine a bhí 'uaigneach' sa dán *An Sráidbhaile*?

B (Léirthuiscint)

(i) Mínigh a bhfuil i gceist ag an bhfile sna **línte 13-16** sa dán *An Sráidbhaile*, dar leatsa.
(ii) Luaigh **difríocht amháin** agus **cosúlacht amháin** atá idir an dá dhán.
(iii) Cé acu den dá dhán is fearr leat? (Is leor **dhá fháth** a lua.)

Ceist 2. Freagair **A** nó **B** anseo. **(Ní gá dul thar leathleathanach i do fheagra.)** **(15 mharc)**

A

(i) Ainmnigh dán Gaeilge (a ndearna tú staidéar air i rith do chúrsa) a bhfuil an cineál céanna ábhair i gceist ann is atá i do rogha **ceann amháin** den dá dhán i **gCeist 1** thuas. Ní mór teideal an dáin sin, mar aon le hainm an fhile a chum, a scríobh síos go soiléir.
(ii) Tabhair cuntas **gairid** ar a bhfuil faoin gcineál sin ábhair sa dán atá ainmnithe agat agus ar an gcaoi a gcuireann an file os ár gcomhair é.

nó

Déan comparáid **ghairid** idir a bhfuil faoin ábhar úd sa dán atá roghnaithe agat as **Ceist 1** agus a bhfuil faoin ábhar céanna sa dán atá ainmnithe agat.

B

(i) Ainmnigh dán Gaeilge (a ndearna tú staidéar air i rith do chúrsa) a bhfuil do rogha **ceann amháin** de na *téamaí* seo thíos i gceist ann. Ní mór teideal an dáin sin, mar aon le hainm an fhile a chum, a scríobh síos go soiléir.

(a) Meas ag an bhfile ar dhuine áirithe (b) Eachtra a tharla (c) Na séasúir
(d) Saol na scoile (e) Rud éigin a chuir fearg ar an bhfile (f) An fharraige

(ii) Tabhair cuntas **gairid** ar a bhfuil sa dán sin faoin *téama* atá roghnaithe agat agus ar an gcaoi a gcuireann an file an *téama* sin os ár gcomhair.

ROINN III – LÉAMHTHUISCINT (GIOTAÍ GEARRA) [30 marc]

Freagair do rogha **trí cinn** de **A**, **B**, **C**, **D** anseo. (**Is leor freagraí gairide i ngach cás.**)

[*I gcás **A**, **B** agus **C** bíodh na freagraí i d'fhocail féin, chomh fada agus is féidir leat.*]

A **(10 marc)**

Léigh an sliocht seo a leanas (bunaithe ar ***fhógra*** de chuid ***BIM)*** agus freagair na ceisteanna a ghabhann leis.

Roghnaigh iasc ar son na beatha.

Is cuma cén aois tú, bíonn an bia folláin dea-chothaitheach riachtanach i gcónaí. Má bhíonn iasc san aiste bhia agat go rialta, ní baol duit. Tá na cothuithe bia, atá riachtanach chun go mbeidh saol folláin sláintiúil ag duine, le fáil in iasc. Má itheann tú iasc faoi dhó in aghaidh na seachtaine déanfaidh sé maitheas do do chroí, do néarchóras, d'inchinn agus do chraiceann.

Anois tá leabhrán eolais ar fáil ó *BIM*. Sa leabhrán seo tá eolas faoi na buntáistí a bhaineann le hiasc a ithe go rialta. Tugtar eolas freisin ann ar conas béilí deasa blasta éisc a ullmhú go simplí. Má theastaíonn an leabhrán seo uait déan teagmháil le *BIM* ag 01 2144250 nó tabhair cuairt ar ár láithreán gréasáin ag *www.bim.ie/wellbeing*

(i) Luaigh **dhá bhuntáiste** a bhaineann le hiasc a ithe go rialta.
(ii) Conas is féidir an leabhrán a fháil ó ***BIM?*** Luaigh **dhá shlí**.

B (10 marc)

Léigh an sliocht seo a leanas (as *www.rosnarun.com* - Gné Ailt) agus freagair na ceisteanna a ghabhann leis.

Ros na Rún

Sobaldráma de chuid TG4 is ea Ros na Rún. Tá sé ar siúl ó 1996. Taispeántar é dhá oíche in aghaidh na seachtaine ar TG4, gach Máirt agus Déardaoin ag 8.30pm ó Mheán Fómhair go Bealtaine. Bíonn athchraoladh ar na cláir le feiceáil maidin Dé Céadaoin agus maidin Dé Máirt. Craolann RTÉ an tsraith sa samhradh ina dhiaidh sin.

Baile beag Gaeltachta is ea Ros na Rún. Níl tada ciúin ná iargúlta ag baint leis mar bhaile. Ar nós na sobaldrámaí móra eile is scáthán é a bhfuil 'chuile ghné den saol nua-aimseartha' le feiceáil ann. Bíonn sé lán de scéalta corraitheacha agus carachtair láidre: an laoch, an bithiúnach, an naomh agus an rógaire. Oireann an t-ainm dó mar is mó rún atá ar an mbaile céanna.

Tarlaíonn príomhimeachtaí an dráma sa teach tábhairne, sa chaife, sa stáisiún raidió agus sa siopa áitiúil. Toisc go ndéantar an clár in aice leis an Spidéal, i gCo na Gaillimhe, bíonn deis iontach ag na léiritheoirí úsáid a bhaint as an tírdhreach álainn atá sa cheantar i gcomhair suíomh áirithe. Tá gach aon eolas faoin gclár le fáil ar an láithreán gréasáin, ag *www.rosnarun.com* nó ag *www.tg4.ie*. Tabhair cuairt ar Ros na Rún. Ní bheidh díomá ort.

(i) Cé mhéad uair sa tseachtain a thaispeántar Ros na Rún ar TG4? Cathain a thaispeánann RTÉ an sobaldráma?

(ii) Luaigh **dhá chosúlacht**, ó **Alt 2**, atá idir Ros na Rún agus sobaldrámaí eile.

<u>C</u> (10 marc)

Léigh an sliocht seo a leanas (as **Foinse**) agus freagair na ceisteanna a ghabhann leis.

Scarlett Johannson

Rugadh Scarlett Johannson i Nua-Eabhrac sa bhliain 1984. Thosaigh sí ag aisteoireacht nuair a bhí sí ocht mbliana d'aois. Bhí páirt bheag aici i ndráma stáitse darbh ainm *Sophistry*. Bhí Ethan Hawke sa dráma céanna. Ó shin i leith tá clú agus cáil bainte amach aici mar aisteoir. Anois tá na criticeoirí ag déanamh comparáide idir í agus Meryl Streep. Is moladh ard é sin do bhean nach bhfuil ach dhá bhliain is fiche d'aois.

Cé go raibh Scarlett i mórán scannán is iad na trí scannán léi a sheasann amach ná *Girl with a Pearl Earring, Lost in Translation* agus *A Good Woman*. Is maith léi rólanna atá dúshlánach agus carachtair atá casta. Is fearr léi go mór bheith ag aisteoireacht le fir atá cúpla bliain níos sine ná í féin, leithéidí Bill Murray agus John Travolta. Cuirfidh sé seo díomá ar go leor fear óg ach deir Scarlett nach bhféadfadh sí í féin a shamhlú ag siúl amach le fear faoi bhun tríocha bliain d'aois.

Is í Melanie, a máthair, an bainisteoir atá aici. Scar a hathair, Karsten, agus Melanie nuair a bhí Scarlett trí bliana déag d'aois. Caitheann sí am leis an mbeirt acu, Karsten i Nua-Eabhrac agus Melanie i Los Angles. Réitíonn sí go maith leo agus deir sí go bhfuil saol normálta go leor aici. Coimeádann Scarlett a cosa ar an talamh i gcónaí. Ní maith léi réalta óga a mbíonn a gceann sna scamaill acu.

(i) Cén tslí bheatha atá ag Scarlett Johannson agus cén aois í?

(ii) Breac síos **dhá phointe** eolais i dtaobh Scarlett agus na fir ina saol.

D (10 marc)

Déan staidéar ar an sliocht athchóirithe seo a leanas (as *www.tg4.ie*) a bhfuil bearnaí ann atá uimhrithe ó **(1)** go dtí **(11)**.
Ansin líon gach bearna díobh le focal oiriúnach as an liosta thíos. (Níl aon ord speisialta ar an liosta sin.) Ba cheart an freagra i do fhreagarleabhar a leagan amach mar seo:
"Bearna **(1)** = taistil", agus mar sin de. Ní gá an sliocht féin a scríobh.

Ó Cairo go Cape Town

Fear mór **(1)** é Hector Ó hEochagáin. Is mó uair a chuaigh sé amú ar son na cúise do TG4. Ceann de na turais is spéisiúla a **(2)** sé air go dtí seo ná an turas chun na hAfraice. Thaistil sé ó Cairo go Cape Town ag stopadh ar an **(3)** san Aetóip, sa Chéinia, sa Tansáin agus sa tSaimbia. Thaistil sé os **(4)** 5,000 míle ar fad.

Bhí go leor fadhbanna aige féin agus ag an gcriú le **(5)** an turais. D'imigh na málaí taistil amú orthu uair amháin. Uair eile níor fhéad siad an t-uisce a ól mar bhí sé salach. Bhí fadhb **(6)** ag Hector leis an teas marbhánta freisin. Ach lean sé ar **(7)** ar son na cúise.

In Cairo rinne sé damhsa boilg. D'fhreastail sé **(8)** bhainis sa Chéinia agus d'ól sé fuil chaorach ann mar **(9)** den cheiliúradh. Rinne sé safari sa Serengeti agus bhuail sé le **(10)** ar Kilimanjaro a raibh geansaí Uíbh Fhailí air. Faoi **(11)** tháinig Hector dána abhaile slán sábháilte agus bhain an pobal, idir óg agus aosta, sult as a chuid gheáitsíochta nuair a craoladh iad ar TG.4.

Liosta focal: taistil [Bearna (1)]; cionn; dúchasach; bheag; ndeachaigh; mbealach; aghaidh; ar; chuid; dheireadh; linn.

ROINN IV – LITIR A SCRÍOBH [30 marc]

Freagair **A** nó **B** nó **C** anseo. **(Ní gá dul thar leathleathanach i do fhreagra.)**

A

Osclaíodh ionad nua siopadóireachta i do cheantar féin le déanaí. Scríobh litir chuig cara leat ag insint dó/di faoi.

I do litir luaigh

- pointe **amháin** faoin oscailt oifigiúil
- **dhá** rud a thaitníonn leat faoin áit
- **dhá** rud nach dtaitníonn leat faoin áit

B

Fuair tú bronntanas speisialta le déanaí. Scríobh litir chuig cara leat faoi.

I do litir luaigh

- cén fáth a bhfuair tú an bronntanas
- an saghas bronntanais a fuair tú
- **dhá phointe** faoin duine nó na daoine a thug an an bronntanas duit
- **pointe amháin** eile i dtaobh na hócáide

C

Léigh tú litir i nuachtán le déanaí a dúirt go raibh laethanta saoire scoile an tsamhraidh rófhada. Scríobh **litir** chuig eagarthóir an nuachtáin sin i dtaobh a raibh sa litir sin.

I do litir luaigh

- **dhá argóint** a bhí sa litir nach n-aontaíonn tú leo
- **dhá argóint eile** uait féin i bhfábhar laethanta saoire mar atá siad
- **rud amháin eile** a dúradh sa litir a chuir fearg ort

Scrúdú an Teastais Shóisearaigh 2006 Téipscript

CUID A

An Chéad Chainteoir — Rian 73

Is mise Tomás Ó Cuinn. Rugadh mé i gContae Liatroma ach táim i mo chónaí i mBré, Co. Chill Mhantáin le dhá bhliain anuas. Tá bialann ag mo thuismitheoirí. Bím ag obair ann ag an deireadh seachtaine. Ní maith liom an obair mar bíonn custaiméirí ag gearán go minic faoi phraghsanna na mbéilí.

Is maith liom ceol agus is é Snow Patrol an banna ceoil is fearr liom.

An Dara Cainteoir — Rian 74

Eibhlín Ní Shearcaigh is ainm dom. Cónaím dhá mhíle taobh amuigh de Leitir Ceanainn i gContae Dhún na nGall. Tá deartháir amháin agam. Ruairí is ainm dó. Is imreoir gairmiúil sacair é agus imríonn sé le Leeds United. Is búistéir é m'athair agus tá siopa mór aige i Leitir Ceanainn. Is é an caitheamh aimsire is fearr liom ná bheith ag siúl sna sléibhte.

An Tríú Cainteoir — Rian 75

Niamh de Brún an t-ainm atá orm. Tá cónaí orm i gcathair Luimnigh. Is fiaclóir í mo mháthair agus is scríbhneoir é m'athair. Is aoibhinn liom a bheith ar scoil. Is í an Ghaeilge an t-ábhar is fearr liom. Bhí mé sa Ghaeltacht anuraidh agus thaitin sé go mór liom. Bhuail mé le Séamas ann agus táimid ag siúl amach le chéile ó shin. Sílim go bhfuil sé an-dathúil.

CUID B

Fógra a hAon — Rian 76

Tá sibh ag éisteacht le Camchuairt ar RTÉ, Raidió na Gaeltachta. Tá fógra práinneach anseo againn ón nGarda Síochána. Beidh an trácht an-trom ar na bóithre timpeall ar an gCeathrú Rua as seo go ceann seachtaine. Tá sorcas sa cheantar. Leanaigí na treoracha a thugann na gardaí daoibh, le bhur dtoil.

Fógra a Dó — Rian 77

An Príomhoide ag caint libh. Ní bheidh siopa na scoile ar oscailt go dtí an Luan seo chugainn. Briseadh isteach ann ag an deireadh seachtaine agus rinneadh mórán damáiste dó. Mar gheall air seo, beidh cead ag daltaí dul go dtí na siopaí áitiúla ag am lóin go dtí go n-osclaíonn siopa na scoile arís. Cuirfear nóta chuig bhur dtuismitheoirí ag míniú an scéil dóibh.

Fógra a Trí Rian 78

Cuirim fáilte roimh achan duine chuig Ceolchoirm na Nollag. I dtús báire fógra gearr faoi chúrsaí slándála. Tá ceithre shlí amach as an halla seo. Tá doras ar bhur gcúl, doras ar thaobh na láimhe deise, doras ar thaobh na láimhe clé agus doras eile taobh thiar den stáitse. Beidh sos deich nóiméad ag a naoi a chlog agus beidh an crannchur againn ansin.

CUID C

Comhrá a hAon Rian 79

Amy: Haigh, a Sandra! Amy anseo.
Sandra: Ó heileó, a Amy! Is fada ó chuala mé uait.
Amy: Tá brón orm ach bhí mé an-ghnóthach le mí anuas.
Sandra: Céard a bhí idir lámha agat?
Amy: Bhí mé ag ullmhú don chomórtas Eolaí Óg na Bliana.
Sandra: Ach is dócha go mbíonn sos ag teastáil ó chailíní cliste freisin.
Amy: An mbeidh sibh ag dul amach anocht?
Sandra: Beimid ag dul isteach sa chathair. An dtiocfaidh tú linn?
Amy: Tiocfaidh mé. Ach caithfidh mé dul chuig an ngruagaire i dtosach. Buailfidh mé síos chuig do theachsa timpeall a hocht a chlog.
Sandra: Go hiontach, a Amy.

Comhrá a Dó Rian 80

Tuismitheoir: An bhféadfainn labhairt leis an bPríomhoide, le do thoil?
Príomhoide: Seán Ó Ceallaigh, an Príomhoide, ag labhairt leat.
Tuismitheoir: Dia duit, a dhuine uasail. Is mise Tomás Ó Murchú. Tá mac liom, Máirtín, i mBliain a hAon.
Príomhoide: Dia is Muire duit, a Thomáis.
Tuismitheoir: Tá mé ag iarraidh cead uait Máirtín a thógáil as an scoil coicís roimh na laethanta saoire.
Príomhoide: Beidh Máirtín as láthair do na scrúduithe má dhéanann tú sin.
Tuismitheoir: Fuair mé margadh an-mhaith i gcomhair laethanta saoire sa Spáinn.
Príomhoide: Tuigim duit, a Thomáis, ach tá an Roinn Oideachais agus Eolaíochta an-dian ar rudaí mar sin anois. Pé scéal é, ar mhiste leat é a chur i scríbhinn chugam?
Tuismitheoir: Beidh an litir ag Máirtín amárach.

Comhrá a Trí — Rian 81

Bríd: Haigh, a Mham, Bríd anseo.
Máthair: Cá bhfuil tú, in ainm Dé, ag an am seo den oíche?
Bríd: Tá an-bhrón orm, a Mham, nár chuir mé scairt ort roimhe seo ach d'éirigh mo chara Rachel breoite ag an gcóisir agus bhí orm dul abhaile léi.
Máthair: Tuigim go maith cén fáth ar éirigh Rachel breoite.
Bríd: Rud éigin a d'ith sí ag an gcóisir, déarfainn.
Máthair: Rachaidh mé ann anois chun tú a bhailiú.
Bríd: Ó, ná déan, a Mham, caithfidh mé fanacht le Rachel ar feadh na hoíche.
Máthair: Ach cá bhfuil tuismitheoirí Rachel?
Bríd: Tá siad amuigh don oíche.
Máthair: Ní thuigim daoine áirithe. Anois, an seoladh, le do thoil, a Bhríd, agus baileoidh mé thú ag a deich a chlog ar maidin.

CUID D

Píosa a hAon — Rian 82

Seo anois réamhaisnéis na haimsire don lá amárach. Beidh sé scamallach ar fud na tíre i dtús an lae. Beidh ceo nó ceobhrán go forleathan i dtuaisceart na tíre ar maidin ach glanfaidh sé sin san iarnóin. Titfidh an teocht faoin reophointe istoíche amárach agus beidh sioc crua ann, go háirithe i lár na tíre.

Píosa a Dó — Rian 83

Tá daltaí Phobalscoil an Tobair chun tosaigh ar mhórán scoileanna eile na laethanta seo. Tá pictiúrlann bheag dá gcuid féin acu. Ba iad na daltaí san Idirbhliain a chuir tús leis. Bíonn na seanscannáin thostacha le feiceáil le linn am lóin ar na laethanta nach mbíonn an aimsir go maith. Is scannáin ghearra is mó a bhíonn acu mar níl ach sos uair a' chloig acu don lón.

Píosa a Trí — Rian 84

Tá an t-asal dúchasach, nó an t-asal gaelach, i mbaol. Tá grúpa daoine tar éis teacht le chéile chun rud éigin a dhéanamh faoi. Ba mhaith leo féile, Féile na nAsal, a bhunú in onóir an asail. Go dtí seo, níl aon sráidbhaile ná aon bhaile mór sa tír sásta an fhéile a bheith acu. Thaispeáin TG4 scannán speisialta faoin asal cúpla mí ó shin. Bheadh trua agat don chréatúr bocht.